THEOPHANEIA
BEITRÄGE ZUR RELIGIONS- UND KIRCHENGESCHICHTE
DES ALTERTUMS

Begründet von Franz Joseph Dölger † und Theodor Klauser, in Verbindung
mit dem F. J. Dölger-Institut herausgegeben von Theodor Klauser

24

AETAS SPIRITALIS

von

Christian Gnilka

BONN 1972
PETER HANSTEIN VERLAG GMBH

Der junge Moses unter den ägyptischen Weisen.
S. Maria Maggiore, Rom.
(Dazu siehe S. 228/32.)

AETAS SPIRITALIS

Die Überwindung der natürlichen Altersstufen
als Ideal frühchristlichen Lebens

von

Christian Gnilka

BONN 1972
PETER HANSTEIN VERLAG GMBH

Auf Empfehlung der Philosophischen Fakultät der
Rheinischen Friedrich-Wilhelms-Universität Bonn
gedruckt mit Unterstützung
der Deutschen Forschungsgemeinschaft

ISBN 3 7756 1224 6

Druck: Hubert & Co., Göttingen

UXORI

FILIABUSQUE PARVULIS

VORWORT

Diese Untersuchung ist im Wintersemester 1970/71 von der Philosophischen Fakultät der Rheinischen Friedrich-Wilhelms-Universität Bonn als Habilitationsschrift angenommen worden. Ihre Ausarbeitung wurde mir durch ein Stipendium der Deutschen Forschungsgemeinschaft ermöglicht, der ich außerdem auch für die Gewährung der Druckkostenbeihilfe zu danken habe.

Gerne vermerke ich, daß mir immer wieder nützliche Mitteilungen von vielerlei Seiten zugingen, glaube ich doch darin einen Beweis für das Interesse sehen zu dürfen, das Angehörige verschiedener Fachrichtungen dem behandelten Gegenstand entgegenbringen. Besonders zugute gekommen sind der Arbeit die Anregungen Th. KLAUSERS und W. SCHMIDS sowie ferner einzelne Hinweise von N. HIMMELMANN-WILDSCHÜTZ, Lieselotte KÖTZSCHE-BREITENBRUCH, P. KRAFFT und vor allem W. SPEYER, der auch eine Korrektur mitgelesen hat. Ebenfalls für Unterstützung bei der Korrektur bin ich E. BARKHAUSEN zu Dank verpflichtet.

In der Reihe 'Theophaneia' hat die Untersuchung einen von der Sache her angemessenen Platz erhalten: dem Herausgeber sei auch aus diesem Grunde gedankt!

Münster in Westfalen, April 1972 — Ch. GNILKA

INHALTSÜBERSICHT

VERZEICHNIS DER ABKÜRZUNGEN

Herausgebernamen, wie sie des öfteren hinter den Seitenzahlen moderner Textausgaben angeführt werden, sind hier in der Regel nicht verzeichnet.

ABG	= Archiv für Begriffsgeschichte. Bonn
AEHE	= Annuaire de l'École pratique des Hautes Études. Section des Sciences religieuses. Paris
ALDAMA	= J. A. DE ALDAMA, Repertorium Pseudochrysostomicum. Paris 1965
ALTANER-STUIBER	= B. ALTANER-A. STUIBER, Patrologie. Freiburg-Basel-Wien 1966[7]
AMAND	= D. AMAND, L'Ascèse monastique de saint Basile. Abbaye de Maredsous 1949
ARW	= Archiv für Religionswissenschaft. Leipzig-Berlin
AUBINEAU	= M. AUBINEAU, Grégoire de Nysse, Traité de la virginité. Paris 1966 = SC 119 (bes. 575/77: Appendice IV: "L'enfant-vieillard")
AUCHER	= J. B. AUCHER, Philonis Iudaei paralipomena Armena. Venedig 1826
BACCETTI	= E. BACCETTI, Vecchi e giovani nella regola di S. Benedetto: Rivista di Ascetica e Mistica 7 (1962) 458/482.
BAUER	= W. BAUER, Das Leben Jesu im Zeitalter der neutestamentlichen Apokryphen. Tübingen 1909 (Nachdruck: Darmstadt 1967)
BAUMGARTNER	= W. BAUMGARTNER, Susanna. Die Geschichte einer Legende: ARW 24 (1926) 259/280
BETZ	= H. D. BETZ, Lukian von Samosata und das Neue Testament = TU 76 (1961)
BIELER	= L. BIELER, ΘΕΙΟΣ ΑΝΗΡ. Das Bild des „göttlichen Menschen“ in Spätantike und Frühchristentum 1.2. Wien 1935. 1936 (Nachdruck: Darmstadt 1967)
BJb	= Bonner Jahrbücher des Rheinischen Landesmuseums in Bonn und des Vereins von Altertumsfreunden im Rheinlande. Kevelaer
BLOKSCHA	= J. BLOKSCHA, Die Altersvorschriften für die höheren Weihen im ersten Jahrtausend: Archiv für katholisches Kirchenrecht 111 (1931) 31/83
BLOMENKAMP	= P. BLOMENKAMP, Art. Erziehung: RAC 6 (1966) 502/559
BOLL	= F. BOLL, Die Lebensalter: [Neue Jahrbücher 31 (1913) 89/145 =] Kleine Schriften zur Sternkunde des Altertums 156/224. Leipzig 1950

Bonhöffer = A. Bonhöffer, Epiktet und das Neue Testament = Religionsgeschichtliche Versuche und Vorarbeiten 10. Gießen 1911 (Nachdruck: Berlin 1964)

Brandenburger = E. Brandenburger, Fleisch und Geist = Wissenschaftliche Monographien zum Alten und Neuen Testament 29. Neukirchen-Vluyn 1968

Brechter = S. Brechter, Der „umherschweifende" Pförtner. Eine Textkorrektur an der Regula Benedicti: Benedictus. Weihegabe der Erzabtei St. Ottilien 475/504. München 1947

Brink = Ch. O. Brink, Interpretation and the History of Ideas: Die Interpretation in der Altertumswissenschaft. Ansprachen zum 5. FIEC-Kongreß, hrsg. von W. Schmid, 75/82. Bonn 1971

Brunner = J. N. Brunner, Der hl. Hieronymus und die Mädchenerziehung = Veröffentlichungen aus dem kirchenhistorischen Seminar München, 3. Reihe, Nr. 10. München 1910

Büchner = K. Büchner, Cicero. Grundzüge seines Wesens: [Gymnasium 62 (1955) 299/318 =] Studien zur römischen Literatur 2, 1/24. 195. Wiesbaden 1962

Butler = C. Butler, Benediktinisches Mönchtum (autorisierte deutsche Übersetzung). St. Ottilien 1929

Calmet = A. Calmet, Commentaire littéral, historique et moral sur la règle de saint Benoît. 1. 2. Paris 1734

Campenhausen = H. v. Campenhausen, Kirchliches Amt und geistliche Vollmacht = Beiträge zur historischen Theologie 14. Tübingen 1953

Caspari = C. P. Caspari, Kirchenhistorische Anecdota 1. Christiania 1883 (Nachdruck: Brüssel 1964)

CCL = Corpus Christianorum. Series Latina. Turnhout

CE = Carmina Latina Epigraphica conlegit F. Buecheler 1. 2. Leipzig 1895. 1897. Suppl. ed. E. Lommatzsch. Leipzig 1926 = Anthologia Latina, edd. F. Buecheler-A. Riese-E. Lommatzsch II 1. 2. 3 (Nachdruck: Amsterdam 1964)

Chadwick = Origen: Contra Celsum. Translated with an Introduction and Notes by H. Chadwick. Cambridge 1965[2]

Christiansen = Irmgard Christiansen, Die Technik der allegorischen Auslegungswissenschaft bei Philon von Alexandrien = Beiträge zur Geschichte der biblischen Hermeneutik 7. Tübingen 1969

Courcelle = P. Courcelle, Les Lettres grecques en Occident. De Macrobe à Cassiodore. Paris 1948[2]

CSCO scr. Syr. = Corpus Scriptorum Christianorum Orientalium. Scriptores Syri. Louvain

CSEL = Corpus Scriptorum Ecclesiasticorum Latinorum. Wien

CUMONT = F. CUMONT, Recherches sur le symbolisme funéraire des Romains. Paris 1942

CURTIUS = E. R. CURTIUS, Europäische Literatur und Lateinisches Mittelalter. Bern 1954² (bes. 108/112: „Knabe und Greis"; 112/115: „Greisin und Mädchen")

DACL = Dictionnaire d'archéologie chrétienne et de liturgie. Paris

DANASSIS = A. DANASSIS, Johannes Chrysostomus. Pädagogisch-psychologische Ideen in seinem Werk = Abhandlungen zur Philosophie, Psychologie und Pädagogik 64. Bonn 1971

DANIÉLOU = J. DANIÉLOU, La Resurrection des corps chez Grégoire de Nysse: VigChr 7 (1953) 154/170

DEICHMANN-BOVINI-BRANDENBURG = Repertorium der christlich-antiken Sarkophage 1: Rom und Ostia. Hrsg. von F. W. DEICHMANN, bearb. von G. BOVINI und H. BRANDENBURG (ein Textband und ein Tafelband). Wiesbaden1967

DELATTE = P. DELATTE, Commentaire sur la règle de saint Benoît. Paris 1931⁹

DINKLER = E. DINKLER, Die Anthropologie Augustins = Forschungen zur Kirchen- und Geistesgeschichte 4. Stuttgart 1934

EG = Epigrammata Graeca ex lapidibus conlecta ed. G. KAIBEL. Berlin 1878 (Nachdruck: Hildesheim 1965)

EL = Ephemerides Liturgicae. Rom

ELLEBRACHT = M. P. ELLEBRACHT, Remarks on the Vocabulary of the Ancient Orations in the Missale Romanum = Latinitas Christianorum Primaeva 18. Nijmegen-Utrecht 1966

FESTUGIÈRE, Antioche = A. J. FESTUGIÈRE, Antioche paienne et chrétienne. Libanios, Chrysostome et les moines de Syrie. Paris 1959

FESTUGIÈRE, Lieux communs = A. J. FESTUGIÈRE, Lieux communs littéraires et thèmes de folklore dans l'hagiographie primitive: Wiener Studien 73 (1960) 123/152 (bes. 137/139: „Puer senex")

FGrHist = Die Fragmente der griechischen Historiker, von F. JACOBY

FHG = Fragmenta Historicorum Graecorum ed. C. MÜLLER

FICKER = J. FICKER, Die Darstellung der Apostel in der altchristlichen Kunst = Beiträge zur Kunstgeschichte N.F. 5. Leipzig 1887

FREUDENBERGER = R. FREUDENBERGER, Das Verhalten der römischen Behörden gegen die Christen im 2. Jahrhundert = Münchener Beiträge zur Papyrusforschung und antiken Rechtsgeschichte 52. München 1967

FRIDRICHSEN = A. FRIDRICHSEN, Randbemerkungen zur Kindheitsgeschichte bei Lukas: Symbolae Osloenses 6 (1928) 33/38

FRÜCHTEL = Ursula FRÜCHTEL, Die kosmologischen Vorstellungen bei Philo von Alexandrien. Ein Beitrag zur Geschichte der Genesisexegese = Arbeiten zur Literatur und Geschichte des hellenistischen Judentums 2. Leiden 1968

GAUDEMET = J. GAUDEMET, L'Église dans l'empire romain (IVe–Ve siècles) = Histoire du droit et des institutions de l'église en Occident 3. Paris o. J. [1958]

GCS = Die griechischen christlichen Schriftsteller der ersten drei Jahrhunderte. Berlin

GGA = Göttingische Gelehrte Anzeigen. Göttingen

GIGON = O. GIGON, Jugend und Alter in der Ethik des Aristoteles: Antiquitas Graeco-Romana ac tempora nostra. Acta congressus intern. habiti Brunae ... (1966) 188/192. Prag 1968

GINZBERG = L. GINZBERG, The Legends of the Jews 1.2.3.4.5.6. Philadelphia 1909/1928. 7: Index by B. COHEN. Philadelphia 1938 (letzter Nachdruck: Philadelphia 1954/1959: 1/6. 1946: 7).

GNILKA = Ch. GNILKA, Altersklage und Jenseitssehnsucht: JbAC 14 (1971) 5/23

GRABAR = A. GRABAR, Christian Iconography. A Study of Its Origins = Bollingen Series XXXV/10. Princeton N. J. 1968

GRIESSMAIR = E. GRIESSMAIR, Das Motiv der *mors immatura* in den griechischen metrischen Grabinschriften = Commentationes Aenipontanae 17. Innsbruck 1966

GRILLI = A. GRILLI, L'uomo e il tempo: Rendiconti dell'Istituto Lombardo. Classe di Lettere e Scienze morali e storiche 96 (1962) 83/95

HADOT = Ilsetraut HADOT, Seneca und die griechisch-römische Tradition der Seelenleitung = Quellen und Studien zur Geschichte der Philosophie 13. Berlin 1969

HAENCHEN = E. HAENCHEN, Die Botschaft des Thomas-Evangeliums = Theologische Bibliothek Töpelmann 6. Berlin 1961

HALKIN = Sancti Pachomii vitae Graecae, edd. Hagiographi Bollandiani ex recensione Francisci HALKIN = Subsidia Hagiographica 19. Brüssel 1932

HANSLIK = Benedicti Regula, rec. R. HANSLIK = CSEL 75 (1960)

HARNACK, Dogmengeschichte = A. v. HARNACK, Lehrbuch der Dogmengeschichte 1. Tübingen 1909^{4}. 2.3. Tübingen 1910^{4}. (Nachdruck: Darmstadt 1964)

HARNACK, Leben Cyprians = A. v. HARNACK, Das Leben Cyprians von Pontius = TU 39/3 (1913)

HARNACK, Mission = A. v. HARNACK, Die Mission und Ausbreitung des Christentums in den ersten drei Jahrhunderten 1. 2. Leipzig 1924[4] (Nachdruck: Leipzig 1965)

HARNACK, Terminologie = A. v. HARNACK, Die Terminologie der Wiedergeburt und verwandter Erlebnisse in der ältesten Kirche = TU 42/3 (1918) 97/143

HARTKE = W. HARTKE, Römische Kinderkaiser. Berlin 1951

HÄUSSLER = R. HÄUSSLER, Vom Ursprung und Wandel des Lebensaltervergleichs: Hermes 92 (1964) 313/41

HEGGLIN = B. HEGGLIN, Der benediktinische Abt in rechtsgeschichtlicher Entwicklung und geltendem Kirchenrecht = Kirchengeschichtliche Quellen und Studien 5. St. Ottilien 1961

HEIMBECHER = W. HEIMBECHER, Begriff und literarische Darstellung des Kindes im republikanischen Rom. Diss. Freiburg i. B. 1958 (maschinenschriftl.)

HEINEMANN = I. HEINEMANN, Philons griechische und jüdische Bildung. Breslau 1932 (Nachdruck: Hildesheim 1962)

HENNECKE-SCHNEEMELCHER = E. HENNECKE-W. SCHNEEMELCHER, Neutestamentliche Apokryphen in deutscher Übersetzung 1.2. Tübingen 1959[3]. 1964[3]

HERTER = H. HERTER, Das unschuldige Kind: JbAC 4 (1961) 146/162

HERWEGEN = I. HERWEGEN, Sinn und Geist der Benediktinerregel. Einsiedeln-Köln 1944

HNT = Handbuch zum Neuen Testament. Tübingen

HOHNEN = P. HOHNEN, Die Altersklage im Herakles des Euripides und die Wertschätzung des Greisenalters bei den Griechen. Diss. Bonn 1953 (maschinenschriftl.)

HUMBERTCLAUDE = P. HUMBERTCLAUDE, La Doctrine ascétique de saint Basile de Césarée. Paris 1932

ILCV = Inscriptiones Latinae Christianae Veteres, ed. E. DIEHL 1. 2. 3. Berlin 1961[2]. Suppl. edd. J. MOREAU-H. I. MARROU. Berlin 1967

ILS = Inscriptiones Latinae Selectae, ed. H. DESSAU 1. 2. 3. Berlin 1892/1916 (Nachdruck: Berlin 1962)

JbAC = Jahrbuch für Antike und Christentum. Münster

JENTSCH = W. JENTSCH, Urchristliches Erziehungsdenken = Beiträge zur Förderung christlicher Theologie 45/3. Gütersloh 1951

KARPP, Anthropologie = H. KARPP, Probleme altchristlicher Anthropologie = Beiträge zur Förderung christlicher Theologie 44/3. Gütersloh 1950

KARPP, Mosaiken = H. KARPP, Die frühchristlichen und mittelalterlichen Mosaiken in Santa Maria Maggiore zu Rom. Baden-Baden 1966

Kassel, Diss. = R. Kassel, Quomodo quibus locis apud veteres scriptores Graecos infantes atque parvuli pueri inducantur describantur commemorentur (Diss. Mainz 1951). Würzburg 1954

Kassel, Konsolationslit. = R. Kassel, Untersuchungen zur griechischen und römischen Konsolationsliteratur = Zetemata 18. München 1958

Kemper = H.D. Kemper, Rat und Tat. Studien zur Darstellung eines antithetischen Begriffspaares in der klassischen Periode der griechischen Literatur. Diss. Bonn 1960

Kenner = Hedvig Kenner, Puer senex: Acta Archaeologica Academiae Scientiarum et Artium Slovenicae 19 (Ljubljana 1968) 65/73

Kuiper = T. Kuiper, Philodemus over den dood. Diss. Amsterdam 1925

Ladner G.B. Ladner, The Idea of Reform. Its Impact on Christian Thought and Action in the Age of the Fathers. Cambridge/Mass. 1959

Lafontaine = P.-H. Lafontaine, Les Conditions positives de l'accession aux ordres dans la première législation ecclésiastique (300–492). Ottawa 1963

Lampe = G.W.H. Lampe, A Patristic Greek Lexikon. Oxford 1961

Lausberg = Marion Lausberg, Untersuchungen zu Senecas Fragmenten = Untersuchungen zur antiken Literatur und Geschichte 7. Berlin 1970

Leisegang = H. Leisegang, Die Begriffe von Zeit und Ewigkeit im späteren Platonismus = Beiträge zur Geschichte der Philosophie des Mittelalters 13/4. Münster 1913

LexChrIkon = Lexikon der christlichen Ikonographie, hrsg. von E. Kirschbaum 1.2. Rom/Freiburg/Basel/Wien 1968. 1970

Linderbauer = S. Benedicti Regula Monachorum, herausgegeben und philologisch erklärt von B. Linderbauer. Metten 1922

Löfstedt, Beiträge = E. Löfstedt, Beiträge zur Kenntnis der späteren Latinität (Diss. Uppsala). Stockholm 1907

Löfstedt, Peregr. = E. Löfstedt, Philologischer Kommentar zur Peregrinatio Aetheriae. Uppsala 1911 (Nachdruck: Darmstadt 1962)

Lohse = B. Lohse, Askese und Mönchtum in der Antike und in der alten Kirche = Religion und Kultur der alten Mittelmeerwelt in Parallelforschungen 1. München-Wien 1969

Lumpe = A. Lumpe, Art. Exemplum: RAC 6 (1966) 1229/1257

MARCUS = Philo Supplement 1. Questions and Answers on Genesis. Suppl. 2. Questions and Answers on Exodus. Translated from the ancient Armenian version ... by R. MARCUS. London-Cambridge/Mass. 1953 (Loeb Library)

MARROU = H.-I. MARROU, ΜΟΥΣΙΚΟΣ ΑΝΗΡ. Étude sur les scènes de la vie intellectuelle figurant sur les monuments funéraires romains. Grenoble 1938 (erweitert durch ein Nachwort: Rom 1964)

MARROU, Erziehung = H.-I. MARROU, Geschichte der Erziehung im klassischen Altertum. Hrsg. von R. HARDER. Übersetzt von Charlotte BEUMANN. Freiburg-München 1957

MARTÈNE = E. MARTÈNE, Commentarius in Regulam S.P. Benedicti (Paris 1690): PL 66, 204/932

METZ = R. METZ, La Consécration des vierges dans l'église romaine = Bibliothèque de l'institut de droit canonique de l'université de Strasbourg 4. Paris 1954

MGH a.a. = Monumenta Germaniae Historica. Auctores antiquissimi. Berlin

MGJ = Monatsschrift für Geschichte und Wissenschaft des Judentums. Frankfurt a.M.

MICHAELIS = W. MICHAELIS, Das Ältestenamt der christlichen Gemeinde im Lichte der Heiligen Schrift. Bern 1953

MOHRMANN, Études = Christine MOHRMANN, Études sur le latin des chrétiens 1. 2. Rom 1961². 3. Rom 1965²

MOHRMANN, Sondersprache = Christine MOHRMANN, Die altchristliche Sondersprache in den Sermones des hl. Augustin 1 = Latinitas Christianorum Primaeva 3. Amsterdam 1965² (Nachdruck der 1. Auflage [Diss. Nijmegen 1932] mit einem Nachtrag)

PEEK = Griechische Vers-Inschriften, hrsg. von W. PEEK, 1. Grab-Epigramme. Berlin 1955

PG = Patrologiae cursus completus. Series Graeca, ed. J.-P. MIGNE

PL = Patrologiae cursus completus. Series Latina, ed. J.-P. MIGNE

PLENKERS = H. PLENKERS, Untersuchungen zur Überlieferungsgeschichte der ältesten lateinischen Mönchsregeln = Quellen und Untersuchungen zur lateinischen Philologie des Mittelalters Bd. 1 Heft 3. München 1906

POHLENZ, Philon = M. POHLENZ, Philon von Alexandreia: Nachrichten von der Akademie der Wissenschaften in Göttingen, Philos.-Hist. Klasse, 1942, Nr. 5

POHLENZ, Stoa = M. POHLENZ, Die Stoa. Geschichte einer geistigen Bewegung 1. Göttingen 1948. 2. Göttingen 1955²

PORZIG = W. PORZIG, Alt und jung, alt und neu: Sprachgeschichte und Wortbedeutung. Festschrift A. DEBRUNNER 343/349. Bern 1954

PW = Pauly-Wissowa, Realencyclopädie der classischen Altertumswissenschaft. Stuttgart

RAC = Reallexikon für Antike und Christentum. Stuttgart

Radermacher = L. Radermacher, Christus unter den Schriftgelehrten: Rheinisches Museum 73 (1920/24) 232/239

RB = Regula Benedicti (siehe Hanslik)

RBPh = Revue Belge de Philologie et d'Histoire. Brüssel

REL = Revue des Études Latines. Paris

RivAC = Rivista di Archeologia Cristiana. Rom

RM = Mitteilungen des Deutschen Archäologischen Instituts. Römische Abteilung

RSF = Rivista critica di Storia della Filosofia. Milano

Sandmel = S. Sandmel, Philo's Place in Judaism. A Study of Conceptions of Abraham in Jewish Literature. Cincinnati 1956

SBAW = Sitzungsberichte der Bayerischen Akademie der Wissenschaften, Philos.-Hist. Klasse. München

SC = Sources Chrétiennes. Paris

Schadewaldt = W. Schadewaldt, Lebenszeit und Greisenalter im frühen Griechentum: [Die Antike 9 (1933) 282/302 =] Hellas und Hesperien 1, 109/127. Zürich-Stuttgart 1970^{2}

Schmid = W. Schmid, Ein Tag und der Aion: Wort und Text. Festschrift für F. Schalk 14/33. Frankfurt 1963

Schürer = E. Schürer, Geschichte des jüdischen Volkes im Zeitalter Jesu Christi 1.2.3. Leipzig $1901^{3/4}$. 1907^{4}. 1909^{4} (Nachdruck: Hildesheim 1964)

SEG = Supplementum Epigraphicum Graecum. Leiden

Seidlmayer = Josephine Seidlmayer, Die Pädagogik des Johannes Chrysostomus = Vierteljahresschrift für wissenschaftliche Pädagogik, Reihe A der Ergänzungshefte (Abhandlungen) 1. Münster 1926

SHAW = Sitzungsberichte der Heidelberger Akademie der Wissenschaften, Philos.-Hist. Klasse. Heidelberg

Siegfried = C. Siegfried, Philo von Alexandria als Ausleger des Alten Testaments. Jena 1875

SM = Studien und Mitteilungen zur Geschichte des Benediktinerordens und seiner Zweige. München

Sotiriou = G. et M. Sotiriou, Icones du Mont Sinai (Εἰκόνες τῆς Μονῆς Σινᾶ 1.2 = Collection de l'Institut Français d'Athènes 100. 102. Athen 1956. 1958

Spanneut = M. Spanneut, Le Stoicisme des pères de l'église. De Clement de Rome à Clement d'Alexandrie. Paris 1957

Speyer = W. Speyer, Die literarische Fälschung im Altertum = Handbuch der Altertumswissenschaft I/2. München 1971

Steidle = B. Steidle, Die Regel St. Benedikts. Beuron 1952

Stein	= A. Stein, Platons Charakteristik der menschlichen Altersstufen. Diss. Bonn 1966
Stelzenberger	= J. Stelzenberger, Die Beziehungen der frühchristlichen Sittenlehre zur Ethik der Stoa. Eine moralgeschichtliche Studie. München 1933
Surkau	= H.-W. Surkau, Martyrien in jüdischer und frühchristlicher Zeit = Forschungen zur Religion und Literatur des Alten und Neuen Testaments 54. Göttingen 1938
SVF	= Stoicorum Veterum Fragmenta collegit Io. ab Arnim 1. Leipzig 1905. 2. 3. Leipzig 1903. 4. Indices conscr. M. Adler. Leipzig 1924 (Nachdruck: Stuttgart 1964)
TheolWb	= Theologisches Wörterbuch zum Neuen Testament. Stuttgart
ThLL	= Thesaurus Linguae Latinae. München
Tomberg	= K.-H. Tomberg, Die Kaine Historia des Ptolemaios Chennos. Diss. Bonn 1967
TU	= Texte und Untersuchungen zur Geschichte der altchristlichen Literatur. Leipzig-Berlin
VigChr	= Vigiliae Christianae. Amsterdam
Volbach	= W. F. Volbach, Elfenbeinarbeiten der Spätantike und des frühen Mittelalters = Römisch-Germanisches Zentralmuseum zu Mainz. Katalog 7. Mainz 1952^{2}
Völker, Fortschritt	= W. Völker, Fortschritt und Vollendung bei Philo von Alexandrien = TU 49/1. Leipzig 1938
Völker, Vollkommenheit	= W. Völker, Das Vollkommenheitsideal des Origenes = Beiträge zur historischen Theologie 7. Tübingen 1931
VS	= La Vie Spirituelle. Paris
VT	= Vetus Testamentum. Leiden
Waszink	= Quinti Septimi Florentis Tertulliani De anima, edited with introduction and commentary by J.H. Waszink. Amsterdam 1947
Wilhelm	= F. Wilhelm, Die Schrift des Juncus περὶ γήρως und ihr Verhältnis zu Ciceros Cato maior = Beilage zum Jahresbericht des Königlichen König-Wilhelms-Gymnasiums zu Breslau. Breslau 1911
Wilpert, Katakomben	= J. Wilpert, Die Malereien der Katakomben Roms 1.2. Freiburg i.B. 1903
Wilpert, Mosaiken	= J. Wilpert, Die römischen Mosaiken und Malereien der kirchlichen Bauten vom IV. bis XIII. Jahrhundert 1.2.3.4. Freiburg i.B. 1916
Wolfson	= H.A. Wolfson, Philo. 1. 2. Cambridge/Mass. 1962^{3}
ZAW	= Zeitschrift für die Alttestamentliche Wissenschaft. Berlin
ZNW	= Zeitschrift für die Neutestamentliche Wissenschaft und die Kunde der älteren Kirche. Berlin

A. EINLEITUNG

I. DIE AUFGABE

Im Sommer des Jahres 380 hielt Gregor von Nazianz in Konstantinopel eine Rede, zu der er sich durch das Vorgehen des kynischen Philosophen Maximus veranlaßt sah: Maximus hatte Gregors Vertrauen grob mißbraucht, indem er sich auf Anstiften des alexandrinischen Bischofs Petrus heimlich zum Bischof von Konstantinopel weihen ließ. Vor dem düsteren zeitgeschichtlichen Hintergrund dieser Rede — es ist die 26. der Sammlung — hebt sich scharf das lichtvolle Bild des christlichen Philosophen ab, das Gregor darin entwirft. Der *ἀληθῶς σοφὸς καὶ φιλόσοφος* ist nach Gregor dadurch ausgezeichnet, daß er unter den gegensätzlichen Bedingungen des irdischen Lebens stets der gleiche bleibt. Ob von vornehmer oder niedriger Abkunft, ob jung oder alt, schön oder häßlich, krank oder gesund, reich oder arm usw.: in allen Lagen bleibt sich der wahre Philosoph selbst getreu, nichts von alledem erlangt irgendwelchen Einfluß auf ihn, von den verschiedenen Gefahren und Widrigkeiten des äußeren Lebens wird er allenfalls geläutert wie Gold im Feuer. Für das Thema unserer Untersuchung von besonderem Belang ist die Art, wie Gregor das Verhalten des Philosophen gegenüber dem Wechsel der menschlichen Altersstufen beschreibt. Die betreffende Passage lautet: „Ist er jung, so wird er sich, was die Leidenschaften angeht, als (erwachsener) Mann erweisen und diesen Gewinn aus seiner Jugend ziehen, daß er nicht von jugendlichen Begierden erfüllt ist, sondern eines Greises Klugheit in einem blühenden Körper zeigt; über diesen Sieg wird er sich mehr freuen als die in Olympia Bekränzten, denn er erringt einen Sieg in dem allgemeinen Welttheater, und zwar einen Sieg, den man nicht erkaufen kann. Neigt er dem Greisenalter zu, so wird er doch in der Seele nicht altern; er wird die leibliche Auflösung annehmen wie einen anberaumten Termin zur notwendigen Freiheit, gerne wird er ins Jenseits hinübergehen, wo es keinen Unreifen gibt und keinen Greis, sondern wo alle im geistigen Alter vollendet sind.“[1]) Was Gregor hier an dem wahren Philosophen rühmt, ist, um es kurz zu sagen, eine gleichmäßige, gleichbleibende Vollkommenheit während des ganzen Lebens. Sie wird erreicht durch Überwindung gewisser geistig-sittlicher Mängel von Jugend und Alter, durch stete Vereinigung der entsprechenden positiven Qualitäten beider Lebensalter. Als Jüngling besiegt der Philosoph die *πάθη*, die vor allem das Jugendalter gefährden; er ist also aufgrund seiner inneren

---

[1]) Greg. Naz. or. 26, 11 (PG 35, 1241 C).

Reife bereits nicht mehr Jüngling, sondern schon erwachsener Mann, ja Greis, eignet ihm doch eine πρεσβυτικὴ φρόνησις. Großes Gewicht legt Gregor auf die Tatsache, daß die Freiheit von den Leidenschaften in der Jugend nur durch sittliche Anstrengung zu verwirklichen ist; darin gründet die Freude des jugendlichen Philosophen und Asketen über seinen Sieg. Ein Gleiches dürfen wir wohl auch für jenen anderen Sieg voraussetzen, den der Greis über sein Alter erringt. Gregor hat an dieser Stelle allerdings nicht ausgeführt, worin die innere Jugend des greisen Philosophen besteht. Die Feststellung οὐχὶ γηράσει καὶ τὴν ψυχὴν läßt genaugenommen verschiedene Deutungen zu. An jugendliche Tatkraft im guten könnte gedacht sein oder eher noch an kindliche Unschuld, die den Greis furchtlos aus dem Leben scheiden läßt, desgleichen an kindliche Demut und Einfalt angesichts des Todes; vielleicht ist auch jene innere Verjüngung gemeint, die der Gläubige durch die Nachfolge Christi und vor allem durch das Sakrament der Taufe erfährt und die es bis ins Alter zu erhalten gilt. Aber im Grunde ist hier an einer säuberlichen Scheidung der Vorstellungen nichts gelegen. Wesentlich ist wiederum nur der einfache Gedanke, daß der Philosoph von gewissen seelischen Defekten auch des Greisenalters unberührt bleibt. Die geistige Transzendenz der Altersstufen, die der wahre Philosoph — und wir dürfen ergänzen: der wahre Asket — während seines irdischen Lebens anstrebt, wird schließlich in vollem Umfang im Jenseits verwirklicht. Mit Bezug auf Is. 65, 20 und Eph. 4, 13 gibt Gregor dem entworfenen Ideal christlichen Lebens eine eschatologische Begründung: Altersunterschiede gibt es im Jenseits nicht mehr, wir alle sind dort τὴν πνευματικὴν ἡλικίαν τέλειοι.

Wir haben diesen Passus aus der 26. Rede des Nazianzeners deshalb so nachdrücklich an den Anfang gestellt, weil sie den Gegenstand der folgenden Untersuchung aus verschiedenen Gründen besonders hell beleuchtet. Deutlich zeigt Gregor die gleichmäßige Vollkommenheit, fern aller altersbedingten Fluktuation in der sittlichen Haltung, als allgemein erstrebenswertes, gültiges Ideal, und zwar eben dadurch, daß er die entsprechenden Züge in sein Bild des wahren Philosophen überträgt. Deutlich stellt er den Anteil der Askese an der Verwirklichung dieses Ideals heraus. Deutlich ist zuletzt auch die eschatologische Fundierung gegeben. Einige der entscheidenden Gesichtspunkte unserer Darstellung sind somit in der oben mitgeteilten Passage enthalten, und sie ist daher sehr wohl geeignet, dem Ganzen gewissermaßen als Motto voranzustehen[2].

---

[2]) Wir werden auf die Gregor-Stelle noch des öfteren im Verlauf der Untersuchung zu sprechen kommen (vgl. bes. S. 148f.). Hier sei nur noch kurz ange-

Das Ideal, von dem die eben mitgeteilte Passage einen ersten Eindruck vermitteln sollte, hat das Denken des alten Christentums in einem kaum zu überschätzenden Maß beeinflußt. Es fand seinen Niederschlag in den gelehrten Abhandlungen und Bibelkommentaren der großen Theologen ebenso wie in den an ein weiteres Publikum gerichteten erbaulichen Predigten, in privaten Briefen ebenso wie in offiziellen bischöflichen Schreiben, in den Grabinschriften ebenso wie in den Kirchenordnungen. Ja man darf sagen, daß das gesamte christliche Schrifttum aller Gattungen von dieser Vorstellung geradezu durchtränkt ist. Es ist kaum möglich, irgendeinen längeren christlichen Text zu lesen, ohne wenigstens auf irgendeine Spur des bezeichneten Ideals zu stoßen. Freilich begegnet es durchaus nicht immer in jener geschlossenen, abgerundeten Darstellung wie an der besprochenen Stelle bei Gregor v. Nazianz. Meistens sind es vielmehr die einzelnen Elemente — die Vorstellung geistigen Alters und die Vorstellung geistiger Kindheit oder Jugend —, die uns gesondert entgegentreten[3]). Wenn wir hier von 'Elementen' sprechen, dann ist damit allerdings bereits eine Behauptung aufgestellt, die es erst noch zu beweisen gilt: sind diese einzelnen Gedanken wirklich Teile eines größeren Ganzen? Sind

---

merkt, daß Gregors Auffassung des wahren Philosophen in gewissen Zügen sichtlich vom Bild des hellenistischen Weisen beeinflußt ist. Wenn er etwa sagt (1241 A): *ὁ αὐτὸς οὐκ ἐν τοῖς αὐτοῖς ἀεὶ διαμένων* (sc. *ὁ φιλόσοφος*), so erinnert das an das Postulat unerschütterlichen Gleichmuts, das man vor allem in der Person des Sokrates verwirklicht sah: vgl. z.B. Seneca epist. 104,28: *aequalis fuit in tanta inaequalitate fortunae* (mehr darüber bei Kassel, Konsolationslit. 59f.). Stetigkeit des Charakters zählt eben zu den Vorzügen des 'göttlichen' Menschen in Antike und Christentum: vgl. Bieler 1, 57f. Allerdings ist die ganze Erörterung Gregors tief von christlichem Geist durchdrungen: ein Vergleich der Vorstellungen müßte hier besonders sorgfältig differenzieren.

[3]) Gleich hier sei gesagt, daß ich auf einen differenzierenden Gebrauch der Begriffe 'geistlich' und 'geistig', wie er sich im Deutschen etwa seit dem 18. Jh. ausbildete (vgl. Grimm, Dt. Wörterbuch 4/1, 2, 2779/81), bewußt verzichte — und zwar zugunsten des letzteren, obschon sich gar manches auch dem Bereich des 'Geistlichen' hätte zuordnen lassen. Ausschlaggebend erschien mir hierbei nicht so sehr die Tatsache, daß die altkirchlichen Autoren selbst für beiderlei durchaus den einen Begriff *spiritalis* (*πνευματικός*) setzen, als vielmehr die Überlegung, daß auch eine sachliche Trennung der beiden Bereiche längst nicht überall klar erkennbar ist (s. unten S. 101). Für die Terminologie hätten sich daraus von Fall zu Fall immer wieder neue Komplikationen ergeben — was einer so weitgespannten Untersuchung wie der unsrigen notwendig hätte abträglich sein müssen. Schließlich noch ein Detail: das lateinische Äquivalent zu *πνευματικός* lautet in der Sprache des antiken Christentums *spiritalis* (sic!). Die Form *spiritualis* wird erst später in mittelalterlicher Zeit gebräuchlich: vgl. etwa Mohrmann, Sondersprache 155f. und Ellebracht 17f. 18[1].

sie tatsächlich Elemente einer übergeordneten, umfassenderen Vorstellung? Bisher hat man diese Frage eigentlich niemals klar gestellt. Man interessierte sich mehr für die einzelnen 'Motive', besonders für das '*puer senex*-Motiv', wie man das Idealbild eines Knaben oder Jünglings von greisenhafter Reife des Geistes gemeinhin nennt. Daß gerade dieser Gedanke besondere Aufmerksamkeit erregte, erklärt sich aus mancherlei Gründen, vor allem aber wohl daraus, daß er auch in der Literatur der nichtchristlichen Spätantike häufig vorkommt und durch E. R. Curtius eine anziehende Darstellung erfahren hat — wir werden auf sie noch des öfteren und ausführlich zu sprechen kommen. Da man nun den Blick vornehmlich auf die Gemeinsamkeit des '*puer senex*-Motivs' in Antike und Christentum gerichtet hatte, sah man es vorwiegend als literarisches Klischee, dessen sich Heiden wie Christen bedienten. Damit war zugleich die Frage der Herkunft des Gedankens auch für den christlichen Bereich beantwortet, denn unter diesem Gesichtspunkt erschien der *puer senex* ganz natürlich als Ausgeburt der literarischen Konvention der heidnischen Antike, d.h. vor allem der paganen Rhetorik, der sich die Christen lediglich anschlossen. Wie es aber zu erklären sei, daß gerade dieser 'Topos' in der christlichen Gedankenwelt einen so bedeutsamen Platz einnehmen konnte, und wie er ferner mit der im Christentum ähnlich verbreiteten idealen Vorstellung einer geistigen Kindheit und Jugendlichkeit innerlich zusammenhänge, versäumte man zu fragen. Schuld daran ist neben anderem zweifellos die Tatsache, daß man sich jene weite, kaum zu überschauende Verbreitung der *puer senex*-Thematik gerade im Christentum noch nicht recht bewußt gemacht hat; eben diese Ausdehnung des Gedankens, der sich nicht auf ein einziges literarisches Genos, auf panegyrische Reden etwa, beschränkt, sondern, wie gesagt, allenthalben begegnet, ist es aber, welche die Frage nach seiner Bedeutung für das christliche Denken so dringend macht. Solange man nur einzelne Parallelen, z. B. aus spätantiken Dichtern und verschiedenen Kirchenvätern, zusammenstellt, mag man sich mit dem Hinweis auf die allen gemeinsame literarische Tradition begnügen. Hat man aber erst einmal die Masse der entsprechenden Belege bei den christlichen Autoren jeden Schlags, wenn auch nur von ferne ahnend, erfaßt, dann muß man an einer solchen rein äußerlichen Betrachtungsweise irre werden. Wer auf dem Forschungsgebiet 'Antike und Christentum' einige Erfahrung besitzt, wird leicht erkennen, daß wir es demzufolge bei Behandlung unseres Themas mit einer bestimmten, äußerst unvorteilhaften Konstellation der Forschung zu tun haben, die immer wieder Schwierigkeiten verursacht und schon so manchen schwerwiegenden Irrtum im

Kleinen wie im Großen hervorgerufen hat: mit der ungleichmäßigen Aufbereitung des christlichen Materials, gemessen an der des entsprechenden Stoffs aus den meist besser bekannten und durch Hilfsmittel aller Art besser erschlossenen paganen Autoren.

Unsere Aufgabe wird es folglich zunächst sein, die eben bezeichnete Lücke nach Kräften zu schließen und das christliche Material sowohl zur *puer senex*-Vorstellung als auch zum gesamten 'Transzendenzideal', wie wir das Leitbild einer geistigen Transzendenz der natürlichen Lebensalter abkürzend nennen wollen[4]), so weit zugänglich zu machen, wie das für eine angemessene Beurteilung der Sache notwendig erscheint. Im Gegensatz zur bisherigen Betrachtungsweise kommt es uns dabei darauf an, die einzelnen Motivelemente dieses Ideals als Bestandteile eines übergeordneten Ganzen kenntlich zu machen. Freilich ist dieses Ganze — das sei gleich eingangs eingeschärft — nicht als konsequent gestaltetes Lehrgebäude philosophischer oder theologischer Art zu verstehen, sondern als eine mehr oder minder einheitliche Grundanschauung des Lebens, die identisch ist mit der Weltsicht des alten Christentums. Denn darin liegt das zweite Hauptziel unserer Untersuchung, in dem Nachweis nämlich, daß wir den Gedanken einer Überwindung der Altersgrenzen mit Fug und Recht als Ideal christ-

---

[4]) Der Gebrauch des Begriffs 'Transzendenz' im vorliegenden Zusammenhang wird durch Formulierungen wie die Cyprians epist. 76,6 (CSEL 3/2, 832) gerechtfertigt: *in pueris quoque virtus maior aetate annos suos confessionis laude transcendit* ... eqs. Ähnlich etwa Greg.M. in evang.hom. 14,5 (PL 76,1130B): *pueri qui ... annos suos moribus transcenderunt.* Vgl. aber auch schon Sil. IV 426 *annos transcendere factis.* Die Verwendung des Ausdrucks bei den Christen mag u.a. durch die Origenesübersetzungen gefördert worden sein: s. z.B. Orig. in Mt. XIII 26 *τὸν διαβάντα τὰ τοῦ νηπίου* — *ille, qui transcenderit quae parvuli sunt* (GCS 40,251, Zeile 17, bzw. 19) sowie Rufin an den unten S. 104[39] und 247[6] zitierten Stellen. Aus späterer Zeit ist noch zu nennen: Paulus Diac. carm. 2 (laus Benedicti), 7: *o puerile decus, transcendens moribus aevum* (MGH poetae 1,37). Im gleichen Sinn wird *transire* gebraucht: Cypr. laps. 2 (CSEL 3/1, 238) *pueri annos suos virtutibus transeuntes* (vgl. das Zitat aus Maximus v. Turin unten S. 209 sowie Greg. M. dial. II praef.: 71 Moricca; IV 49: 308 M.). Besonders bildkräftig Ven.Fort. vita Pat. 4,12: *terminum puerilis aetatis transsiliens* (MGH a.a. 4/2, 34). Ich bin mir vollauf im klaren darüber, daß trotz allem mancher moderne Leser sich nur schwer wird daran gewöhnen können, den Begriff 'Transzendenz' in solcher Bedeutung gebraucht zu sehen. Doch gebe ich zu bedenken, daß es einen Ausdruck zu wählen galt, der nicht nur für die Gesamtvorstellung treffend, sondern auch einigermaßen 'handlich' ist. Unter den verschiedenen Wörtern, mit denen die kirchlichen Autoren die Sache — d.h. den Prozeß der Überwindung des Lebensalters, nicht sein Ziel oder Ergebnis (eben die *aetas spiritalis*!) — kennzeichneten, erfüllt nur *transcendere* beide Erfordernisse.

licher Prägung bezeichnen dürfen. Auf den ersten Blick mag das widersinnig anmuten; denn die offenkundige Tatsache, daß die einzelnen Elemente dieses Ideals, vor allem die Vorstellung geistiger Altersreife, auch der paganen Spätantike durchaus geläufig waren, scheint nicht gerade für eine solche Annahme zu sprechen. Es ist auch gar nicht unsere Absicht, das skeptische Auge des Lesers einzuschläfern, vielmehr sei gleich hier ausdrücklich auf das genannte Problem hingewiesen. Inwiefern wir berechtigt sind, den Transzendenzgedanken christlich zu nennen, was 'christlich' in diesem Zusammenhang überhaupt bedeutet, wie sich Antike und Christentum auf diesem speziellen Gebiet zueinander verhalten: auf diese Fragen wird später eine Antwort erteilt werden[5]).

Wie der Kundige unschwer bemerken wird, richtet sich unsere Untersuchung somit hauptsächlich gegen eine bestimmte, auch heute durchaus noch nicht ausgestorbene Art der Toposforschung, gegen eine Forschungsrichtung, der es ausschließlich oder vornehmlich darum geht, die Kontinuität rhetorischer Konventionen in Antike und Christentum aufzuzeigen, und die sich mehr um den äußeren Verlauf der Motivstränge als um deren wechselnden geistesgeschichtlichen Hintergrund bemüht. CURTIUS selbst ist für diese Forschungsrichtung weit weniger repräsentativ als einige seiner Nachfolger; das zeigt gerade CURTIUS' Behandlung des *puer senex*. Doch davon wird später noch ausführlich die Rede sein!

II. FRAGEN DER DEFINITION

Wir haben im vorigen Abschnitt den Gegenstand unserer Untersuchung mit verschiedenen Ausdrücken belegt, als da sind: Überwindung der Altersgrenzen, Transzendenz der Lebensalter oder kürzer: Transzendenzideal, Transzendenzgedanke. In diesem Kapitel soll es uns nun darum gehen, die so bezeichnete Anschauung in ihrer Eigenart noch klarer zu erfassen und von scheinbar ähnlichen Vorstellungen schärfer abzugrenzen. Wie notwendig das ist, wird jeder einsehen, der sich die verwirrende Vielfalt der möglichen Formen des von uns

---

[5]) Einen Beitrag also zur antik-christlichen 'Ideengeschichte' soll unsere Arbeit liefern. Doch habe ich es vorgezogen, zur Bezeichnung des allgemeinen Zusammenhangs, dem die Transzendenzidee ihrerseits als ein Teil angehört, stets die Begriffe 'Geistesgeschichte', 'geistesgeschichtlich' zu verwenden. Über die Notwendigkeit einer prinzipiellen Scheidung der Termini s. BRINK 75.

so genannten Transzendenzideals recht ins Bewußtsein gerufen hat. Denn an der Buntscheckigkeit des zu Recht hierhergehörigen Stoffs dürfte es in erster Linie liegen, daß man gelegentlich auch mancherlei Unpassendes mit dem Transzendenzgedanken vermischt hat. Die schlimmen Folgen einer unscharfen Betrachtungsweise gerade bei Behandlung eines dermaßen vielgestaltigen, ja komplizierten Themas liegen auf der Hand: so gesehen erscheint schließlich alles, was auch nur von Ferne ähnliche Umrisse zeigt, irgendwie gleich und verwandt. Damit ist aber nicht nur der Blick für das Wesentliche des Transzendenzgedankens getrübt, sondern auch der Weg zu den Quellen der gesamten Vorstellung für immer versperrt. Es kommt also viel darauf an, daß wir gleich zu Beginn der Untersuchung das bei aller Vielfalt der Formen Gemeinsame des Gedankens, gewissermaßen den inneren Kern der Anschauung, fest ins Auge fassen. Zu diesem Zweck wollen wir uns zuerst einen Überblick über die mannigfaltigen Gestalten, in denen uns das Transzendenzideal entgegentritt, verschaffen, um sodann aus der schillernden Vielfalt der äußeren Formen desto sicherer den inneren Grundzug zu erschließen. Statt aus dem weiten Feld der spätantiken Literatur willkürlich das eine oder andere herauszupflücken, wählen wir unsere Beispiele, soweit es das vorhandene Material gestattet, aus den christlichen lateinischen Inschriften, die unter diesem Aspekt bisher weniger Beachtung fanden[1]; sie enthalten zumindest den *puer senex*-Gedanken in fast allen Spielarten. Daß wir damit die philosophische Höhenlage der eingangs behandelten Gregor-Stelle verlassen und uns zusehends der Ebene des Trivialen nähern, darf uns gerade hier, wo es um Definitionsfragen geht, nicht stören. Im übrigen gilt es, gleich jetzt eine Feststellung zu treffen, die für das Ganze der nachfolgenden Untersuchung von Belang ist: unser Bild des Transzendenzideals als eines Ideals christlichen L e b e n s wäre notwendigerweise unvollständig, wäre es nur aufgrund der literarisch gehobenen oder theologisch bedeutsamen Zeugnisse gemalt. Gerade das inschriftliche Material und mehr noch die breite Masse der hagiographischen sowie

---

[1]) Eine gewichtige Ausnahme: MARROU 201/204 („Enfants prodiges") stützte seine Interpretation der Kindersarkophage durch reiches epigraphisches Material; neben paganen lateinischen Inschriften enthält es auch christliche Zeugnisse, die hierher passen. Vgl. ferner C. WEYMAN, Vier Epigramme des hl. Papstes Damasus I. (München 1905) 16 zu Damas. epigr. 10 IHM (= 11 FERRUA). Aus den griechischen Grabgedichten stellte GRIESSMAIR 51 f. (vgl. 96[1]) charakteristische Beispiele für das *puer senex*-Ideal zusammen, die dem nichtchristlichen Bereich der Spätantike angehören. Ich füge ein christliches Epigramm aus Ägypten hinzu: SEG 24 (1969) 1243, col. 1,3: [*ἔϱγμασιν οὐ*]*δ' ἐτέεσσι γεϱαιό*[*ν* - - - -]. Die Ergänzung stammt von J. KEIL.

der weniger anspruchsvollen homiletischen Werke sind uns als ergänzende Quellen wertvoll[2]).

In seiner profiliertesten Form offenbart sich das Transzendenzideal dort, wo geistige oder moralische Qualitäten einer bestimmten Altersstufe auf einen Menschen übertragen werden, der seinem natürlichen, körperlichen Lebensalter nach einer anderen, und zwar weit entfernten Altersklasse angehört. So feiert etwa ein römisches Grabgedicht einen elfjährigen Knaben mit den Worten: *annis parve quidem, sed gravitate senex* (ILCV 3778a, 6), und auch der *novus senex*, den ein anderes Grabepigramm preist (4747, 6: *et stupuere novum tempora parva senem*), dürfte noch ein Kind gewesen sein, wie sich aus bestimmten Angaben desselben Gedichts schließen läßt. In beiden Fällen werden also Kindheit und Greisenalter zueinander in Bezug gesetzt. Dieser Bezug kann sich noch pointierter zuspitzen, nämlich dann, wenn das Kind noch sehr jung, Kleinkind oder gar Säugling, ist[3]). Aber durchaus nicht immer muß der Bogen so weit gespannt sein. Öfter noch sind es heranwachsende Jünglinge, bisweilen gar schon erwachsene Männer, die sich durch Vorwegnahme positiver Eigenschaften des Greisenalters auszeichnen. Auch dafür ein charakteristisches Beispiel aus den christlichen Inschriften: die Verse *hinc est quod toto semper te flebimus aevo,* | *quod fuerit iuveni vis tibi multa senis!* (ILCV 243, 9f.) beziehen sich auf

---

[2]) Vgl. dazu auch unten S. 103. Natürlich unterscheiden sich auch die Inschriften ihrerseits erheblich im Niveau: man vergleiche nur die 'hochliterarischen' Epigramme, die den *puer senex*-Gedanken enthalten — wie etwa die christlichen Gedichte der griechischen Anthologie: VII 603. 604; VIII 85B, die so auch auf Stein standen oder jedenfalls hätten stehen können (dazu R. Keydell, Art. Epigramm: RAC 5 [1962] 539/77; bes. 542. 549), — mit derart schlichten Inschriften wie z.B. der aus Rocca di Papa: ILCV 4691. Doch für die meisten dürfte gelten, was A. Deissmann, Licht vom Osten (Tübingen 1923[4]) 251, gerade auch im Hinblick auf die fein gedrechselten Epigramme, festgestellt hat: „Die antiken Grabinschriften leisten uns überhaupt wohl den Dienst, daß sie uns mehr die Stimmungen einer Menschenschicht, als die inneren Zustände von Einzelmenschen widerspiegeln."

[3]) Daß sogar das Kind in der Wiege mit dem lobenden Prädikat der Altersreife ausgezeichnet werden konnte, zeigen die unten S. 95f. behandelten Stellen, und auch die *mira sapientia* der Kleinkinder, von der die christlichen Inschriften berichten, stellt ja im Grunde eine ähnliche Übertreibung dar. Daß die paganen Versinschriften ebenfalls vor solchen Übersteigerungen des Gedankens nicht zurückschreckten, beweisen die Zitate bei Griessmair 51f. So beginnt ein Epigramm auf ein noch nicht einmal dreijähriges Kind mit den Versen: *κοῦρον ἔχω Κριτίην διέτη, ξένε, μησὶν ἐπ᾽ ὀκτώ,* | *ἀλλὰ νόον πολιῆς ἄξιον ἡλικίης* (epigr. 591 Peek [3. Jh. n. Chr.?]). Selbst die zeitgenössische Porträtkunst scheute sich nicht, die noch ganz Kleinen mit den Zügen altklugen Wesens auszustatten: vgl. Kenner 70 (die Nachweise ebd. Anm. 27).

einen Mann, der im Alter von immerhin schon 38 Jahren starb. Der Gedanke einer idealen Altersreife besitzt folglich einen sehr dehnbaren Anwendungsbereich. Das gilt aber nicht nur im Hinblick auf das tatsächliche Alter dessen, der dieses Ideal erfüllt oder erfüllen soll, sondern ebenso auch für den idealen Bezugspunkt selbst, d.h. für das geistige Lebensalter, das zum Vergleich herangezogen wird. Nicht nur dem Greisenalter, sondern auch schon dem Mannesalter eignen gewisse Vorzüge, um die sich ein Jüngerer bemühen soll. Wenn in den erhaltenen christlichen Inschriften ein passendes Beispiel für das Mannesalter als normativen Wert fehlt, so dürfte das wohl nur auf einem Zufall beruhen. Denn an sich ist die Verwendung des spiritualisierten Begriffs 'Mann', verstanden als Gegensatz zu 'Kind', gerade im Christentum weit verbreitet, weil sich diese Vorstellung auf den Sprachgebrauch der paulinischen Briefe stützen konnte. Tatsächlich sind wir ja auch schon bei Behandlung der Passage aus Gregor v. Nazianz auf den vergeistigten Begriff des *ἀνδρίζεσθαι* gestoßen. Was nun für die auf ein höheres Lebensalter ausgerichtete, sozusagen 'aufsteigende' Linie des Transzendenzgedankens gilt, läßt sich bis zu einem gewissen Grade auch von der 'abwärts' gerichteten Linie sagen: das Idealbild geistiger Kindheit besitzt für das gesamte Christenleben Gültigkeit, die entsprechenden sittlichen Forderungen richten sich folglich hier ebenso wie dort nicht nur an die Vertreter einer einzigen Altersgruppe. Ganz so reich schattiert sind allerdings die Möglichkeiten bei der 'absteigenden' Transzendenz doch nicht, insofern fast immer nur das Kindesalter, seltener die Jugend den idealen Vergleichspunkt liefert[4]).

Doch damit nicht genug! Im Bereich der 'aufsteigenden' Transzendenz begegnen häufig auch solche Fälle, in denen gar kein bestimmtes Alter den geistigen Bezugspunkt darstellt, sondern die Überwindung der natürlichen Altersstufe durch lapidare Formulierungen wie *ultra annos sapiens* (ILCV 739,7; 336) oder ähnliche Feststellungen (vgl. etwa 104a, 7: *mens morum matura bono nil debuit annis*) ausgedrückt und somit nicht mehr als eine gewisse geistige Frühreife behauptet wird[5]). Das bekannte '*puer senex*-Motiv' ist hier der äußeren Form nach

---

[4]) Verbreitet ist die positive Wertung geistiger Jugend nur innerhalb der Verjüngungsthematik (s. dazu den Exkurs II). Des öfteren wird an Greisen eine geistige Jugendfrische (*νεάζειν*, iuvenescere etc.) gerühmt. Vgl. die Rede des greisen Eleazar bei Ambros. Jacob II 43 (CSEL 32/2, 60) und die dazugehörige Vorlage 4Macc. 64, ferner Greg. Naz. or. 4,89 (PG 35,620B); Chrys. epist. 114 (PG 52,670 oben). Der Sache nach ähnlich Ambros. epist. 16,1 (PL 16,959C).

[5]) Der zuletzt genannte Vers gilt einer jungen Frau von achtzehn Jahren und mag hier ebenso wie das Grabgedicht des Papstes Damasus auf seine jung-

längst nicht mehr gegeben, aber es wäre gewiß falsch, solche Fälle grundsätzlich als andersartig zu betrachten und von der Transzendenzvorstellung abzutrennen. Ja, das Überschreiten der natürlichen Altersgrenze kann mitunter auf noch unauffälligere Weise zum Ausdruck gebracht werden. Wenn die christlichen Inschriften immer wieder kleine Kinder *mirae sapientiae* oder einfacher: *mirae infantiae* rühmen — so einen Zweijährigen (4353 adn.) und einen Vierjährigen (4331) —, dann bedarf es keiner Frage, daß die derart Gepriesenen ihrer natürlichen Altersstufe nicht weniger überlegen erscheinen sollten als die ausdrücklich so bezeichneten *pueri seniles*: es sollten eben echte 'Wunderkinder' sein! Das Moment der Transzendenz klingt hier in dem Attribut *mira* an, das diese im zartesten Alter Verstorbenen über ihre Altersgenossen weit hinaushebt. Wie gesagt: es wäre verfehlt, wollte man solche Fälle vom Transzendenzideal scharf abtrennen; denn wir haben nicht nur auf das Wort, sondern auch auf die Sache zu achten. Aber andrerseits darf nicht verkannt werden, daß sich der eigentliche Transzendenzgedanke in solchen Formulierungen zunehmend verflüchtigt. Es ergeben sich Fälle, die geeignet sind, Zweifel zu erregen, ob wirklich noch an irgendeine altersbedingte Relation gedacht ist: ein Achtzigjähriger, der *innocentissimus* heißt (ILCV 2932), erfüllt von der Sache her das Ideal geistiger Kindheit gewiß ebenso wie jene Greise, die ob ihrer kindlichen Unschuld expressis verbis als *senes pueri* deklariert werden. Aber ist an eine Relation zwischen natürlichem und geistigem Alter in diesem Fall überhaupt noch gedacht? Wir haben also damit zu rechnen, daß es hinsichtlich der Schärfe, mit der das Transzendenz-Moment vorgestellt und ausgedrückt wird, vielerlei Grade und Abstufungen gibt, und wir werden daher gut daran tun, uns im Verlauf der folgenden Untersuchung vorzugsweise auf solche Beispiele zu stützen, die das Transzendenzideal in klar umrissener Gestalt zeigen, d. h. eine deutliche Relation zwischen tatsächlichem und geistigem Alter zum Ausdruck bringen. Glücklicherweise ist das Material so reichhaltig, daß eine derartige Beschränkung unseren Gesichtskreis nicht verengt.

---

verstorbene Schwester Irene (s. oben S. 29[1]) daran erinnern, daß das Ideal der Alterstranszendenz für beide Geschlechter Gültigkeit hat (vgl. z.B. noch ILCV 3341, 2; 4356). So ist unter dem Begriff des *puer senex* immer auch die ideale Vorstellung der *puella anilis* mitzuverstehen! Übrigens dürfte das Prädikat *sapiens* für jungverstorbene Mädchen (z. B. 4623; vgl. 4355a; 4341, 1 *sapientiae lumen*) wohl auch durch das Gleichnis von den klugen und törichten Jungfrauen (Mt. 25, 1/13) angeregt sein. Ausdrücklich heißt es ILCV 1705: (*Eusebiae puellae*) *probabilis vita instar sapientium puellarum sponsum emeruit habere Xρm* ... eqs. (vgl. 1714, 24f.).

Die knappe Übersicht, die wir eben gegeben haben, hat das Transzendenzideal noch längst nicht in allen seinen Brechungen beleuchtet. Die Variationsmöglichkeiten sind nahezu unerschöpflich, Absicht und Geschmack können sich frei entfalten, wie es der besondere Anlaß rät. Wie läßt sich nun dieses Vielerlei der Formen auf seinen inneren Wesenskern reduzieren? Wir brauchen nach alledem, was bisher gesagt wurde, mit der Antwort nicht mehr zu zögern: es ist die Durchbrechung des Typischen durch ein Individuum, welche das Transzendenzideal stets und überall kennzeichnet.

Das Transzendenzideal setzt zunächst eine typologische Anschauung der menschlichen Altersstufen voraus, und dies in doppelter Hinsicht: einmal beruht das Moment der Transzendenz selbst auf der Annahme einer Norm; um sagen zu können, dieser oder jener habe sein Alter übertroffen, muß man wissen, was für dieses Alter als normal zu gelten hat; zum anderen ist es nur dann möglich, eine bestimmte Person einer geistigen Altersstufe zuzuordnen, die von ihrer natürlichen verschieden ist, wenn auch jenes zum idealisierenden Vergleich herangezogene Lebensalter einer Normierung unterworfen wurde. Ausgangs- und Zielpunkt der Transzendenz erfordern somit die Basis normativer Werte. Wir sehen denn auch immer wieder, daß innerhalb der Transzendenzvorstellung mit Begriffen einer Lebensaltertypologie operiert wird, derzufolge den einzelnen Altersklassen bestimmte Vorzüge und bestimmte Fehler zugeschrieben werden, die mit diesem Alter bis zu einem gewissen Grade naturnotwendig verbunden sind. Es handelt sich hierbei um eine Typologie, die sich auf geistige und moralische Qualitäten bezieht, nicht auf körperliche[6]). Wenn wir in diesem

---

[6]) Eine Einschränkung müssen wir hierbei freilich machen. Die Kirchenväter, besonders Origenes, haben eine Vorliebe für die Vorstellung geistigen 'Wachsens'. Bei solcher Anschauung leitet sich die Annahme geistiger Altersstufen aus der Analogie zu den körperlichen Wachstumsperioden her. Doch meist verzichten die Autoren auf eine nähere Ausführung des Bildes. Einer der Gründe dürfte der sein, daß die recht komplizierte geistig-sittliche Typologie der Altersklassen eine solche simple Schematisierung der Lebensalter im geistigen Bereich nicht zuläßt. Vor allem der Begriff der 'Jugend' fügt sich kaum in das Bild eines geradlinigen Aufstiegs (vgl. dazu unten S. 104). Gänzlich unpassend ist das Greisenalter, weil es ja die Parallele zum körperlichen Wachstum stören würde. Wird es dennoch genannt, dann beweist das nur, wie sich die geistige Typologie der Lebensalter gegenüber dem Wachstumsschema durchsetzt: Paul. Nol. epist. 23, 2 (*Christus*) *in nostris mentibus gradus quosdam corporeae aetatis exsequitur: nascitur, crescit, roboratur, senescit* (CSEL 29, 159). Das 'Altern' bedeutet im vorliegenden Zusammenhang natürlich die höchste Vollkommenheit, eine Bedeutung, die nicht mehr aus der körperlichen Phänomenologie gewonnen sein kann. — Weniger ins Gewicht fallen einzelne deskriptive Elemente, die dem

Zusammenhang von Typologie sprechen, so gilt es freilich gleich einem Irrtum vorzubeugen: diese Typologie bietet keine feste Systematik, sie arbeitet vielmehr mit den Werten einer allgemeinen Lebens- und Welterfahrung. Daß solche Werte nicht konstant bleiben, versteht sich. Darüber, daß die Jugend töricht, das Alter weise sei, mag zu allen Zeiten Einigkeit geherrscht haben, doch es lassen sich auch recht starke Diskrepanzen in der Beurteilung der Lebensalter selbst innerhalb der Spätantike feststellen. Sie ergeben sich vor allem aus der Umwertung bestehender Werte, die das Christentum brachte. Die Lebensalter sind von diesem Prozeß nicht ausgenommen. Die neue, entschieden positive Sicht des Kindesalters zeigt das vielleicht am deutlichsten, wozu später noch mehr zu sagen sein wird. Aber auch sonst ergeben sich mancherlei Akzentverschiebungen; vor allem legt die christliche Lebensaltertypologie mehr Gewicht auf das moralische und religiöse, das 'geistliche' Element. Wenn etwa in der Vita Melaniae die erst zwanzigjährige Heilige *γεγηρακυῖα ἐν τῷ οὐρανίῳ φρονήματι* heißt, oder wenn der jugendliche Kaiser Valentinian II. von Ambrosius als *fidei . . . virtute veteranus* gepriesen wird[7]), so ist ohne weiteres klar, daß der Begriff des Alters hier für einen genuin christlichen Gehalt steht. Diese Beispiele mögen genügen. Wichtig ist uns hier vorerst nur die Erkenntnis, daß das Ideal der Alterstranszendenz auf einer wie immer gearteten normativen Wertung der Lebensalter basiert.

Aber auch die andere Komponente des Gedankens müssen wir scharf erfassen: das Typische kann jeweils nur durch einen Einzelnen außer Kraft gesetzt werden, trägt doch die Transzendenz der Altersgrenzen ihrem Wesen nach strengen Ausnahmecharakter; nur aufgrund individueller Leistung, ungewöhnlicher Veranlagung oder auch besonderer göttlicher Gnade gelingt es einzelnen ausgezeichneten Menschen, die allgemeine Norm der Natur zu durchbrechen. Damit rühren wir allerdings an einen neuralgischen Punkt der gesamten Vorstellung. Er liegt darin, daß zwischen Norm und Einzelfall, zwischen Regel und Ausnahme eine nur unsichere Trennlinie verläuft, die in dem Maße schwächer werden mußte, wie das Ideal an allgemeiner Geltung gewann. Bezeichnenderweise wird diese Schwierigkeit am deutlichsten bei einem jener Kirchenväter fühlbar, die das Transzendenzideal am eifrigsten propagierten. Johannes Chrysostomus beschäftigt sich im Anschluß an das drohende Wort bei Isaias 3,4: „Knaben (*νεανίσκους*, LXX) will ich ihnen geben zu Herren" mit der Frage, wie die

natürlichen Bereich entnommen und ins Geistige übertragen werden (Milchnahrung des Kindes, Grauhaar des Greises u.a.).

[7]) Vita Mel. 12 — vgl. dazu unten S. 143[35]; Ambros. epist. 18,1 (PL 16,972 A).

pejorative Bedeutung des Begriffs *νεανίσκοι* zu verstehen sei. Es lohnt sich, den entscheidenden Passus hier auszuschreiben: *νεανίσκους δὲ ἐνταῦθα οὐχὶ ἁπλῶς τὴν ἡλικίαν διαβάλλων ἔφησεν, ἀλλ' ἀπὸ τοῦ πλεονάζοντος τὴν ἄνοιαν αὐτῶν ἐπιδείκνυται. ἔστι γὰρ καὶ νέους εἶναι συνετοὺς καὶ γεγηρακότας ἀνοίᾳ συζῆν. ἀλλ' ἐπειδὴ τοῦτο μὲν σπανιάκις συμβαίνειν εἴωθε, τὸ δὲ πλεονάζον τοὐναντίον ἐστίν, ἐξ ἐκείνου ἀνοήτους ὠνόμασεν* (PG 56, 42). Der Exeget will vor allem den Eindruck fernhalten, als sei die Jugend unbedingt etwas Schlechtes. Er betont darum nachdrücklich, auch ein junger Bursche könne verständig und umgekehrt ein Greis töricht sein, nicht das Lebensalter an sich stelle der Prophet an den Pranger, sondern — wie es wenig später heißt (a. O. 44) — *τὴν διεφθαρμένην γνώμην*. Die pejorative Wertung des Begriffs 'jung' wird aus der Norm (*ἀπὸ τοῦ πλεονάζοντος*) erklärt, der gegenüber ein verständiger Jüngling durchaus Seltenheitswert beanspruchen könne; die Ausnahme ist eben seltener als die Regel. Chrysostomus versucht hier offenbar einen Ausgleich herzustellen zwischen der vorzugsweise negativen Wertung der Jugend innerhalb der Spiritualisierung der Altersstufen einerseits und dem verbreiteten *puer senex*-Ideal andrerseits, oder allgemeiner ausgedrückt: zwischen jener Werteskala, auf der die geistige Alterstypologie beruht, und der stets von neuem erhobenen Forderung christlicher Moral, den Zwang eben dieser Normen zu durchbrechen: die Gleichung *νεότης* = *ἄνοια* hat ihre Berechtigung aufgrund der allgemeinen Lebenserfahrung, aber eine unabänderliche Notwendigkeit stellt sie nicht dar! Daß mit dieser Lösung die in der Sache begründete, innere Schwierigkeit nicht vollends behoben ist, vermag gerade die betreffende Passage bei Chrysostomus zu lehren, wofern man sie im gesamten Zusammenhang liest. Denn im Anschluß an die oben wörtlich mitgeteilten Bemerkungen geht der Kirchenvater dazu über, einen wahren Katalog tugendhafter, weiser Knaben und Jünglinge aus der Schrift zusammenzustellen: Timotheos, Salomon, David, Jeremias, Daniel, König Josias, Joseph und die drei Jünglinge im Feuerofen werden aufgezählt, und genau erfahren wir, worin sich ihre Vorbildlichkeit trotz des jugendlichen Alters offenbarte. In dieser recht breit gehaltenen Schilderung geht der Gedanke, daß es sich bei all diesen Fällen im Grunde ja nur um seltene Ausnahmen handelt, fast ganz unter, statt dessen tritt ein starker paränetischer Grundzug hervor. Denn natürlich ist gemeint, daß es alle Gläubigen diesen biblischen *παραδείγματα* gleichtun sollen und auch gleichtun können[8]). Jene innere Wider-

[8]) Nahezu dieselben biblischen Gestalten erscheinen in Chrysostomus' Schrift über die Kindererziehung als Leitbilder für die christliche Erziehung

sprüchlichkeit, die darin zum Ausdruck kommt, daß immer wieder eine geistige Alterstypologie vorausgesetzt wird, die ihre Verbindlichkeit an jedermann verlieren kann, ja deren eigentlicher Sinn nur noch der zu sein scheint, daß sie in möglichst weitem Umfang und von möglichst vielen Individuen entwertet wird, macht sich bei fortschreitender Verbreitung des Transzendenzideals gerade im Christentum immer mehr bemerkbar. Wir werden später sehen, daß die Kirchenväter sich gelegentlich aus Gründen der kirchlichen Praxis veranlaßt sahen, die Grenzlinie zwischen Regel und Ausnahme im Hinblick auf die Bewertung der Altersstufen stärker auszuziehen.

Die tiefere Einsicht in das Wesen der Alterstranszendenz, die wir durch die voraufgehenden Überlegungen gewonnen haben, setzt uns in die Lage, jene fälschlich konfundierten Vorstellungen, von denen schon eingangs kurz die Rede war, sicher und entschieden aus dem Themenkreis unserer Untersuchung auszuschließen. Das betrifft zunächst die Erscheinung des greisenhaften Kindes als Zeichen der Degeneration. Die grauhaarigen Kinder, deren Geburt nach Hesiod erg. 181 das nahende Ende des eisernen Zeitalters ankündigt, haben mit dem Idealtypos des altersreifen Knaben nicht das mindeste zu tun! Sehr zu Unrecht hat man diesen Hesiodvers mit der von CURTIUS behandelten *puer senex*-Vorstellung in Zusammenhang gebracht[9]). Ebensogut hätte man die altersschwachen grauhaarigen, bzw. glatzköpfigen Kinder ins Feld führen können, die Cyprian (Demetr. 4) als Kennzeichen des *mundus senescens* nennt, und in der Tat ist das wohl nur deswegen nicht geschehen, weil man diese Stelle

---

(vgl. unten S. 223); auch dort ist der Grundgedanke der, daß der Tugend die äußere Jugend nicht entgegenstehe, wohl aber die innere der Seele. Die alttestamentlichen παραδείγματα sind hier ganz und gar nicht als unerreichbare Tugendhelden aufgefaßt, sondern ihre allgemeine Vorbildhaftigkeit soll im Gegenteil Zweifel an der Wirklichkeitsnähe eines Erziehungsprogramms (konkret: der Erziehung des Kindes zum Gebet) zerstreuen!

[9]) Vgl. M. WINDFUHR, Der Epigone: ABG 4 (1959) 199 mit Anm. 57 und TOMBERG 146. Beide berufen sich ausdrücklich auf CURTIUS und zeigen dadurch, daß sie die verschiedenen Vorstellungen für gleichartig erachten. Hier liegt also mehr vor als eine bloß terminologische Inkonsequenz. Dagegen hat HÄUSSLER 328[1] das Wesen des sog. *puer senex*-Motivs klar erfaßt, wenn er es als „Streben nach . . . idealer Zeitüberlegenheit" charakterisiert und von der Vorstellung der „Altersmüdigkeit" getrennt wissen will. Auch bei der Interpretation römischer Knabenköpfe ergibt sich die Notwendigkeit, zwischen der idealen Synthese von Jugendblüte und Weisheit einerseits und dem krankhaften Zerfall andrerseits zu unterscheiden: vgl. KENNER 68. Übrigens klingt der Hesiodvers über die grauhaarigen Kinder in den Sibyllinen fort, und auch dort ist kein Gedanke an idealisierte Greisenhaftigkeit: orac. Sibyll. 2, 155 (GCS 8, 34).

übersah. Auch die grauhaarigen Kinder der Galater und Anthropophagen, von denen die antike Ethnographie zu berichten weiß, gehören nicht hierher[10]). Sowohl das Dekadenzmotiv als auch das ethnographische Paradoxon unterscheiden sich ja schon auf den ersten Blick so wesentlich von dem *puer senex*-Ideal, daß man sich nicht genug wundern kann, wie es zu solcher Konfusion überhaupt kommen konnte. Beide Vorstellungen drücken doch gar keinen geistigen Wert aus, geschweige denn daß das Merkmal einer individuellen Überwindung des Typischen — wohlgemerkt: des in geistiger Hinsicht Typischen! — hier zuträfe. In beiden Fällen handelt es sich vielmehr um eine Wandlung physischer Gesetzmäßigkeit, um eine, wenn man so will, naturbedingte Veränderung des Typischen, die in einem natürlichen Prozeß des Verfalls, bzw. in einer völkischen Abnormität begründet ist. Nicht ein Einzelmensch durchbricht die geistige Norm seines Alters, sondern die Natur selbst ändert ihren Lauf. Es mag sein, daß gewisse Besonderheiten innerhalb des weiten Themas der Alterstranszendenz die genannten Verwechslungen begünstigt haben — was ihr Zustandekommen allerdings durchaus nicht rechtfertigen würde. Einige Male lesen wir nämlich, die innere Altersreife eines Heroen habe sich wunderbarerweise auch durch das äußere Zeichen grauen Haars sichtbar manifestiert. So berichtet Cicero (div. II 50), der etruskische Göttersohn Tages sei ob seiner greisenhaften Klugheit grauhaarig gewesen, und das gleiche erzählt Strabon V 219 von Tarchon, dem Gründer Tarquinias[11]). Aber lassen wir uns nicht täuschen: aufs Ganze gesehen sind das Sonderfälle, die überdies wohl auch wiederum an der Grenze eines anderen Vorstellungsbereichs stehen[12]), für die Transzendenz-Thematik insgesamt

---

[10]) Diodor V 32; Plin. n.h. VII 12. Beide Belege segeln bei Tomberg unter der Flagge des von Curtius behandelten *puer senex*.

[11]) Zu Tarchon gesellt sich bei Eustathios ad Iliad. 167,23 noch der Trojaner Kyknos. Nicht voll vergleichbar ist dagegen die Mitteilung über ihn bei Hesiod frg. 119 Rzach, weil hier die passende Erklärung seiner 'Grauhaarigkeit' fehlt (vgl. dazu J. Schwartz, Pseudo-Hesiodeia [Leiden 1960] 113). Auch weitere Erwähnungen grauhaariger Knaben, die Tomberg beibringt (so Numa bei Serv. Aen. VI 808), sagen nichts darüber, ob das Grauhaar sichtbares Zeichen der unsichtbaren geistigen Potenz war, lassen also gerade das wichtige Verbindungsglied zur *puer senex*-Thematik vermissen. Curtius hat noch je ein Beispiel aus Buddhismus und Islam gebracht.

[12]) Baumgartner 274f. unterscheidet das Wunderkind des Märchens und Mythos von dem Motiv des weisen Knaben: ersterem eigneten durchaus übernatürliche Gaben, letzteres sei als bloße Steigerung der tatsächlichen Erfahrung

sind sie jedenfalls nicht charakteristisch. Diese wird vielmehr durch den krassen Gegensatz von innen und außen, d. h. in den analogen Fällen: durch den Gegensatz von geistiger Altersreife und körperlicher Jugend gekennzeichnet. Die Träger des *puer senex*-Ideals sind eben gerade nicht im körperlichen Sinne alt und weisen daher auch nicht die äußeren Altersmerkmale auf. Das Grauhaar des Greises wird zwar auch innerhalb der Transzendenzvorstellung oft erwähnt, aber meist im spiritualisierten Sinn und fast immer nur zu dem Zweck, den Kontrast zur natürlichen Altersstufe schärfer hervortreten zu lassen. Namentlich die christlichen Schriftsteller können sich ja gar nicht genug tun, die Vergeistigung des Grauhaars immer wieder in neuen, kühnen Formulierungen vorzuführen; auf Schritt und Tritt begegnen Wendungen wie: *canities animae, sensuum, νοηταὶ πολιαί, ἡ ἐν ψυχῇ πολιά, incana prudentia, πεπολιωμένος τῇ διανοίᾳ* usw.[13]). Gestalten wie Tages und Tarchon sind also im Kreise jener ungezählten *pueri senes* der Spätantike durchaus Sondererscheinungen. Das zu erfassen ist wichtig; denn wir berühren hier einen Punkt, der zugleich einen wesentlichen Unterschied zwischen Wort und Kunst markiert. Nur in Wort und Schrift ist jene für das Transzendenzideal so charakteristische scharfe Gegensetzung von innerem und äußerem Alter möglich, die Kunst muß auch die geistige Altersstufe irgendwie sinnlich faßbar machen. DÜRERS „Bärtiges Kind“ im Louvre, das man als Darstellung des *puer senex*-Ideals deutet[14]), ver-

---

frühreifer und altkluger Kinder anzusehen (vgl. ders.: ARW 27 [1929] 187f.). Diese Unterscheidung dürfte im ganzen zu Recht bestehen, mag es auch Übergangsformen geben.

[13]) Ambros. epist. 16,5 (PL 16,960C); Cassian. coll. 14,13,5 (CSEL 13,415); Orig. in Joh. XX 79 (GCS 10,340); Chrys. or. de Abr. 1 (PG 50,738); Ambros. in ps. 36,59 (CSEL 64,117); Ps.Chrys. hom. in ps. 50,2 (PG 55,567). Das sind nur einige willkürlich gewählte Beispiele. Hinter der Masse dieser Belege steht natürlich der Gedanke an Sap.Sal. 4,8. Wie wenig auf tatsächliche Grauhaarigkeit dort ankommt, wo das Greisenhafte als normgebender geistiger Wert empfunden wird, verdeutlicht sehr schön auch Libanios in einem seiner Briefe. Der Adressat Honoratus war im Gespräch von jemandem lobenderweise als „der Greis“ bezeichnet worden, und Libanios erklärt: „Nicht weil dir dasselbe zuteil wurde wie dem [Argonauten] Erginos, graues Haar in jungen Jahren, sondern weil du lebst nach Greisenart, bevor du noch die Kindheit verlassen hast“ (epist. 300,3: 10,281 FÖRSTER).

[14]) Vorgetragen wurde diese Deutung von H. TIETZE und E. TIETZE-CONRAT: The Burlington Magazine 70 (1937) 81f.; vgl. dies., Kritisches Verzeichnis der Werke Albrecht Dürers 2/2 (Basel/Leipzig 1938) Nr. 978: Text S. 65, Abb. S. 206. Wiederaufgegriffen hat sie E. WIND, Pagan Mysteries in the Renaissance (London 1958) 90[4], nachdem sie vorher von E. PANOFSKY, Albrecht Dürer 2 (Princeton 1948) S. 18 Nr. 84 zurückgewiesen worden war. Die Deutung geht

einigt die Merkmale von Jugend und Alter, kindliches Antlitz und Greisenbart, in seiner äußeren Erscheinung: die Kunst muß eben auf die Dimension des Nichtwahrnehmbaren verzichten. Ähnliches gilt auch von jenen römischen Knabenporträts, die uns Hedvig KENNER, angeregt durch die betreffenden Essays von E. R. CURTIUS, als bildliche Zeugnisse des *puer senex*-Typus sehen lehrt. Doch Beachtung verdient, daß gerade die antiken Künstler das Paradoxe eines 'Knabengreises' auf weit weniger groteske Weise darstellten, als es DÜRER in seinem Bilde tat; ebenso wie in der Literatur der Spätantike erscheint auch in der gleichzeitigen Porträtkunst der *puer senex* nicht etwa als wirklich grauhaarig, bzw. bärtig oder glatzköpfig. Das Greisenhafte seines Wesens wird vielmehr durch andere Mittel, vor allem durch einen ernsten abgeklärten Gesichtsausdruck, für den Beschauer sichtbar gemacht. Mit anderen Worten: auch die antike Kunst strebt im Rahmen ihrer Möglichkeiten eine gewisse Verinnerlichung an[15]). Im übrigen verfügt der Künstler — das sei an dieser Stelle nur nebenbei bemerkt — natürlich auch über das Mittel der Umschreibung: er kann zum Beispiel einen Knaben in der Rolle des Lehrers zeigen[16]) oder einen Daniel in seiner bekanntesten

---

von der Annahme aus, DÜRER habe sich durch die Beschreibung des Minervatempels in Sais bei Plutarch *De Iside et Osiride* (moral. 363E) anregen lassen. An der entscheidenden Stelle des Textes las der Humanist und Plutarch-Übersetzer CALCAGNINI die Konjektur *παιδογέρων*, einen Ausdruck, den er mit dem Hinweis „id est puer senex" versah (in unseren modernen Texten ist die Lücke aus Clem. Alex. strom. V 41,4/42,1 ergänzt). Die Auffassung, daß CALCAGNINIS Übersetzung dem Nürnberger Humanistenkreis sehr wohl bekannt gewesen sein könne, hat WIND gegen PANOFSKY mit Erfolg verteidigt. Aber man mag sich doch fragen, ob es richtig war, die Erörterung des Problems so einzuschränken: hätte DÜRER die Anregung zur Darstellung eines *puer senex* nicht auch aus ganz anderer Quelle empfangen können? Muß eine etwaige Vorlage unbedingt die Bildbeschreibung Plutarchs gewesen sein? Man bedenke die weite Verbreitung des Gedankens in der Literatur der Antike, namentlich der christlichen Spätantike — und auch der Renaissance war ja diese Vorstellung nicht fremd (vgl. WIND a.O.).

[15]) Vgl. KENNER 67f. über den bronzenen Knabenkopf des archäologischen Museums in Florenz, den sie als frühestes Beispiel dieses Typus deutet (2. Jh. v.Chr.?). Das berühmte Bildnis ist vor allem von G. v. KASCHNITZ-WEINBERG gewürdigt worden: RM 41 (1926) 137f. mit Tafel I und II = Ausgewählte Schriften 2 (Berlin 1965) 23f. mit Tafel 12,1 und 2. Vgl. ders., Das Schöpferische in der röm. Kunst 1 (1961 [Rowohlt]) 116f. mit Abb. 18.

[16]) Oder in der eines Declamators: vgl. die Grabmonumente Nr. 18. 19. 88. 95. 99. 151. 152 bei MARROU sowie seine Interpretationen S. 199/201. 205f. 277. Auf dem Grabstein des elfjährigen Q. Sulpicius Maximus im Konservatorenpalast (= Nr. 151 MARROU) findet sich gleichsam alles vereint: Inschriften, die

Funktion als *puer senex*, nämlich als jugendlichen Richter über die Ältesten, wobei es dann jeweils Aufgabe einer angemessenen Deutung bleibt, aus der gesamten Szene das bildlich nicht Darstellbare herauszuholen.

An zweiter Stelle haben wir uns hier mit dem bekannten Gedanken *δὶς παῖδες οἱ γέροντες* auseinanderzusetzen, mit jener verbreiteten Anschauung also, daß der Mensch am Ende seines Lebens durch Verfall der geistigen und körperlichen Kräfte wieder zum Kinde werde[17]. Vor uns steht die Gestalt des unbeholfenen, dümmlichen, kurzum: kindischen Greises, wie sie uns in der antiken Literatur so oft entgegentritt. Gehört nun dieses Motiv greisenhafter Verkindung wirklich, wie man gemeint hat[18], in den Vorstellungsbereich der Alterstranszendenz? Ist es mit dem *puer senex*-Gedanken oder seiner Umkehrung, dem Ideal geistiger Kindheit, in irgendeiner Weise vergleichbar? Auf den ersten Blick scheint das *δὶς παῖς*-Motiv gegenüber den oben behandelten, fälschlich konfundierten Anschauungen wenigstens den Vorteil zu besitzen, daß es vorwiegend auf Geistiges zielt — wenn auch durchaus nicht ausschließlich (vgl. z.B. Juv. sat. 10,199: *madidique infantia nasi*, gesagt vom Greis). Aber dieser erste Blick trügt: der kindische Greis hat mit dem Transzendenzgedanken ebensowenig zu schaffen wie das zu greisenhafter Erscheinung degenerierte Kind. Entscheidend ist nicht so sehr das Moment der negativen oder positiven Wertung der Altersbezeichnungen; denn, wie später noch zu zeigen sein wird, gehört auch zum positiven Ideal der Alterstranszendenz ein negatives Gegenbild. Das ausschlaggebende Kriterium ergibt sich vielmehr auch hier wieder aus der Definition des Transzendenzgedankens. Bringt das *δὶς παῖς*-

---

seine Teilnahme am Dichterwettbewerb der Capitolinischen Spiele i. J. 94 n. Chr. erwähnen, sein Talent rühmen und als Todesursache Überarbeitung angeben (EG 618. ILS 5177), ein Relief, das den Knaben mit einer offenen Rolle in der Linken zeigt, und schließlich noch Reste porträthafter Züge des Kopfes, die „den Eindruck der altklugen, vorzeitigen Reife erwecken" (so KENNER 69).

[17]) In dieser Form ist uns das alte Sprichwort u. a. als Titel einer der menippeischen Satiren Varros überliefert. Vgl. dazu im übrigen A. OTTO, Die Sprichwörter u. sprichwörtl. Redensarten der Römer (Leipzig 1890) s. v. *senex* nr. 1 und HOHNEN 91f.

[18]) HEIMBECHER 24/38 hat der sog. „*puer senex*-Problematik" einen Exkurs gewidmet. In diesem Exkurs, der überhaupt mancherlei Ungereimtheiten enthält, spielt das *δὶς παῖς*-Motiv eine ungebührlich große Rolle. Auf Schritt und Tritt muß das griechische Sprichwort dazu herhalten, die Darlegungen des Verfassers über die Genese des *puer senex*-Gedankens zu stützen (z.B. ebd. 31), ohne daß der kardinale Unterschied der Vorstellungen klar herausgebracht würde.

Motiv, so müssen wir fragen, wirklich ein irgendwie geartetes Überschreiten der natürlichen Altersstufe zum Ausdruck? Diese Frage wird man nur bei ganz oberflächlicher, rein auf die äußere Formulierung gerichteter Betrachtungsweise bejahen können. Wer auf die Sache achtet, erkennt leicht, daß das Gegenteil zutrifft: das 'Kindische' des Greises bedeutet in Wahrheit kein Außerkraftsetzen des für diese Altersklasse Typischen, sondern gehört im Gegenteil innerhalb einer gewissen pessimistischen Betrachtungsweise durchaus zu deren Typologie! Man lese beispielsweise die düstere Schilderung der sechs menschlichen Altersstufen, die Prodikos im pseudoplatonischen Axiochos (366 D) gibt: der menschliche Lebensweg wird über alle Etappen hinweg in schwärzesten Farben gemalt; am Ende steht der bedauernswerte Greis, dem die Natur Sehvermögen und Gehör raubt oder gar den Verstand, so daß er zum zweiten Mal zum Kinde wird. So verhält es sich bei derlei Äußerungen immer: das Kindische des Greises gilt solcher pessimistischer Sicht des Lebens als allgemein menschliches, im natürlichen Altersprozeß begründetes Schicksal; schon die sprichwörtliche, d. h. verallgemeinernde Verwendung des Gedankens ist in dieser Hinsicht aufschlußreich. Nicht also eine durch individuelle Anlage oder Leistung bedingte Transzendenz der natürlichen Altersstufe ist gemeint, sondern ein in der Natur selbst begründeter Verfall, ein unwillkürliches Absinken in einen primitiveren Zustand, der an eine vorausliegende Entwicklungsstufe, nämlich an die frühe Kindheit, zu erinnern vermag; ein Zirkelschluß der Natur, wenn man so will.

Wir können aber noch einen Schritt weiter gehen. Auch wenn Begriffe wie *νήπιος*, *παῖς*, *νέος* und ihre lateinischen Korrelate innerhalb der Werteskala der Transzendenzvorstellung mit negativen Vorzeichen versehen werden, liegt keineswegs etwa eine gültige Parallele zum *δὶς παῖς*-Gedanken vor. Wir sind ja bereits oben bei Behandlung der Stelle aus dem Isaiaskommentar des Johannes Chrysostomus auf die Anschauung gestoßen, Greise könnten (im negativen Sinne) 'jung' sein und Jünglinge (im positiven Sinne) 'alt'. Die gleiche Erkenntnis wird oftmals noch viel schärfer formuliert, so z.B. von Chrysostomus selbst: Greise mit Lastern der Jugend bleiben *νέοι*, auch wenn sie hundert Jahre alt werden[19])! Wie man also sein Alter in positiver Richtung überschreiten kann, so ist es andrerseits auch möglich, die nachteiligen Züge einer anderen Altersstufe mitzuführen, d. h. seine natürliche Altersklasse in negativer Weise zu 'transzen-

---

[19]) Chrys. in Hebr. hom. 7,3 (PG 63,65 unten).

dieren'. Letztere Möglichkeit bildet das dunkle Gegenbild zum Transzendenzideal, ja stellt in gewisser Weise dessen folgerichtige Alternative dar. Auf die Hintergründe dieser Werteskala der *aetates spiritales* werden wir später im Hauptteil unserer Untersuchung zu sprechen kommen. Die negative Seite der Transzendenzvorstellung sei hier nur zu dem Zweck kurz berührt, um etwaigen Mißverständnissen in bezug auf das *δὶς παῖς*-Motiv vorzubeugen; denn in der Tat könnte ja der Gedanke an eine negativ bewertete geistige Kindheit oder Jugend noch sehr viel eher dazu herausfordern, Parallelen zu diesem Motiv zu ziehen[20]), als etwa das *puer senex*-Ideal, das sich ja schon von ferne durch seinen ganz anderen Aussagewert deutlich unterscheidet. Gegen einen solchen Irrtum sei hier vorsorglich eingeschritten: der Unterschied der sprichwörtlichen zweiten 'Kindheit' der Greise gegenüber jener pejorativ bewerteten Kindheit und Jugend, wie sie vor allem bei den Kirchenvätern innerhalb der Spekulation über die *aetates spiritales*, aber auch schon früher, z.B. in der Sprache der hellenistischen Philosophie, begegnet, ist im Kern der gleiche wie der gegenüber den Idealvorstellungen der Alterstranszendenz. Wenn etwa Chrysostomus lasterhafte Greise *νέοι* nennt, so besagt das, daß einzelne durch persönliche Schuld, durch eigenes Versagen trotz ihres hohen Alters, das sie eigentlich hätte weise machen und läutern sollen, von dem jedenfalls gewisse positive Wirkungen zu erwarten waren, 'jung' im schlechten Sinne geblieben sind. Der hundertjährige *νέος* hat persönlich versagt, er hat nicht einmal das erreicht, was als Norm seiner Altersstufe gilt, er hat im Vergleich zu dieser Norm ein Minus aufzuweisen. — Wir brauchen nicht noch tiefer zu schürfen: auch nach dieser Seite ist die Kluft zum Schicksal des 'kindischen' Greises deutlich genug.

Die dritte Vorstellung, die es hier schließlich noch abzugrenzen gilt, führt uns entschiedener als die bisher behandelten in den Bereich der Spätantike. Aber nicht nur deswegen ist sie für uns besonders wichtig. Zugleich verpflichtet sie uns zu einer ersten Auseinandersetzung mit Ernst Robert CURTIUS, und zwar mit seinen Essays „Knabe und Greis" — „Greisin und Mädchen". Die beiden Essays, die in CURTIUS' berühmtem Sammelband „Europäische Literatur und Latei-

---

[20]) Zumal das sogar Seneca einmal getan hat — freilich um einer geschliffenen Pointe willen: *non bis pueri sumus, ut vulgo dicitur, sed semper* . . . eqs. (frg. 121 HAASE). Treffend bemerkt dazu LAUSBERG (189), Seneca bringe „eine steigernde Korrektur des Sprichworts". Mit den verschiedenen Vorstellungen geistigen Kindseins wird hier gespielt, ohne daß wir etwa berechtigt wären, Senecas pointierte Formulierung zu verallgemeinern!

nisches Mittelalter" hintereinander abgedruckt sind, behandeln nicht etwa, wie die Titel vermuten lassen könnten, das gleiche Thema, sondern erörtern recht Verschiedenes. Der erste Aufsatz ist dem Ideal des greisenhaften Knaben (und Mädchens) gewidmet; mit ihm werden wir uns im nächsten Kapitel eingehender befassen müssen. Der zweite beschäftigt sich mit dem „Schema der altjungen Heilbringerin" — gemeint sind Gestalten der spätantiken Allegorie wie die „Kirche" im Pastor Hermae, die zunächst als Greisin auftritt, sich aber zunehmend verjüngt, die Philosophia des Boethius, die als jugendfrische Greisin erscheint, die altjunge Natura bei Claudian, die sich verjüngende Roma bei den Dichtern Claudian, Prudentius und Rutilius Namatianus. Inwieweit diese Reihe heterogene Elemente enthält, soll hier nicht gefragt werden. Mehr wird es unsere Aufmerksamkeit erregen müssen, daß CURTIUS die beiden verschiedenen Vorstellungen, die er in zwei getrennten Aufsätzen behandelt[21]), andrerseits doch wieder recht nahe zusammenrückt, indem er sie ausdrücklich derselben „Seelensphäre" zuschreibt (113) — es ging ihm eben immer wieder darum, den Geist der Spätantike als Quellgrund solcher Anschauungen zu erweisen[22]). Nun mag man sich noch durchaus bereitfinden, eine solche recht allgemeine Feststellung hinzunehmen; was es mit jener Seelensphäre auf sich hat, werden wir, jedenfalls soweit das Transzendenzideal davon betroffen wird, später sehen. Der Ansatz zur notwendigen Kritik liegt für uns zunächst anderswo: auch innerhalb des ersten Essays selbst, der speziell dem sog. *puer senex*-Topos vorbehalten ist, hat CURTIUS die von der Sache her gebotene Grenze überschritten, und dies in einer Weise, die höchst verunklärend wirken muß. Unter den dort gebotenen Belegen fällt nämlich einer auf, der im Verhältnis zu den übrigen durchaus inkommensurabel erscheint. Es handelt sich um eine Stelle aus der Passio Perpetuae: der Märtyrer Saturus schaut Gott *quasi hominem canum, niveos habentem capillos et vultu iuvenili*[23]). Auf diesen Beleg hat CURTIUS besonderen Wert gelegt; seines Erachtens erklärt sich aus solcher Anschauung die Aufnahme des '*puer senex*-Topos' in das Mönchsideal und die Hagiographie. Aber inwiefern sind denn diese

---

[21]) Aber in einem dritten Essay „Puer senex" (Gesammelte Aufsätze zur roman. Philologie [Bern 1960] 12/13), der resümierenden Charakter trägt und daher hier ansonsten außer acht bleiben darf, hat er bezeichnenderweise beide Erscheinungen zusammengenommen.

[22]) Vgl. dazu bes. seine einleitenden Bemerkungen zur „Historischen Topik" (92).

[23]) Pass. Perp. 12,3 (32 v. BEEK).

Dinge überhaupt vergleichbar? Was hat jene seltsame Vision eines teils jugendlichen teils greisenhaften Wesens mit dem Transzendenzideal oder genauer: mit dem Ideal geistiger Altersreife zu tun[24])? Curtius bleibt uns die Antwort schuldig. In welchen Zusammenhang die Vision des Saturus in Wahrheit einzuordnen ist, darüber brauchen wir jedoch nicht lange zu rätseln. Den nötigen Aufschluß erteilt im Grunde Curtius selbst, wofern man seinem in der Anmerkung beigefügten Hinweis nachgeht. Er verweist dort (111[2]) für die Vorstellung ,,Jesus als *puer senex*" auf das Buch von Walter Bauer: ,,Das Leben Jesu im Zeitalter der neutestamentlichen Apokryphen" S. 313. Wer freilich erwartet, einen *puer senex* üblichen Typs ebenda behandelt zu finden, sieht sich enttäuscht. Das Thema, um das es dort (313/314) geht, ist ein ganz anderes, nämlich folgendes: In spätantiken Texten begegnet des öfteren die Anschauung, ein übernatürliches Wesen könne sich in wechselnder Gestalt — als groß und klein, schön und häßlich, alt und jung — offenbaren. Dergleichen berichten z.B. die apokryphen Apostelakten von Jesus selbst. So heißt es in den Johannesakten[25]), die Jünger hätten Jesus bald als Knaben, bald als schönen Mann, bald als kahlköpfigen Greis mit herabwallendem Bart gesehen; in den Petrusakten[26]) erscheint der Herr den von der Blindheit geheilten Witwen, doch sehen ihn die Frauen nicht alle in der gleichen Gestalt: den einen offenbart er sich als älterer Mann, anderen als Jüngling, anderen als Knabe. Ähnliches hören wir aber auch von bösen Geistern, vom Zauberer Simon und vom Antichristen[27]). Diesem Vorstellungskreis rechnet nun Bauer (313[2]) auch den Bericht der Passio Perpetuae zu, darin also recht anders urteilend als Curtius, der mit eben diesem Beleg einen Markstein in der Entwicklung des sog. *puer senex*-Topos entdeckt zu haben wähnte. Durch seinen Hinweis auf das von Bauer a.O. gebotene Material hat Curtius im übrigen noch deutlicher als durch das einzelne Zitat aus der Passio Perpetuae zu erkennen gegeben, wie wenig ihm an einer Scheidung der Vorstellungen gelegen war. Sein

---

[24]) Eigens sei hier noch darauf aufmerksam gemacht, daß das Greisenhafte dieser göttlichen Erscheinung nicht etwa als Ausdruck einer entsprechenden geistigen Qualität motiviert wird, wie das bei dem Etrusker Tages und ähnlichen Beispielen, die Curtius aus anderen Kulturen beibringt, tatsächlich der Fall ist: vgl. dazu oben S. 37 mit Anm. 11.

[25]) Acta Joh. 88f. (2/1,194 Lipsius-Bonnet). [26]) Acta Petr. 21 (1,69 L.-B.).

[27]) Die Belege s. bei Bauer a.O. Reiches Material dazu aus verschiedenen gnostischen Texten, aus den hermetischen und manichäischen Schriften sowie aus der frühchristlichen Literatur hat auch H.-Ch. Puech zusammengetragen: AEHE 73 (1965/66) 122/124.

Vorgehen fand Nachfolger: auch in neuerer Literatur werden der '*puer senex*-Topos' und die Polymorphie göttlicher Gestalten gelegentlich wie eng verwandte Anschauungen behandelt[28]).

Läßt sich aber derlei, wir müssen diese Frage wiederholen, wirklich so ohne weiteres auf eine Stufe stellen? Gewiß soll hier nicht einer künstlichen Scheidung der Anschauungen das Wort geredet sein; für eine Untersuchung wie die unsrige kann es sich nur günstig auswirken, wenn der Horizont nicht zu nahe steht und auch noch angrenzende Phänomene im Blickfeld liegen. Es soll auch nicht geleugnet werden, daß es Bereiche spätantik-christlicher Geisteswelt geben mag, in denen die beiden Vorstellungskreise der Alterstranszendenz und der Polymorphie tatsächlich einander berühren[29]). Aber im ganzen wird man gut daran tun, die Dinge nicht einfach zusammenzuwerfen. Die wechselnden Erscheinungsformen eines übernatürlichen Wesens, bzw. das Ineinander von Jugend und Alter in der äußeren Erscheinung eines solchen Wesens, sind eben doch etwas recht anderes als die ideale Aufhebung der altersbedingten Mängel durch das geistige Streben eines Menschen! Wer dazu noch eines Beweises bedarf, mag folgendes bedenken: nirgends wird sichtbar, daß jene Fähigkeit des *μορφὰς ἐναλλάσσειν*, die Jesus in den apokryphen Akten zugeschrieben wird, die christliche Forderung nach Überwindung der natürlichen Lebensalter in irgendeiner Weise beeinflußt hätte; nirgends ist der polymorphe Jesus Vorbild des *puer senex*, eine Tatsache, die insofern besonderes Gewicht erhält, als uns ja dieses Ideal an ungezählten Stellen in vielfacher Brechung vorliegt. Als Typ des altersreifen Knaben gilt vielmehr der zwölfjährige Jesus im Tempel, dessen Weisheit die Ältesten der Juden in Erstaunen setzt[30]).

---

[28]) So nennt Aubineau (575), der im Anhang seiner Ausgabe von Greg. Nyss. virg. die Verbreitung des *puer senex*-Ideals in der christlichen asketischen Literatur durch eine Stellensammlung illustriert, den Essay von Curtius fast in einem Atemzuge mit jenen Vorträgen, die Puech über das Thema der Polymorphie an der École des Hautes Études gehalten hat (s. oben Anm. 27). Vgl. auch Puech selbst: Annuaire du Collège de France 59 (1959) 261f.

[29]) Ich denke vor allem an den eschatologischen Bereich. Vgl. dazu unten S. 162[29].

[30]) Dazu gehört, was Bauer 92/94 über die „Lehrergeschichten" der ntl. Apokryphen mitteilt (vgl. ebd. 90 zur Thomaserzählung). Wir werden später noch Gelegenheit haben, auf Jesus als Typos des *puer senex* zu sprechen zu kommen. Hier sei nur noch darauf hingewiesen, daß Origenes, der die Polymorphie Christi anerkennt und an mehreren Stellen verteidigt (z.B. c. Cels. VI 77 [GCS 3,146/49]; dazu Chadwick 390[1]), diese Eigenschaft dennoch niemals in Verbindung bringt mit der *pueritia mirabilis* des weisen Jesusknaben

Was im zweiten Teil dieses Kapitels zur Sprache kam, hat gezeigt, welch starke Unsicherheit hinsichtlich der Beurteilung des Phänomens der Alterstranszendenz allenthalben anzutreffen ist. Die Hauptschuld an dieser Unsicherheit trägt zweifellos die unzureichende Reflexion über die Eigenart des Transzendenzgedankens; denn die verschiedenen Dinge lassen sich ja sehr wohl auseinanderhalten, wenn man sich nur bereitfindet, ihren Aussagegehalt gegeneinander abzuwägen. Aber es mag noch etwas anderes mitspielen. Das Transzendenzideal ist, wie wir sahen, eine komplexe Vorstellung und hat sich in seinen verschiedenen Formen über Jahrhunderte hinweg lebendig erhalten. Die Eigenständigkeit solcher weitverzweigter Anschauungen offenbart sich im vollen Umfang erst dann, wenn die Ursachen, die zu ihrer Entstehung beigetragen und ihre Verbreitung gefördert haben, klar zutage treten. Zur logischen Definition derartiger Phänomene muß sich die Einsicht in ihre Genese gesellen. Das Transzendenzideal auf seinem Weg durch die altchristliche Geistesgeschichte zu verfolgen, wird Hauptaufgabe unserer Untersuchung sein. Vorerst müssen wir uns aber noch einmal E. R. CURTIUS zuwenden. Der besondere Vorzug seiner Darstellung liegt ja gerade darin, daß sie dem '*puer senex*-Topos' einen geistesgeschichtlichen Hintergrund zu geben versucht; die kritische Auseinandersetzung mit diesem Versuch wird daher unserem eigenen voranzugehen haben.

(über sie vgl. Hier. Orig. in Lc. hom. 19: GCS 49, 114/115). Im übrigen liegt die Vorstellung der Polymorphie Jesu auf der Linie einer doketischen Christologie, und schon von daher waren ihrer Verbreitung Grenzen gesetzt. Andrerseits können wir feststellen, daß gerade jener 'naive Doketismus', wie er sich in den apokryphen Akten offenbart, den betreffenden Texten nichts von ihrer Beliebtheit nahm: vgl. HARNACK, Dogmengeschichte 1, 215[2]. 263[1].

B. ANSÄTZE UND ENTWICKLUNG IN DER ANTIKE

I. DIE THESE VON E. R. CURTIUS

Der Essay „Knabe und Greis", dessen wir bereits im vorigen Kapitel verschiedentlich gedachten, gehört zu jenen Arbeiten des großen Gelehrten, die auf die Forschung ganz besonders anregend gewirkt haben. Man mag sich fragen, woran das liegt. Denn zum einen ist dieser Aufsatz recht kurz, und zum andern war ja die Sache als solche, um die es darin geht, nämlich das Ideal des altersweisen Knaben, längst bekannt. So hatte etwa Friedrich VOLLMER in seiner Ausgabe der Silven des Statius allerhand einschlägiges Material vornehmlich aus lateinischen Dichtern zusammengetragen, und noch vor ihm hatte USENER Belege aus Cassiodor beigebracht[1]). Aber diese Parallelensammlungen beschränkten sich eben stofflich jeweils auf einen engeren Gesichtskreis und standen wohl auch an zu versteckter Stelle, als daß sie die Aufmerksamkeit eines weiteren gelehrten Publikums hätten erregen können. Doch nicht nur darin sind sie CURTIUS' Darstellung unterlegen. CURTIUS war der erste, der den *puer senex* als geistesgeschichtliche Erscheinung ernst nahm und eine These über den Ursprung dieses Ideals und den Grund seiner weiten Verbreitung vorlegte. Gleich zu Beginn des Essays formuliert er seine Auffassung folgendermaßen: „Dies ist ein topos, der aus der Seelenlage der Spätantike erwuchs. Alle frühen und hohen Zeiten einer Kultur preisen den Jüngling und ehren zugleich das Alter. Aber nur späte Zeiten entwickeln ein Menschenideal, in dem die Polarität von Jugend und Alter zu einem Ausgleich strebt" (108). CURTIUS sah also in dem Ideal eines geistigen Altersausgleichs sehr entschieden ein Merkmal spätantiken und überhaupt spätzeitlichen Geistes. Diese Sicht der Dinge — „romantisch" nannte sie einer seiner Kritiker[2]) — verlieh seiner Abhandlung einen eigenartigen Reiz und forderte andrerseits immer wieder zum Widerspruch heraus; denn daß das Idealbild des 'Knabengreises' nur der späten Antike bekannt gewesen sei, mochte niemand so recht glauben. Ganz fraglos war es also diese eigenwillige These, die wesentlich mit dazu beitrug, seiner Darstellung ein weites Gehör zu verschaffen. Dabei war der Nachweis, daß der

---

[1]) Vgl. H. USENER, Anecdoton Holderi (Bonn 1877) 12; F. VOLLMER, Ausgabe der Silven (Leipzig 1898) 322 zu silv. II 1,40. Auch WEYMAN, BIELER und MARROU gehören in gewisser Weise zu CURTIUS' Vorgängern, vgl. oben S. 29[1] und unten S. 145.

[2]) FESTUGIÈRE, Lieux communs 138.

Gedanke eines Ausgleichs der Polarität von Jugend und Alter sehr viel früher anzusetzen sei, als CURTIUS wähnte, leicht zu erbringen. Im Grunde hätte der Hinweis auf eine einzige Anmerkung in der griechischen Literaturgeschichte von SCHMID-STÄHLIN genügt, um CURTIUS' These schwer zu erschüttern; denn die wichtigsten Belege aus der klassischen Zeit sind dort knapp zusammengestellt[3]). Schon Pindar, Aischylos und Sophokles kannten das Ideal des altersreifen Jünglings, ja Aischylos hat dafür sogar ein eigenes Wort — *ἀνδρόπαις* — geprägt (sept. 533; vgl. Soph. frg. 562 N.²). An dem jungen kyrenischen Edelmann Damophilos weiß Pindar zu rühmen, daß er sich im Rat als Greis von hundert Jahren erweise (pyth. 4,281f.), und als *iuvenis senex* reinsten Wassers erscheint auch Lasthenes in den Sieben gegen Theben: *γέροντα τὸν νοῦν, σάρκα δ' ἡβῶσαν φέρει*, heißt es von ihm (622). Diesen Beispielen ließen sich noch andere hinzufügen[4]), und es kann kaum zweifelhaft sein, daß CURTIUS' Spätzeit-Theorie durch die Existenz solcher Parallelen in der klassischen griechischen Dichtung erheblich an Überzeugungskraft verliert. Das erstmalig erkannt und gegenüber CURTIUS klar herausgestellt zu haben, ist das Verdienst der Dissertationen von HOHNEN und KASSEL[5]).

Ja wir könnten noch weiter ausholen und auch Homer, genauer gesagt: die Odyssee in unsere Betrachtung einbeziehen. Hier findet sich zwar nichts, was dem *ἀνδρόπαις* voll vergleichbar wäre, aber doch manches, was sich zur Anschauung von CURTIUS nicht recht fügen will. Denn wenn CURTIUS im Anschluß an jenen Vergilvers, der den männlichen Sinn des Knaben Ascanius preist (Aen. 9,311), bemerkt (109¹): „Bei Telemachos war das nicht der Fall . . ." und sich dafür auf zwei Stellen beruft, an denen Telemach von Athene zu größerer Verständigkeit ermahnt wird (*α* 297; *β* 170), so muß demgegenüber

---

[3]) W. SCHMID-O. STÄHLIN, Gesch. d. griech. Lit. 1/2 (München 1934) = Handbuch d. Altertumswiss. 7/1,2,423⁵.

[4]) Zu nennen wären vor allem das anonyme Tragikerzitat adesp. 453 N.² (Zitat s. unten S. 54[11]) und ein Sophoklesvers, der den Eurypylos als „Kind, Greis und Jüngling" preist (frg. 210,73 PEARSON). Aus Pindar vgl. noch Pyth. 2,63/67 und Pyth. 5,109/111. Über die Bedeutung des Worts *ἀνδρόπαις* erteilt Σ Pyth. 2,121c Aufschluß: . . . *παῖδα μὲν τῇ ἡλικίᾳ, ἄνδρα δὲ τῷ φρονήματι*. Auch Aristophanes hat das Wort gebraucht (frg. 53 DEMIAŃCZUK), doch soll er damit den *πρόσηβος*, den fast mannbaren jungen Burschen, bezeichnet haben (vgl. Suda s. v. *ἀντίπαις*: 1,242 ADLER). Beide Bedeutungen des Worts stellt Hesych s.v. *ἀνδρόπαις* (1,166 LATTE) nebeneinander.

[5]) HOHNEN 99 und KASSEL, Diss. 41f. Beide übten unabhängig voneinander in der gleichen Weise Kritik, wobei sich allerdings KASSEL im Gegensatz zu HOHNEN nur auf einen Beleg stützte. Später äußerten sich im selben Sinne: KEMPER 36f. 81. 97. 99; HERTER 148 und HÄUSSLER 328.

festgehalten werden, daß Telemach in der Odyssee durchaus nicht die Rolle des jungen Toren spielt: der greise und weise Nestor ist es, der dem Jüngling Klugheit über sein Alter hinaus bescheinigt (γ 124f.), und Vergleichbares hören wir auch von anderen jugendlichen Gestalten dieses Epos, nämlich von Peisistratos (δ 204f.) und Nausikaa (η 292/294). Feststellungen solcher Art konnten also sehr wohl auch damals schon getroffen werden, und es ist nicht zulässig, in diesem Punkte einen wesentlichen, die Geisteshaltung ihrer Epochen charakterisierenden Unterschied zwischen dem Homer der Odyssee einerseits und Vergil andrerseits zu konstruieren[6]). Angesichts so weiter zeitlicher Dimensionen wird es im übrigen gänzlich unwichtig, ob man mit Curtius' Zeitansatz der 'Spätantike' einverstanden ist oder nicht. Korrekturen solcher Art müßten überhaupt recht kleinlich wirken. Denn wenn Curtius die Spätantike in dem genannten Essay mit Vergil (in der ersten Auflage von 1948) bzw. sogar mit Cicero (1954²) beginnen läßt, so ist das zwar ein recht früher Ansatz, aber gewiß hat Curtius selbst gerade in diesem Fall scharfe zeitliche Grenzen weder nach unten noch nach oben ziehen wollen; wem es darum zu tun ist, die „Seelenlage" einer großen Epoche zu erfassen, darf durchaus damit rechnen, daß sich jene geistige Eigenart auch in einzelnen vorzeitigen Äußerungen ankündigt. Aber natürlich können derartige Vorläufer nie und nimmer bis ins frühe und klassische Griechentum zurückreichen! Wie man also auch Curtius' Zeitansatz beurteilen mag: für die Kritik, die sich auf Pindar, die Tragiker, ja bis zu einem gewissen Grade sogar auf Homer stützen kann, ist das unerheblich.

Von einer anderen Seite ist Büchner gegen Curtius vorgegangen[7]). Er legte den Finger auf eine bedeutsame Stelle in Ciceros Dialog *De senectute*. Der alte Cato empfiehlt hier eine gewisse Mischung jugendlicher und greisenhafter Art. Der Jüngling, so fordert er, solle etwas vom Greis und der Greis etwas vom Jüngling haben: *ut enim adulescentem in quo est senile aliquid, sic senem in quo est aliquid adulescentis probo; quod qui sequitur, corpore senex esse poterit, animo*

[6]) Gerade mit dem Hinweis auf die Odyssee tat Curtius einen schlechten Griff, eher hätte er sich schon auf die Ilias berufen können. Vgl. darüber Schadewaldt (113): „Wirklich ist in der Odyssee das Bild von Jugend und Alter reicher schattiert [d. h. als in der Ilias]; es kennt Umdeutungen und Übergänge. ... Der Jüngling wie das junge Mädchen reden in der Odyssee so klug und besonnen wie die Alten, und die Alten sprechen ihnen deshalb Lob ..." usw.

[7]) Büchner 20/24; vgl. ders., Art. Vergil: PW 8 A 2 (1958) 1408, Z. 8ff. (Separatdruck: 1955). Auch eine frühere Arbeit ist hier zu erwähnen: Humanitas. Die Atticusvita des Cornelius Nepos: Gymnasium 65 (1949) bes. 112. 116.

numquam erit (Cic. Cato 38). Büchner war es aber nicht nur darum zu tun, diesen einzelnen Beleg, der in Curtius' Sammlung zunächst fehlte, nachzutragen — das hatte im übrigen schon Kassel in seiner oben erwähnten Dissertation besorgt. Er erkannte vielmehr in der geistigen Transzendenz der Altersgrenzen einen Wesenszug ciceronischer Humanitas. Deshalb erhielt er seine Kritik an Curtius auch dann noch aufrecht, als dieser in der zweiten Auflage die Stelle aus dem Cato maior berücksichtigt hatte[8]). Büchner war zu seiner Auffassung durch Vergleich der Cicerostelle mit einer sehr aufschlußreichen Passage in der Atticusvita des Cornelius Nepos gelangt. Nepos lobt dort (Att. 16) die *humanitas* des Cicero-Freundes. Ihr hervorstechendstes Merkmal sieht er in der Fähigkeit des Atticus, sich zeitlebens im freundschaftlichen Verkehr Männern verschiedener Altersstufen anzupassen. Daß Nepos mit dieser Beobachtung eine wesentliche Seite der Humanitas, wie Atticus und Cicero sie verstanden, erfaßt hat, fand Büchner durch die Worte Catos bei Cicero bestätigt, und man wird ihm ohne weiteres zubilligen dürfen, daß seine hieraus resultierende Kritik an Curtius, soweit sie die Bedeutung des Transzendenzgedankens für Cicero selbst, bzw. für die *humanitas Ciceroniana* betrifft, im Kern durchaus gerechtfertigt ist. Denn es geht tatsächlich nicht an, die Cato maior-Stelle einfach gleichrangig in eine Reihe mit verschiedenen Belegen zum '*puer senex*-Topos' zu stellen, die Sache erfordert bei Cicero eine eindringendere Betrachtungsweise. Schade nur, daß Büchner seine im Ansatz richtige Einsicht nicht noch überzeugender angewandt hat! Denn er schöpfte längst nicht alle Möglichkeiten aus, die das Werk Ciceros dazu bietet. So ließ er sich sehr bezeichnende Äußerungen, anhand derer sich die Bedeutsamkeit jener von Nepos an Atticus gepriesenen Haltung für das ciceronische Menschenbild hätte erweisen lassen, entgehen, Äußerungen, die vielleicht sogar noch passender gewesen wären als die oben ausgeschriebenen Worte Catos. Wir müssen es uns freilich versagen, auf die betreffenden Passagen näher einzugehen, denn das würde uns zu weit abführen[9]). Festzuhalten gilt, daß eine gewisse

[8]) Vgl. die Schlußbemerkung in den „Studien“ 2,195. Auf diese Bemerkung werden wir gleich noch einmal zurückkommen müssen.

[9]) Hier nur so viel: als schlagendste Parallele zu Nepos Att. 16 hat Cicero Lael. 101 zu gelten — schon die Vielzahl der Personen, die Cicero hier an dem idealen Verhältnis der Generationen Anteil haben läßt, offenbart, daß wir damit tatsächlich ein Merkmal der geistigen Eigenart des Scipionenkreises, wie Cicero ihn sah, und auf alle Fälle ein Kennzeichen ciceronischer Humanitas fassen. Wichtig sind ferner Cato 10 und 46: durch Kombination beider Aussagen ergibt sich ein Bild Catos, das genau demjenigen entspricht, das Nepos von Atticus

ideale Altersüberlegenheit, eine geistige *aequalitas* zu den Wesensmerkmalen ciceronischer Humanitas gehört. Diese Haltung darf allerdings nicht allzu abstrakt begriffen werden. Die Humanitas zeigt sich hier von ihrer leichten, heiteren und zugleich praktischen Seite: als urbane Lebensart. Die Greise überwinden das Mürrische ihres Wesens durch heitere Gelassenheit — und wie schwer das fallen mochte, gesteht einmal Cicero selbst (ad Att. 14,21,8) —, die Jungen kommen ihnen durch Eigenschaften wie *gravitas, senile iudicium* u. dgl. entgegen[10]: so werden jung und alt zu jener geistigen Ebene emporgeführt, auf der sich die Vertreter der verschiedenen Generationen begegnen *ut aequales*.

Was uns nun mehr als alles andere veranlassen muß, auch Büchners eigene Darstellung kritisch zu überprüfen, sind die weitgehenden Folgerungen, die er aus der gewonnenen Erkenntnis ableitete. Er beschränkte sich nämlich nicht auf den Nachweis, daß dem Gedanken eines geistigen Altersausgleichs bei Cicero eine tieferreichende Bedeutung zukomme, insofern darin ein Element ciceronischer Humanitas erkennbar sei. Büchner ging weiter: er nahm die Transzendenz der Altersstufen als spezifisch römisches Ideal, als besonderen Ausdruck römischen Wesens im Unterschied zum griechischen, ja er trug keine Bedenken, in diesem Zusammenhang von Ciceros Originalität zu sprechen (24). Wie sehr diese Darstellung die wahren Verhältnisse vereinfacht, brauchen wir hier nicht mehr näher zu begründen. Denn

---

entwirft; beide waren in der Jugend mit berühmten alten Männern freundschaftlich verbunden, beide pflegten, selbst alt und berühmt geworden, den Verkehr mit Jüngeren, und immer war das Verhältnis zwischen jung und alt solcher Art, daß der Unterschied der Generationen aufgehoben schien. Demgegenüber steht Cato 38 in anderem Zusammenhang: nicht vom freundschaftlichen Verkehr Älterer und Jüngerer ist hier die Rede, sondern vielmehr von der gestrengen Selbstbehauptung des Greises gegenüber den jüngeren Familienmitgliedern! Allerdings weist die hier gleichzeitig erhobene Forderung, der Jüngling solle etwas Greisenhaftes haben, doch auch wieder über den gegebenen Kontext hinaus.

[10]) Vgl. pro Sestio 111 (*Postumius*) *adulescens gravis, senili iudicio.* Solche Vorzüge werden gemeint sein, wenn Cicero im Cato maior von den Jünglingen *aliquid senile* fordert. Der Sache nach in etwa vergleichbar ist auch eine Äußerung des Zenonschülers Ariston v. Chios, die uns Seneca bewahrt hat: *Ariston aiebat malle se adulescentem tristem quam hilarem et amabilem turbae: vinum enim bonum fieri, quod recens durum et asperum visum est* . . . eqs. (Sen. epist. 36,3 = SVF 1,388); diese Äußerung haben M. Wuilleumier (Ausgabe des Cato m. [Paris 1940[1]] 105[2]) und nach ihm Festugière, Lieux communs 138 zu den Worten des ciceronischen Cato in Beziehung gesetzt. — Von der Notwendigkeit, das Greisenalter durch *comitas, humanitas* etc. zu temperieren, hören wir des öfteren, vgl. etwa Cic. Cato 7. 10.

das, was oben über Pindar und die griechische Tragödie gesagt wurde, dürfte ausreichen um klarzustellen, daß von einem grundsätzlichen Unterschied der griechischen und römischen Denkweise schlechthin in diesem Punkte keine Rede sein kann. Dabei verkennen wir nicht, welche ernstzunehmende Frage im Hintergrund der Erörterungen BÜCHNERS steht: doch wohl die Frage nach dem Anteil griechischen Geistes an der Entwicklung des Menschenbilds der *humanitas Ciceroniana*. Aber wer auf diesem Gebiet römische Eigenständigkeit und ciceronische Originalität nachweisen will, muß behutsamer vorgehen und feiner differenzieren[11]). Es ist überhaupt erstaunlich, daß auch BÜCHNER seinerseits den Parallelen aus der griechischen Literatur des fünften Jahrhunderts, die schon von CURTIUS vernachlässigt worden waren, keinerlei Beachtung schenkte, erstaunlicher noch, daß er dieses Versäumnis in dem später erschienenen Sammelwerk seiner „Studien" nicht nachholte, obgleich er dort Ergänzungen sehr wohl anbrachte. Im Grunde ersetzte BÜCHNER die Konzeption von CURTIUS durch eine zwar verschiedene, aber ebenso anfechtbare Hypothese: für CURTIUS erklärt sich die Geburt des *puer senex*-Ideals aus dem Geist der Spätantike, für BÜCHNER aus der Eigenart römischen Wesens im allgemeinen und ciceronischer Gedankenwelt im besonderen. An die Stelle der Teilung in Epochen tritt die Unterscheidung der Kulturen. Das eine ist jedoch so irrig wie das andere. Dies nachdrücklich hervorzuheben, erscheint wichtig, zumal der fehlerhafte Ansatz BÜCHNERS in stark vergröbernder Weise durch die Dissertation von HEIMBECHER fortgeführt wurde[12]).

---

[11]) Er müßte z.B. begründen, worin die differentia specifica besteht zwischen der Altersüberlegenheit, die Nepos an Atticus rühmt, und jener Haltung, die der Scholiast zu Pindar Nem. 3, 127a mit einem griechischen Tragikervers erklärt: *λέγει δὲ* (sc. *ὁ ποιητής*) *οὐχ ὅτι γέρων ἦν τὴν ἡλικίαν* (sc. *Ἀριστοκλείδης*) *οὐδὲ γὰρ παῖς· ἀλλ' ὡς ὁ τραγικός* (adesp. 453 N.²)· *καὶ παιδὶ καὶ γέροντι προσφέρων τρόπους, πάσῃ ὁμιλῆσαι ἡλικίᾳ δυνάμενος καθ' ἕκαστον μέρος τῆς ἡλικίας.*

[12]) Seine Kritik an CURTIUS hinkt nach, insofern er, wie seine Bemerkungen auf S. 38 und das Zitat S. 25¹ beweisen, immer noch die erste Auflage des Buchs von CURTIUS benützt, und das etwa vier Jahre nach Erscheinen der zweiten. Was an seiner Darstellung besonders befremdlich anmutet, ist die Tatsache, daß er einerseits zwar die Dissertation von KASSEL als „grundlegend für den griechischen Bereich" anerkennt (Vorwort S. III), ja sogar durch Angabe der genauen Seitenzahl den Leser auf jene Stelle der KASSELschen Arbeit hinweist, an der Soph. frg. 210, 73 P. zitiert wird, andrerseits aber diesen wichtigen Beleg, der allein ausgereicht hätte, seine Konstruktion ins Wanken zu bringen, gänzlich ignoriert und die Anschauung BÜCHNERS unverändert reproduziert (Zitat von KASSEL: S. 25 Anm. 1; Zitat von BÜCHNER: Anm. 2 der gleichen Seite!). Ähnliche Widersprüchlichkeiten begegnen bei HEIMBECHER auch sonst. So ist

Ganz hat freilich auch BÜCHNER das Vorhandensein „griechischer Vorstufen" später nicht mehr unterdrücken können. So machte er in den schon erwähnten Schlußbemerkungen, die er dem zweiten Bande seiner „Studien" beigab, auf eine Passage im Proöm des Menoikeusbriefs Epikurs aufmerksam, eine Passage, der übrigens schon KEMPER — angeregt durch einen Hinweis Wolfgang SCHMIDS — einen eigenen Exkurs gewidmet hatte (77f.). Ihr wollen wir uns im folgenden zuwenden.

II. DER EINFLUSS DER HELLENISTISCHEN PHILOSOPHIE

Sowohl der Jüngling als auch der Greis, verlangt Epikur, sollen philosophieren, dieser damit er sich im Alter verjünge durch die Freude am Vergangenen, jener damit er jung und zugleich alt sei aufgrund der Furchtlosigkeit vor dem Zukünftigen[1]). Auch Epikur gilt also eine — allerdings recht besonders geartete — Transzendenz der Altersgrenzen als erstrebenswertes Ziel, ja als heilsamer Lohn der Philosophie. Die bei jedweder Anwendung des Transzendenzgedankens notwendigerweise vorauszusetzende Typologie der Lebensalter gewinnt Epikur, wie SCHMID und KEMPER in dem eben genannten Exkurs wahrscheinlich gemacht haben, aus der aristotelischen Sicht der Altersstufen, derzufolge der Greis wesentlich in der Erinnerung lebt, der Jüngling der Zukunft zugewandt ist[2]). Das eigentliche Transzendenzmoment liegt hier ein wenig verdeckt unter der Oberfläche. Was so aussieht wie eine bloße Erfüllung der vorausgesetzten Normen, bedeutet doch in gewisser Weise auch zugleich ihre Überwindung; dem jugendlichen und dem greisen Philosophen gelingt es nämlich, die typischen Nachteile und Gefahren, die offenbar nach Epikurs Überzeugung mit der jeweiligen altersbedingten Blickrichtung verbunden sind, zu vermeiden. So ist der Jüngling eben 'alt'

---

immer wieder davon die Rede, wie sehr die Transzendenz der Lebensalter gerade dem römischen Denken angemessen gewesen sei (z.B. 25f.); bewiesen werden soll das aber mit Belegen für das *δὶς παῖς*-Motiv (aus Plautus u.a.), das ja durchaus griechisch ist — was HEIMBECHER zudem noch selbst wiederholt betont! Wie reimt sich das alles? Arg verkannt wird ferner jene bedeutsame Passage Cic. Cato 38, wenn HEIMBECHER behauptet (37), *aliquid adulescentis* meine die körperliche, *senile aliquid* die geistige Komponente des neuen, d.h. ciceronischen Menschenideals. Der Wortlaut des oben ausgeschriebenen Textes widerlegt das sofort.

[1]) Epicur. epist. 3, 122 (44 VON DER MÜHLL).

[2]) Vgl. Aristot. rhet. II 1389a 21ff., bzw. 1390a 6ff.

dank der *ἀφοβία τῶν μελλόντων*, der Greis aufgrund der *χάρις τῶν γεγονότων* 'jung': der eine hat nichts zu fürchten, der andre nichts zu bereuen! Die Passage trägt, wie gesagt, recht eigenen Charakter und duldet nicht leicht einen Vergleich mit den üblichen Formen der Alterstranszendenz. Uns interessiert sie vor allem deshalb, weil sie uns vor die Frage stellt, inwieweit der Gedanke einer geistigen Transzendenz der natürlichen Altersstufen dem Hellenismus geläufig war. Bisher haben wir uns, den an CURTIUS geäußerten Kritiken folgend, mit Zeugnissen aus der klassischen griechischen Dichtung einerseits und mit Cicero andrerseits beschäftigt. Wie aber steht es mit den Jahrhunderten zwischen Sophokles und Cicero? Kennen sie das bezeichnete Ideal? Solche Fragen erschöpfend zu beantworten, wäre wohl Aufgabe einer eigenen Untersuchung. Wir wollen uns hier damit begnügen, gewisse Grundzüge des Transzendenzideals in diese Epoche zurückzuverfolgen.

Die gesamte Transzendenz-Thematik beruht auf der Anschauung, daß ein Übergreifen des einen Lebensalters in das andere möglich ist, daß mithin die geistig-sittliche Vollendung des Menschen grundsätzlich nicht durch seine Lebensdauer zeitlich bestimmt wird. Nehmen wir zum Beispiel das Idealbild des *puer senilis*: was besagt es anderes, als daß mitunter auch ein Junger durch frühe Vollkommenheit erreichen kann, was gemeinhin erst den Alten auszeichnet? Innerhalb einer solchen Betrachtungsweise ist der Greis vom Kinde nicht mehr durch den Wall der langen Jahre geschieden, denn er besitzt nichts, was nicht prinzipiell auch in jungen Jahren zu erwerben wäre. Jede Form des Transzendenzgedankens stellt auf ihre besondere Weise den Wert der Zeit für die innere Entwicklung des Menschen in Frage; bis zu einem gewissen Grade gilt das sogar für die pejorative Umkehrung des *puer senex*-Ideals: der Hochbetagte, der trotz seines Alters 'Kind' — im negativen Sinne — ist, beweist, wie wenig die Zeit allein vermag. Das Problem der Zeit ist für das Transzendenzideal von so kardinaler Bedeutung, daß wir uns mit ihm später in einem gesonderten Kapitel werden auseinandersetzen müssen. Eine erste, vorläufige Einsicht in das Problem soll uns hier lediglich auf die richtige Spur verhelfen. Schon Demokrit betont, Klugheit sei nicht immer ein Vorzug der Greise und Unverstand nicht stets ein Fehler der Jungen, auch das umgekehrte Verhältnis könne zutreffen: *χρόνος γὰρ οὐ διδάσκει φρονεῖν, ἀλλ' ὡραίη τροφὴ καὶ φύσις* (frg. B 183). Auch Platon, der doch sonst das Alter sehr hochgehalten hat, teilt diese Ansicht[3]), und

---

[3]) Vgl. STEIN 74f.

später wird das eine verbreitete Weisheit[4]). Nur eines kleinen Schritts bedurfte es, um solche Abwertung des *χρόνος* in die Form des Transzendenzideals zu gießen. Den Übergang markieren treffend zwei Verse Menanders: *οὐχ αἱ τρίχες ποιοῦσιν αἱ λευκαὶ φρονεῖν, | ἀλλ' ὁ τρόπος ἐνίων ἐστὶ τῇ φύσει γέρων* (frg. 553 KOERTE-TH.). Der erste der beiden Verse bringt gegenüber dem Demokrit-Fragment nichts Neues, wohl aber der zweite. Er wendet den Gedanken ins Positive und bietet ihn zugleich in einer besonderen pointierten Formulierung: der Begriff *γέρων* wird spiritualisiert und zur Kennzeichnung geistiger Reife schlechthin verwandt. Wir würden darauf nicht so großen Wert legen, wenn es nicht eben dieses hier deutlich erkennbare Verfahren wäre, auf dem die gesamte Transzendenz-Thematik letzten Endes beruht: das bloß körperliche Alter sowie die Zeit im allgemeinen werden stark abgewertet[5]), erhalten bleibt die Hochschätzung bestimmter geistiger Qualitäten, die zwar einer verbreiteten, man darf ruhig sagen: allgemein gültigen und verständlichen Typologie zufolge vornehmlich einem bestimmten Lebensalter, wie hier dem Greisenalter, zugewiesen, aber eben als nicht notwendig mit dieser Altersstufe verbunden gedacht werden. Aus dieser in gewisser Hinsicht widersprüchlichen Anschauung — wir haben darauf schon oben (S. 35f.) aufmerksam gemacht — ergibt sich jene Metaphorik, die mit den vergeistigten Begriffen *γέρων*, *γῆρας*, bzw. *παῖς*, *νεότης* u. dgl. operiert. In Menanders Wort vom *τρόπος γέρων* sind potentiell alle Variationen des *puer senex*-Gedankens angelegt. Wie leicht nun eine derartige Aussage den Charakter einer Forderung erhalten kann[6]), zeigt ein Stück moralisierender Homerexegese: schol. exeget. B 53d. Der homerische Gebrauch des Plurals *γέροντες* im Sinne von 'Ratsherren' (*senatores*) wird darin folgendermaßen begründet: *γέροντας συνεχῶς ὁ ποιητὴς τοὺς γερασμίους φησί, διδάσκων ὅτι δεῖ τοὺς ἡγεμόνας οὐ μόνον καθ' ἡλικίαν, ἀλλὰ καὶ πρὸ ἡλικίας*

[4]) Siehe z.B. monost. Men. 705; Plaut. trin. 367; Publil. Syr. sent. 590.

[5]) Erklärt Menander hier die Bedeutungslosigkeit des Alters für die geistige Potenz eines Menschen aus der natürlichen Anlage, so läßt er im Prolog des Dyskolos die geistige Frühreife des jungen Gorgias in der Erfahrung gründen: . . . *ὁ παῖς ὑπὲρ τὴν ἡλικίαν τὸν νοῦν ἔχων· | προάγει γὰρ ἡ τῶν πραγμάτων ἐμπειρία* (dysc. 27f.). Die Motivationen der Alterstranszendenz können eben wechseln, ohne daß wir darin etwas Trennendes zu sehen hätten.

[6]) Vergeblich hat BÜCHNER (195) versucht, eine Grenzlinie, welche die von ihm so genannten „griechischen Vorstufen" vom ciceronischen Ideal trennt, darin zu finden, daß bei Cicero „klipp und klar ein Sollen über die Altersstufen ausgesprochen wird": das Sollen, d.h. der Aufruf zur Nachahmung und Erfüllung, ist in einer idealen Vorstellung immer enthalten; es ist nur eine Sache der jeweiligen Ausdrucksweise, ob der Forderungscharakter klar formuliert wird oder nicht.

φαίνεσθαι γέροντας τοῖς ἤθεσιν. Die terminologische Bedeutung des Worts *γέροντες* wird durch Vergeistigung des Begriffs motiviert: nach dem Willen Homers sollten die Volksführer bereits in jüngeren Jahren ihrem Wesen nach 'Greise' sein — und deswegen, so dürfen wir fortfahren, hat er auch Helden wie Odysseus, Diomedes, Aias u. a. unter einer solchen Bezeichnung mitinbegriffen. Die Spiritualisierung des Greisenalters erscheint hier geradezu als Ausdruck einer Lehrmeinung Homers und als Mittel ethischer Unterweisung[7]). Schließlich sei noch eine dritte Stelle genannt. Die Weisheit Salomons bietet im vierten Kapitel eine Spiritualisierung des Greisenalters, die sehr wohl an die oben zitierten Menanderverse zu erinnern vermag. Der Wortlaut der Stelle drang tief in das Bewußtsein der altchristlichen Denker ein, Theologen und Prediger berufen sich immer wieder auf sie, wenn das Thema der *senectus spiritalis* zur Sprache kommt. Auch wir werden diesem locus classicus noch des öfteren begegnen, weshalb schon jetzt die Gelegenheit ergriffen sei, seinen Wortlaut — ein für alle Mal — mitzuteilen. Der Gerechten früher Tod, sagt Salomon, ist besser als der Sünder langes Leben: *γῆρας γὰρ τίμιον οὐ τὸ πολυχρόνιον οὐδὲ ἀριθμῷ ἐτῶν μεμέτρηται, πολιὰ δέ ἐστιν φρόνησις ἀνθρώποις καὶ ἡλικία γήρως βίος ἀκηλίδωτος* (sap. Sal. 4, 8f.). Wenn wir es wagen, diesen Text neben die eben genannten Parallelen aus hellenistischer Zeit, neben die Menanderverse und das Homerscholion, zu stellen, so ist das insofern berechtigt, als die Sapientia Salomonis in mehr als einer Hinsicht ein Werk des Späthellenismus darstellt. Entstanden im ersten vorchristlichen Jahrhundert, wohl in Alexandria, zeigt dieses alttestamentliche Apokryphon, so tief es auch in dem Boden jüdischer Frömmigkeit wurzelt, deutlichen Einfluß griechischen Geistes. Von hier aus führt eine direkte Linie zu anderen Erzeugnissen des jüdisch-hellenistischen Schrifttums, etwa zum Traktat des Ps.Josephus *De Maccabaeis*, dem sog. vierten Makkabäerbuch, das die Vorstellung eines geistigen Alters sowie einer geistigen Transzendenz der natürlichen Altersstufe ebenfalls kennt[8]), und vor allem zum Werk Philons

---

[7]) Über die Herkunft dieses Scholions dürfte sich kaum etwas Genaueres ausmachen lassen, aber wir gehen kaum fehl, wenn wir es hellenistischer Zeit zuweisen, in die ja die Hauptmasse der Scholia exegetica im Kern zurückreicht (vgl. H. Erbse in der Einleitung zu seiner neuen Ausgabe der Iliasscholien I [Berlin 1969] p. XII sq.). Auch Eustathios hat übrigens die spiritualisierende Erklärung des Plurals *γέροντες* weitergegeben (in Il. 167, 22f. zu B 21).

[8]) Als der vorletzte der sieben makkabäischen Brüder, noch ein *μειρακίσκος*, an die Reihe kommt, das Martyrium zu erleiden, sagt er: *ἐγὼ τὴν μὲν ἡλικίαν τῶν ἀδελφῶν μού εἰμι νεώτερος, τὴν δὲ διάνοιαν ἡλικιώτης . . . κτλ.* (Ps.Joseph. Macc. 138). Das ist die uns schon vertraute Gegensetzung von äußerem und innerem

von Alexandrien, dessen Einfluß auf die Entwicklung des Transzendenzideals bei den Christen schlechterdings nicht überschätzt werden kann. Aber damit greifen wir unserer Untersuchung zu weit vor!

Die eben genannten Stellen beweisen, wie nahe die Vergeistigung der Altersnamen und die Abwertung der Zeit beieinander liegen. Wenn es darum ging, die Belanglosigkeit des Lebensalters für die innere Vollkommenheit auszudrücken, bot sich leicht das geistige 'Greisenalter' als geeignetes Mittel zur Bezeichnung früher Vollendung an. Doch es sind nicht eigentlich diese wenigen Belege, die uns zu der Annahme berechtigen, daß jene weite Verbreitung des Transzendenzideals, die CURTIUS und BÜCHNER beide recht unvermittelt beginnen lassen, in Wahrheit auf Voraussetzungen basiert, die gerade im Hellenismus geschaffen wurden. Solchen einzelnen Stellen — auch der oben erwähnten aus dem Menoikeusbrief — eignet notgedrungen etwas Zufälliges. Grundlegende Bedeutung beansprucht dagegen das stoisch-epikureische Lehrstück von der Irrelevanz der Zeit.

Aristoteles hatte gelehrt, zur Verwirklichung der Eudaimonie sei eine gewisse Lebensdauer erforderlich, denn ihr könne nichts Unvollkommenes anhaften[9]; überdies sei vor Beginn des reifen Alters dem Menschen eine vertiefte philosophische Erkenntnis, die auf Erfahrung gründe, gar nicht möglich[10]. Solche Sicht der Dinge fügte sich kaum zu dem Ideal geistiger Alterstranszendenz. Auch Platons Einstellung, der ja die typischen Eigenheiten der Lebensalter klar unterschied und jung und alt hinsichtlich ihres Aufgabenbereichs im Staat scharf getrennt wissen wollte, konnte im ganzen genommen der Entwicklung des Transzendenzgedankens keinesfalls förderlich sein[11]. Aber aus der stoischen und der epikureischen Lehre ergaben sich Ansätze zu dieser Entwicklung. Denn obgleich die beiden konkurrierenden Schulen das höchste Gut inhaltlich verschieden be-

---

Alter. Ambrosius ließ sich in seiner Darstellung der Makkabäermartyrien diesen charakteristischen Zug nicht entgehen, vgl. unten S. 239.

[9]) EN 1098a 18/20. 1177b 24/26.

[10]) EN 1142a 11/16. Vgl. zu der ganzen Problematik den Kommentar von GAUTHIER-JOLIF 2 (Louvain-Paris 1959) 59f.; s. auch GIGON 188/192.

[11]) Vgl. STEIN passim, bes. 78/82 und KEMPER 58/60. Andrerseits weiß auch Platon sehr wohl, daß Alter nicht vor Torheit schützt (s. oben S. 56), und in dem Spruch des ägyptischen Priesters an Solon (Tim. 22B) begegnet eine Vergeistigung der Altersnamen, wie sie sonst für die Transzendenz-Thematik kennzeichnend ist. Diese eindrucksvollen Worte haben übrigens in der christlichen Literatur weiten Nachhall gefunden, worauf hier nur summarisch hingewiesen sei.

stimmten, waren sie sich doch gegen Aristoteles darin einig, daß die Eudaimonie durch die Zeitdauer keinerlei Steigerung erfahre. „Die unbegrenzte Zeit umfaßt ebensoviel Lust wie die begrenzte Zeit ...", lehrt Epikur[12]), und Chrysipp formuliert den Leitsatz vom stoischen Standpunkt aus folgendermaßen: „Das Gute vergrößert keine noch so lange Zeit, sondern wenn jemand auch nur einen Augenblick sich als verständig erweist, so wird er in Hinsicht der Eudaimonie in nichts dem nachstehen, der den Aion hindurch im Besitz der Arete ist und in ihr ein glückliches Leben führt."[13]) Besonders reichlich fließen die entsprechenden Quellen bei Seneca[14]). Er wird nicht müde, die Lebensdauer immer wieder in den Bereich der Adiaphora zu verweisen: Nicht darauf komme es an, wie lange man lebe, sondern darauf, wie man lebe: *actu illam* (sc. *vitam*) *metiamur, non tempore*; wie der Mensch auch in einer kleineren Körpergestalt vollkommen sein könne, so könne auch sein Leben in einem kürzeren Zeitmaß vollkommen sein (epist. 93,4, bzw. 7); es sei verfehlt, Runzeln und graues Haar schon ohne weiteres als Kennzeichen eines langen Lebens, das diesen Namen wirklich verdient, zu werten: *non diu ille vixit, sed diu fuit* (dial. 10, 7,10); die Eudaimonie werde nicht größer, je länger sie dauere (epist. 32,3f.; 73,19f.; 74,27 u. ö.). Gewiß bedingt das Lehrstück von der 'Depretiation' der Zeitdauer hinsichtlich der Eudaimonie noch nicht notwendig eine Aufwertung der Jugend gegenüber dem Alter[15]). Aber eine solche Aufwertung lag dennoch recht nahe: sie mußte sich besonders dort bemerkbar machen, wo der reine spekulative Gehalt des

---

[12]) Ratae Sententiae 19. Vgl. epist. 3,126 sowie Cic. fin. I 63; II 87. Zum Ganzen SCHMID bes. 19/21 (ebd. 21[21] ist auch eine genauere Abgrenzung der epikureischen und der aristotelischen Analyse der Lust, bzw. der Eudaimonie im Hinblick auf die Funktion der Zeit geboten).

[13]) Chrysipp: SVF III 54 (= Plut. moral. 1062A) — die obige Wiedergabe der Stelle folgt der Übersetzung SCHMIDS (20). Vgl. ferner SVF III 524 (= Cic. fin. III 45f.).

[14]) Außer den im Text zitierten Stellen vgl. auch benef. V 17,6 sowie noch weitere Passagen in der Schrift *De brevitate vitae* (= dial. 10), etwa 1,4 und 15,5. Dazu E. BENZ, Das Todesproblem in der stoischen Philosophie (Stuttgart 1929) = Tübinger Beitr. z. Altertumswiss. 7, 104/106.

[15]) Nach stoischer Lehre entfaltet sich ja die menschliche Vernunft erst allmählich im Laufe der Jahre: erst um das 14. Lebensjahr herum kann das philosophische Studium einsetzen. Vgl. A. BONHÖFFER, Epictet und die Stoa (Stuttgart 1890) 205/07. Daher erklärt Seneca (epist. 124,12), das höchste Gut sei weder in der Kindheit noch in der Jugend erreichbar, die besten Chancen besitze das Alter. Dazu s. HADOT 121. 158/61. Hier ergibt sich eine gewisse Übereinstimmung mit den oben erwähnten Ansichten des Aristoteles (vgl. auch HADOT 121[114]).

Lehrstücks getrübt wurde. Nun ist die Popularisierung philosophischen, vor allem stoischen Gedankenguts eine wohlbekannte Erscheinung[16]), und wir dürfen annehmen, daß auch die 'Depretiation' der Zeit von dieser breiten Entwicklung nicht ausgeschlossen blieb. Nachweisen läßt sich das für den Bereich der Consolatio und des Totenlobs — woraus freilich nicht der Schluß gezogen werden darf, der Prozeß der Popularisierung sei in diesem Fall ausschließlich nur durch Vermittlung des consolatorischen Genos möglich gewesen!

Der stoisch-epikureische Leitsatz, die Erfülltheit eines Lebens sei von seiner zeitlichen Extension prinzipiell unabhängig, wird von den Trostschreibern gerne benützt um zu erweisen, auch dieser oder jener Jungverstorbene habe zu früher Vollkommenheit gelangen können. Das Argument gehört fest zum consolatorischen Gedankengut *de immatura morte*[17]): das Lehrstück der hellenistischen Philosophie wird auf diese Weise für das Lob des Verstorbenen und damit zugleich auch für die seelische Therapie des *consolandus* praktisch verwertet. In solchem Zusammenhang kommt es dann nicht selten zu krassen Konfrontationen erfüllter Jugend und sinnlosen Alterns. Ein eindrucksvolles Beispiel dafür liefert der 93. Brief Senecas — ein Trostschreiben an Lucilius aus Anlaß des Todes des Philosophen Metronax—, dem wir eben schon einige Sätze entnahmen[18]). Wie zwanglos sich nun wiederum zu dieser Vorstellung der vergeistigende Gebrauch der Lebensalter fügt, erhellt aus Senecas Trostschrift an Marcia. Der Philosoph tröstet die Mutter mit dem Hinweis auf die frühe Vollendung des jungverstorbenen Sohnes: *quid? tu, Marcia, cum videres s e n i l e m in iuvene prudentiam, victorem omnium voluptatium animum*

---

[16]) Vgl. Spanneut 50/53, wo auch weiterführende Literatur angegeben ist.

[17]) Vgl. Kassel, Konsolationslit. 83 zu Ps. Plut. consol. ad Apollon. 17 sowie Kuiper 52 zu Philodem *de morte* (s. bes. col. 12,30ff.: das Beispiel des Pythokles!). Ferner: H.-H. Studnik, Die *Consolatio mortis* in Senecas Briefen (Diss. Köln 1958) 65f.; H.-Th. Johann, Trauer und Trost (München 1968) = Studia et testimonia antiqua 5, 112/116.

[18]) Man beachte unter diesem Gesichtspunkt auch die Geringschätzung der äußeren Altersmerkmale, bes. des Grauhaars, an der gleichfalls oben paraphrasierten Stelle brev. vit. 7,10: derlei gehört zum festen Arsenal der Polemik gegen die Zeit — bei Seneca ebenso wie bei Menander, dem Verfasser des salomonischen Weisheitsbuchs, bei Philon und dann vor allem bei den Kirchenvätern! Durch das Zusammentreffen dieser Anschauung mit der (oben S. 60[15] kurz angedeuteten) Hochschätzung des Greisenalters kommt es im Werk Senecas zu einer ähnlich ambivalenten Wertung des Alters, wie sie sich schon bei Philon und später — in noch krasserer Weise — bei den Kirchenvätern bemerkbar macht. Hadot 160f. hat die Beurteilung des Greisenalters bei Seneca zu einseitig, d.h. nur von der positiven Seite her betrachtet.

. . ., *diu putabas illum sospitem posse contingere? . . . incipe virtutibus, non annis aestimare: satis diu vixit* (dial. 6, 23, 3/24, 1). Hier fassen wir also einen Beleg für die consolatorische Nutzanwendung des stoischen Lehrsatzes und seine gleichzeitige Einkleidung in das wohlbekannte Gewand des '*puer senex*-Motivs'.

Es ist begreiflich, daß schon der Gebrauch des Lehrstücks für die Zwecke der philosophischen Consolatio gelegentlich eine gewisse Schwächung seiner spekulativen Kraft mit sich bringen konnte, insofern nun die frühe Erfülltheit nicht mehr nur den Besitz höchster philosophischer Erkenntnis zur unabdingbaren Voraussetzung hatte, sondern gegebenenfalls auch allerlei 'sekundäre' Qualitäten für wesentlich erachtet wurden, wenn es darum ging, dem Jungverstorbenen jene vorzeitige Reife zuzuschreiben[19]). Das praktische Ziel einer Consolatio, nämlich die Seelenheilung des Trauernden, mochte solches Verfahren selbst innerhalb einer philosophischen Trostschrift gerechtfertigt erscheinen lassen. Erst recht mußte sich folglich der Prozeß der 'Verflachung' des Philosophems in jenen literarischen Erzeugnissen durchsetzen, die zwar aus der philosophischen Trostschriftstellerei direkt oder indirekt ihr gedankliches Rüstzeug bezogen, die aber doch der Schärfe und Tiefe philosophischen Räsonnements weitgehend entbehrten. Dafür hier nur ein Beispiel! In dem anonymen Epicedium, das als *Consolatio ad Liviam* unter dem Namen Ovids überliefert ist, läßt der Verfasser den verstorbenen Drusus folgende Mahnung an die trauernde Mutter richten (447/50):

quid numeras annos? vixi maturior annis:
acta senem faciunt: haec numeranda tibi:
his aevom fuit inplendum, non segnibus annis;
hostibus eveniat longa senecta metu.

Auch hier ist es wieder der Begriff des 'Greisenalters', der dem tröstlichen Gedanken früher Erfülltheit zu pointiertem Ausdruck verhilft[20]). Doch noch in anderer Hinsicht verdienen die Verse unsere Aufmerk-

---

[19]) In Senecas Trostbrief anläßlich des Todes des Philosophen (!) Metronax wird das begreiflicherweise weniger fühlbar als in der Trostschrift an Marcia: vgl. etwa ad Marc. 12, 3f. (*iuvenis cito prudens, cito pius, cito maritus, cito pater . . .* eqs.) und 24, 1/3. Siehe auch SCHMID 22 über die Verwendung des Gedankens in Senecas Schrift *De vita beata*.

[20]) Vgl. ebd. 285f.: *quam parvo numeros inplevit principis aevo, | in patriam meritis occubuitque senex* (s. auch 339f.). Die oben im Text zitierten Verse führt auch CURTIUS an, aber nicht in dem Essay „Knabe und Greis“, sondern in den Bemerkungen zur „Topik der Trostrede“ (91). Bis zu den Quellen des Trostarguments ist CURTIUS aber auch dort nicht vorgedrungen. Er schreibt: „Wenn

samkeit: wie im 93. Brief Senecas wird die Intensität des Lebens der bloß zeitlichen Extension gegenübergestellt, und zwar zum Teil mit den gleichen Worten[21]; aber Begriffe wie *actus*, *agere* tragen bei Seneca einen weiteren und zugleich philosophisch vertieften Sinn, während sie der Anonymus dem speziellen Fall angepaßt, d. h. auf die militärischen Leistungen des Feldherrn bezogen hat. Man kann hier also recht gut beobachten, wie das consolatorische Argument 'abflacht'. Es ist sicher nicht zu gewagt, wenn wir annehmen, die Wirkung des Philosophems habe in ähnlicher Weise auch auf einen weiteren Umkreis ausstrahlen können, auf die dichterische und rhetorische Trost- und Trauerliteratur[22]), ja auf das Totenlob aller Gattungen überhaupt, zum Beispiel auf die Epistolographie[23]) oder das Grabepigramm[24]). Immerhin fällt auf, daß ein beträchtlicher Teil der Belege des *puer senex*-Gedankens gerade aus verhältnismäßig früher Zeit, nämlich aus dem ersten nachchristlichen Jahrhundert, dem Bereich des Totenlobs entstammen[25]).

---

nun die Verfasser von Trostschriften herausfanden[!], es mache wenig aus, ob jemand jung oder alt sterbe . . ." usw. Dies ist eben gerade keine eigene 'Erfindung' der Consolatoren.

[21]) Vgl. z.B. epist. 93,2f.: *vita plena* (*impletur*) — *anni per inertiam exacti*; ebd. 4: *actus* — *tempus*; 7: *aevum ignobile emetiri* — *agere vitam* (sc. *non praetervehi*) etc.

[22]) Lehrreich in diesem Zusammenhang KASSELS Bemerkungen über den umfassenden Prozeß der gegenseitigen Annäherung rhetorischer und philosophischer Tröstung: Konsolationslit. 47f.

[23]) Vgl. Plinius' Nachruf auf den jungen Cottius, den *consummatissimus iuvenis*: epist. II 7,4/6.

[24]) GRIESSMAIRS Bemühen (86/88), den Einfluß der Konsolationsliteratur auf die Grabepigramme gerade auch in diesem Punkte so gut wie ganz in Abrede zu stellen, geht entschieden zu weit und verliert nicht zuletzt durch das eigene Material an Überzeugungskraft (vgl. bes. 96[1]). Besonnener urteilt R. LATTIMORE, Themes in Greek and Latin Epitaphs (Urbana 1942) 216.

[25]) Vgl. noch Plin. epist. V 16,2; Stat. silv. II 1,39f. und besonders Quintilians Lobpreis seiner beiden Söhne, die im Alter von fünf, bzw. neun Jahren starben (inst. VI praef. 7, bzw. 10). Wenigstens in aller Kürze sei hier eine berühmte These F. CUMONTS erwähnt. CUMONT gab den Darstellungen des lernenden und lehrenden Kindes auf Grabmonumenten einen tieferen Sinn (zuerst: Syria 10 [1929] 217/37, dann in den „Recherches" 281/88): die Anschauung, daß Kunst, Wissenschaft, Philosophie, kurzum jede Art 'musischer' Betätigung zum Heil im Jenseits verhelfe, werde auf das Kind übertragen; das Kind erscheine mithin in solchen Bildnissen (und auch in entsprechenden Inschriften, die seine Gelehrigkeit, Frühreife usw. erwähnen) als Anwärter auf die Seligkeit. MARROU hat diese These weiter zu begründen versucht, allerdings nicht ohne sie gleichzeitig behutsam zu differenzieren und auch einzuschränken (vgl. 198f. und bes. 253f.). In dem Nachwort, das er der Neuauflage seines Buchs beigab, wird in dieser Hinsicht vollends eine stark revisionistische Haltung deutlich

Freilich müssen wir hier eine gewisse Einschränkung machen: wenn wir die steigende Verbreitung des *puer senex*-Ideals sowie des Gedankens früher Erfülltheit schlechthin, die für uns etwa seit der Zeitenwende feststellbar ist, mit der popularisierenden Ausweitung des stoisch-epikureischen Lehrstücks in Zusammenhang bringen, so soll damit nicht behauptet werden, wir hätten hierin die einzige, alleinwirksame Triebkraft der Entwicklung entdeckt. Gerade die Tatsache, daß sich das Ideal des frühreifen, altersweisen Knaben auch schon in vorhellenistischer Zeit nachweisen läßt, muß uns zur Vorsicht mahnen. Wir haben wohl auch mit der bleibenden Wirkung eines stets gegenwärtigen 'Unterstroms' zu rechnen: eben weil die entsprechenden Anschauungen auch in der Sphäre der vorphilosophischen Bewußtseinsstufe beheimatet waren, konnte sich wohl der philosophisch begründete Typus des Gedankenkomplexes seinerseits wieder so stark durchsetzen. Um es noch deutlicher zu sagen: es mag eine Art fruchtbarer Wechselwirkung zwischen Philosophie und volkstümlicher Vorstellung stattgefunden haben. Doch wird man andrerseits den Einfluß der ersteren nicht zu gering veranschlagen dürfen: was CURTIUS dem Geist der Spätantike zuschrieb — eben jene auffallende Häufigkeit der Lobpreisungen jugendlicher Reife und damit zugleich das allgemeine Anwachsen der abschätzigen Äußerungen über Zeit und Lebensalter —, all das dürfte zu einem guten Teil in dem geschilderten Vorgang der Popularisierung des hellenistischen Philosophems begründet sein. Gerade anhand der stoischen Reflexion über Wesen und Wert der Zeit hat GRILLI gezeigt, wie gewisse Gedanken, die zunächst durch Panaitios' Polemik gegen Aristipp ihre scharfe philosophische Ausprägung erfuhren, bei späteren Autoren, namentlich bei Seneca, in das weite Repertoire moralischer Unterweisung übergingen[26]. Er schreibt (95): „Ma ancora più interessante e importante è vedere come il materiale filosofico si sia trasformato in materiale di cultura: gl'interessi di coloro che ce ne hanno tramandato l'eco sono così più umani e letterari che filosofici, che la polemica s'è potuta facilmente obliterare nel giro di poche generazioni." Mit einem solchen Prozeß der 'Transformation'

(318), die zum Teil durch die Kritik an CUMONT (vor allem seitens A. D. NOCK) mitbestimmt sein mag. Zu beachten bleibt jedenfalls, daß sich die Vielfalt gerade der inschriftlichen Aussagen über frühreife Kinder nicht auf den einen Nenner der 'Heroisierung' bringen läßt.

[26]) Es handelt sich um die Polemik gegen die einseitige Wertschätzung der unmittelbaren Gegenwart durch Aristipp (vgl. frg. 207. 208 MANNEBACH), der Panaitios die Betrachtung der Vergangenheit als wesentliches Element der *εὐθυμία* entgegensetzte: seine Argumentation steht u.a. hinter der Mahnrede, die Seneca brev. vit. 10, 2/6 an die Adresse der *occupati* richtet.

philosophischen Gedankenguts, freilich einem Prozeß ungleich größeren Ausmaßes, haben auch wir es zu tun. Daß im übrigen Ansichten und Vorstellungen, die bis zu gewissem Grade auch außerhalb philosophischer Spekulation in der allgemeinen Lebenserfahrung gründen, dennoch zu einer bestimmten Zeit durch die theoretische Diskussion aktualisiert werden und von da an wiederum zu besonderer Verbreitung gelangen können, das ist eine Erkenntnis, die sich gewiß nicht nur aus der antiken Geistesgeschichte gewinnen ließe.

Aus alledem ergibt sich: die hellenistische Geisteswelt ist in den bisher vorliegenden Darstellungen des sog. *puer senex*-Topos zu Unrecht vernachlässigt worden; denn bei aller Bruchstückhaftigkeit des Erhaltenen treten gerade hier zwei für die weitere Ausbildung des Transzendenzideals wichtige Momente deutlich hervor: die Entwertung der Zeit und der metaphorische, spiritualisierende Gebrauch der Altersnamen [27]).

III. HEIDNISCHE UND CHRISTLICHE SPÄTANTIKE

Überblicken wir noch einmal das Ganze! Einer der Haupteindrücke, den man bei Sichtung der antiken Transzendenz-Vorstellungen empfängt, ist die Verschiedenheit dieser Vorstellungen, eine Verschiedenheit, die vor allem Zweck und Ziel der jeweils geforderten Alterstranszendenz betrifft — man vergleiche unter diesem Gesichtspunkt nur einmal Epikurs Äußerung im Menoikeusbrief und die Ciceros im Cato maior! Angesichts des unterschiedlichen Zusammenhangs, in dem jene Aussagen stehen, und der weiten Zeiträume, durch die sie zum Teil getrennt sind, nimmt das auch gar nicht wunder. Konstant bleibt jedoch in allen Variationen des Transzendenzgedankens die Erkenntnis, daß der innere Mensch in seiner geistigen Entwicklung nicht an die gesetzmäßige Abfolge einer bestimmten, auf die körperlichen Entwicklungsstadien zugeschnittenen Typologie gebunden ist. Er kann und soll die natürlichen Normen überspringen, sei es durch Vorwegnahme späterer Altersvorzüge, sei es durch gleichzeitige Verbindung positiver Qualitäten verschiedener Lebensalter. Um CURTIUS' These zu widerlegen,

[27]) Nicht nur des Greisenalters wie in fast allen bisher genannten Beispielen, sondern auch der Kindheit, die meist negativ bewertet wird, so z.B. in der breiten Darstellung bei Seneca dial. 2,12: *quem animum nos adversus pueros habemus, hunc sapiens adversus omnes, quibus etiam post iuventam canosque puerilitas est...* eqs., aber auch schon bei Aristoteles frg. 53 ROSE (= protr. frg. 17 ROSS) und Euripides frg. 889a SNELL.

wird man jetzt nicht mehr viel Worte machen müssen. Denn den Gedanken einer Überschreitung der natürlichen Altersgrenzen hat auch er durchaus nicht etwa begrifflich stärker eingeengt, als wir das taten, und von dieser Voraussetzung aus darf man sagen, daß die Transzendenzidee in keiner größeren Epoche der antiken Geistesgeschichte gänzlich fehlt, mag sie auch nicht überall gleichmäßige Spuren hinterlassen haben. Sie zeichnet sich hier und da deutlicher ab, um dann wieder — immer nach Lage unserer Quellen — in den Hintergrund zu treten. Die weitestgehende Verallgemeinerung hinsichtlich der Frage, wo der eigentliche Ursprung des Transzendenzgedankens, speziell des *puer senex*-Ideals, zu suchen sei, hat Werner HARTKE vollzogen. Er erklärt diese Denkform, ebenfalls in Frontstellung gegen CURTIUS, für schlechthin „mediterran“[1]). Ob man selbst dieser denkbar weitgespannten Begrenzung angesichts gewisser ähnlicher Phänomene in anderen Kulturkreisen, die CURTIUS gestreift hat[2]), zustimmen kann, bleibe dahingestellt, zu einem gesicherten Ergebnis werden derlei Überlegungen wohl niemals führen. Lohnender erscheint es dagegen, einmal den Standpunkt der Kritik zu wechseln. Damit meinen wir folgendes: Alle Kritik an CURTIUS hat sich bislang, angezogen und herausgefordert durch seine Spätzeit-Hypothese, darauf beschränkt, den Idealtypos des Knabengreises möglichst früh innerhalb der antiken Literatur nachzuweisen, und wir haben diese Gedankengänge hier verfolgt und weitergeführt. Jetzt aber ist es an der Zeit, einmal den Blick auf einen anderen Zug der Darstellung von CURTIUS zu richten, nämlich nicht mehr nur auf den umstrittenen Zeitansatz des '*puer senex*-Topos', sondern auch auf die Darbietung der spätantiken Belege selbst. Damit nähern wir uns zugleich wieder stärker der Aufgabe unserer Untersuchung, die wir eingangs umrissen haben.

CURTIUS stellte bedenkenlos Heidnisches und Christliches nebeneinander, beiderlei nahm er als Zeugnis für die Seelensphäre der Spätantike, um deren Aufhellung es ihm letztlich zu tun war. Die Aufnahme des 'Topos' ins Christentum sah er zwar gefördert durch gewisse Aussagen der Bibel, doch erhalten jene Aussagen als Motive der Verbreitung des *puer senex*-Gedankens bei ihm nur einen rein akzessorischen

---

[1]) HARTKE 221[1]: „Etruskisch oder vorsichtiger mediterran“. Als Stützen dieser Erklärung müssen nicht nur Tages und Numa, sondern auch das „Götter-'Kind' Athena mit dem ungriechischen Namen“ herhalten. Vgl. dazu oben S. 37 mit Anm. 11 und 12.

[2]) Vgl. ferner BAUMGARTNER 273[11] über die Gestalt des weisen Knaben in orientalischen Erzählungen und überhaupt in der Folklore verschiedener Zeiten und Völker.

Wert. Er schreibt: „Der *puer senilis* oder *puer senex* ist also eine Prägung der heidnischen Spätantike. Um so bedeutsamer wurde es dann freilich, daß auch die Bibel Entsprechendes bot . . .“ (109). Und welche Bibelstellen sind es nun, die nach seiner Ansicht die Ausbreitung des Topos in der christlichen Literatur begünstigten? Die Auswahl ist recht lehrreich. CURTIUS nennt die Passage aus der Sapientia Salomonis, deren wir bereits oben Erwähnung taten, eine Passage, die ja in der Tat immer wieder von den christlichen Autoren herangezogen wird. Daneben aber stellt er einen Satz aus dem Buche Tobit. Vom jungen Tobias heißt es dort (1,4 vulg.): *cumque esset iunior omnibus in tribu Nephthali, nihil tamen puerile gessit in opere*. Tatsächlich mag es scheinen, als müßten diese Worte den Kirchenvätern in den Ohren geklungen haben, wenn sie das Thema geistiger Altersreife abhandelten, und doch ist dem keineswegs so. Tobias gilt, soweit ich sehe, nirgendwo als Typ des *puer senex*[3]), was um so schwerer wiegt, als die Reihe der Vorbilder, die sich die Väter zur Begründung des beliebten Ideals aus der Schrift bereitstellten, recht lang ist. Das Zitat aus dem Buche Tobit, das CURTIUS brachte, zeugt somit mehr von der Bibelfestigkeit des großen Gelehrten selbst, als daß es der tatsächlichen Situation, wie wir sie in der patristischen Literatur vorfinden, gerecht würde[4]). Lehrreich nannten wir die Zusammenstellung zweier Belege so ganz unterschiedlicher Relevanz deshalb, weil sie auf ihre Weise wieder einmal zeigt, wie wenig man doch bisher über Art und Umfang des einschlägigen Materials bei den Christen weiß. Dieser Mangel macht sich bei CURTIUS im Kleinen bemerkbar — wie eben in der unzutreffenden Einschätzung der Stelle aus dem Buche Tobit —, aber auch im Großen. Wer CURTIUS' Essay liest, gewinnt von der kaum überschaubaren Verbreitung des Transzendenzgedankens gerade in der christlichen Literatur keinen angemessenen Eindruck. Dabei verkennen wir keineswegs, welch bedeutende Bereicherungen seine Stellensammlung auch für den paganen Teil inzwischen erfahren hat. Aus den griechi-

---

[3]) Ambrosius' Schrift *De Tobia* ist eine Predigt gegen den Wucher. Der frühreife Tobias wird auch hier nicht erwähnt, wohl aber der *Daniel puer* der Susanna-Erzählung! Vgl. Ambros. Tob. 78 (CSEL 32/2, 565f.). Die Arbeit von J. GAMBERONI, Die Auslegung des Buches Tobias . . . (München 1969) bestätigt indirekt diesen negativen Befund.

[4]) Wer eine Erklärung dafür sucht, warum Tobias nicht unter den festen Paradigmen des altersreifen Knaben oder Jünglings erscheint, möge bedenken, daß eben nicht alle entsprechenden Angaben der Schrift von der Exegese gleichermaßen ausgewertet wurden (vgl. unten S. 224): auch Eliu gehört nicht zu den Vorbildern des *puer senilis*, obgleich man das aufgrund von Job 32,6/9 sehr wohl erwarten könnte.

schen Grabgedichten brachte Griessmair allerhand Material zusammen[5]), Festugière nannte Stellen aus Libanios[6]), Hartke illustrierte die Beliebtheit der — wie er es nannte — „panegyrischen Veraltung“ durch eine Vielzahl treffender Belege vornehmlich aus den Panegyrikern und der Historia Augusta[7]), und darüber hinaus sind noch weitere Ergänzungen sehr wohl möglich[8]). Auch die archäologischen Zeugnisse — insbesondere die Knabenporträts, die Kenner unlängst behandelt hat — wird man berücksichtigen müssen[9]). Aber alle diese Nachträge, so wertvoll sie im einzelnen sein mögen, verändern doch das Bild der spätantiken Verhältnisse, wie es sich Curtius darbot, kaum wesentlich. Ganz anders steht es mit den Kirchenvätern. Wie eng zieht doch Curtius da die Grenzen, wenn er etwa in einer knappen Bemerkung (110) die vergeistigte Kindlichkeit als Ideal des östlichen Mönchtums abtut! Das Ziel einer Transzendenz der Altersgrenzen und überhaupt die Vorstellung geistiger Altersstufen erhält bei den Christen eine ungleich größere Bedeutung als in der zeitgenössischen heidnischen Literatur — eine Behauptung, die sich freilich nur unter Vor-

---

[5]) Hinzuzunehmen sind gewisse lateinische Inschriften bei Marrou (s. oben S. 29[1]), insbesondere CE 1165, 7f. Vgl. auch das Epigramm auf Gellius Carpus: SEG 13 (1956) 261, 2/4.

[6]) Festugière, Antioche 152; Lieux communs 139. Nachzutragen wären: Liban. or. 59, 46 (4, 230f. Förster) über die Caesares Constantius II. und Constans sowie die ähnliche Formulierung in dem Brief an Basilius, dessen Echtheit allerdings zweifelhaft ist: *καὶ πάλαι νέον ὄντα* (sc. *σε*) *ἠδούμην σωφροσύνῃ τε πρὸς τοὺς γέροντας ἁμιλλώμενον ὁρῶν ... κτλ.* (während der Studienzeit in Athen): Basil. epist. 336, 1 (3, 203 Courtonne).

[7]) Hartke 149[4]. 190[1]. 221f. 223[1] (hier auch die interessante Stelle Rutil. Nam. I 469f.). Auch manches von dem, was Bieler 1, 34/39 aus spätantiken Philosophenviten, bes. aus Eunapios, ausgezogen hat, gehört der Sache nach hierher.

[8]) Bemerkenswert erscheint mir, daß bereits in der Antike gelegentlich der Gedanke einer idealen 'Mischung' der typischen Tugenden verschiedener Altersklassen begegnet, wobei dann auch das geistige 'Kindsein' positiv bewertet werden kann. Plin. epist. VI 26, 1 empfiehlt einen jungen Mann mit den Worten: *puer simplicitate, comitate iuvenis, senex gravitate* (vgl. den Nachruf auf eine getreue Ehefrau VIII 5, 1: *quot quantasque virtutes, ex diversis aetatibus sumptas, collegit et miscuit!*). Ganz ähnlich Aristid. or. 31, 4: der verstorbene Eteoneus vereinigte die Vorzüge von Jugend und Alter, *ὥστ᾽ οὐκ ἦν εἰκάσαι πότερον παῖς ἐστιν ἢ νεανίας ἢ πρεσβύτης. τὸ μὲν γὰρ ἀποίητον παιδός, ἡ δὲ ἀκμὴ νεανίου, φρόνησις δὲ πρεσβύτου.* Weiteres ist schon auf den vorhergehenden Seiten mitverarbeitet worden. Außerdem s. noch Ps. Aristid. or. 30, 17; Auson. epitaph. 34, 6 (MGH a.a. 5/2, 80); Ps. Auson. sapient. sent. 42f. (ebd. 249). Auch an Vollmers Stellensammlung sei hier nochmals erinnert: s. oben S. 49[1].

[9]) Ebenso die Sarkophagreliefs, von denen oben S. 39[16] und 63[25] die Rede war.

wegnahme dessen aufstellen läßt, was erst im Verlauf unserer Untersuchung ausgeführt werden soll. Wie vertraut ist doch den Vätern der Umgang mit den spiritualisierten Altersnamen, wie selbstverständlich setzen sie die Möglichkeit geistiger Freiheit gegenüber Wachstum und Verfall der körperlichen Person voraus, wie dringend erheben sie immer wieder die Forderung nach Überwindung der Natur auch im Hinblick auf die natürlichen Lebensalter! Man darf ohne Übertreibung sagen, daß der Vorstellungskomplex der *aetates spiritales* einen nicht zu unterschätzenden Faktor altchristlichen Denkens darstellt. So werden wir wieder zu der schon einleitend aufgeworfenen Frage zurückgeführt: wie erklärt sich die Vorliebe der Kirchenväter für das Transzendenzideal?

Eine befriedigende Antwort auf diese Frage hat man bisher nicht erteilt und konnte man wohl auch nicht erteilen, weil die Frage selbst bislang noch nicht so klar gestellt wurde. Freilich ist diese Unterlassung bei CURTIUS, wofern man sich einmal auf seinen Standpunkt stellt, noch am ehesten verständlich. Die Masse des christlichen Materials brauchte ihn, selbst wenn er sie voll gewürdigt hätte, am wenigsten zu stören, denn er hatte ja eben auch die Christen dem Geist der Spätantike verpflichtet. Seine Konzeption lieferte ihm daher auch für diese Seite des Problems eine bequeme Erklärung. Da aber nun seine These sehr ins Wanken geraten ist, erhebt sich die von uns formulierte Frage mit um so größerer Dringlichkeit, und hier ist nun der Ort, einmal die Lanze umzukehren und sie gegen CURTIUS' Kritiker zu richten: sie brachten seine Hypothese zu Fall, ohne die Notwendigkeit zu fühlen, an ihre Stelle eine andere zu setzen. Für BÜCHNER etwa (22) erklärt sich die Verbreitung des *puer senex*-Gedankens in der lateinischen Literatur aus der Nachwirkung Ciceros. Selbst wenn dem wirklich so wäre[10]): wie steht es mit der griechischen, vor allem mit der christlichen griechischen Literatur? Daß sich griechische Gelehrte wie Clemens v. Alexandrien oder Origenes an Cicero orientierten, wird doch niemand behaupten wollen. Hier klafft ganz offensichtlich eine große Lücke. Gewiß liegt der Hinweis auf formale Konventionen stets recht

[10]) Die Folgerung verallgemeinert auf jeden Fall viel zu stark. Schlüssig erscheint sie nur in ganz bestimmten Fällen. Bei einem Manne wie Plinius d. J. wird man tatsächlich mit der Wirkung seines Vorbilds Cicero rechnen dürfen, wenn er sein Verhältnis zu dem greisen Corellius Rufus mit den Worten beschreibt: *adulescentulus eram, et tamen mihi ab illo — audebo dicere — reverentia ut aequali habebatur* (epist. IV 17,6). Vgl. dazu H.-P. BÜTLER, Die geistige Welt des jüngeren Plinius (Heidelberg 1970) 104. BÜTLER unterläßt es jedoch, auf die ciceronische Vorstellung idealer 'Gleichaltrigkeit' hinzuweisen, die hier doch wohl nachschwingt. Vgl. oben S. 52f.

nahe, und er mag manches erklären, aber eben längst nicht alles. Zwar wäre es widersinnig, wollte man heidnische und christliche Spätantike schematisch trennen — welches Thema duldete überhaupt solche Trennung? —, aber gerade wer die 'Kontinuität' zwischen Antike und Christentum als geistesgeschichtliches Problem ernst nimmt, der wird sich nicht mit der Kenntnisnahme bloß äußerer Gemeinsamkeiten begnügen. Er wird nicht nur auf die Formen, sondern auch auf die Gehalte achten, wird fragen, inwieweit Altes und Neues innerlich zusammenwirkt[11]). Bedenkt man den Sachverhalt recht, ist man fast geneigt zuzugeben, daß CURTIUS' These vielleicht doch so etwas wie eine virtuelle Richtigkeit beanspruchen könne. Man würde dieses Zugeständnis freilich leichteren Herzens machen, wenn CURTIUS selbst jene herausfordernde Überspitzung seiner These vermieden, wenn er ein früheres Vorkommen des *puer senex*-Ideals nicht so apodiktisch ausgeschlossen hätte. In einer gemäßigten Fassung wäre seine Deutung jedenfalls ansprechender als das, was seine Kritiker aus der Sache gemacht haben. Die Kritik an CURTIUS hinterließ, gerade weil sie berechtigt war, ein störendes Vakuum. Der Erkenntnis, daß seine These näherer Prüfung nicht standhält, hätte eigentlich ein neuer Deutungsversuch sofort folgen müssen. Statt dessen begnügte man sich, bescheidener geworden, damit, den 'Topos' einfach zu registrieren.

Ein Ansatz zur Lösung des vielschichtigen Problems ergibt sich bereits aus dem, was oben über die Stoa gesagt wurde. Die Alterstranszendenz setzt die Entwertung der Zeit voraus, und diese wiederum gehört fest in den Bereich der stoischen 'Adiaphorie'. Man darf also von vorneherein annehmen, daß die Beliebtheit des Transzendenzideals im

---

[11]) Daran müßten wir selbst dann festhalten, wenn wir bei Behandlung unseres Themas ein einzelnes Gebiet, etwa die christliche Epigraphik, in den Mittelpunkt der Betrachtung rückten, ein Gebiet, in dem überdies das traditionelle Element anerkanntermaßen besonders deutlich hervortritt. Auch hier wäre zu prüfen, inwiefern sich die frühzeitige 'Gelehrtheit' auf christliche Gehalte bezieht, etwa auf das Studium der *lex angelica* (vgl. ILCV 1694 b 1, s. auch MARROU 276 f.), in welchem Maß die 'Weisheit' der *ἄωροι* neben speziell christliche Tugenden tritt, vor allem den Glauben (vgl. ILCV 1599, 3 f.), welche Bibelstellen den Anspruch der Jungverstorbenen auf Qualifikationen wie 'klug', 'alt' u. dgl. stützen sollten (s. oben S. 32[5] und unten S. 94[14]), und vor allem: ob und wie die Beliebtheit dieser inschriftlichen 'Topik' mit der Gesamtentwicklung des Transzendenzgedankens im Christentum zusammenhängt; denn zumindest verwandte Bereiche wie die 'literarischen' Epigramme (vgl. z.B. Ennod. 46,7: MGH a.a. 7,46), die Grabrede, ja wohl auch die Hagiographie ließen sich kaum gänzlich ausschließen. Das heißt aber: eine geistesgeschichtlich orientierte Behandlung derartiger 'Motive' wird immer die Grenzen des einzelnen Genos mehr oder weniger überschreiten müssen.

Christentum irgendwie mit dem Stoizismus der Kirchenväter zusammenhängt[12]). Aber eine dermaßen allgemeine Auskunft wird wohl niemanden befriedigen. Es gilt zu klären, wie der stoische Leitsatz in das christliche Denken Eingang fand und weshalb er sich gerade hier so gerne mit der Vorstellung der Alterstranszendenz verbindet. Vor allem aber wird man die Frage stellen müssen, welche eigenen Bedingungen das Christentum mitbrachte, die eine Aufnahme und Fortbildung des antiken Philosophems ermöglichten. Dieser schon mehrfach gekennzeichneten Aufgabe wollen wir uns nunmehr endgültig zuwenden.

---

[12]) Über dieses umfangreiche Thema unterrichten die Bücher von SPANNEUT und STELZENBERGER. Beide behandeln auch das Fortwirken der stoischen Lehre von den Adiaphora: s. unten S. 114[64].

C. DIE GRUNDLAGEN DES CHRISTLICHEN IDEALS

I. DIE ALLEGORISCHE BIBELEXEGESE

1. Philon

Vor Beginn der christlichen Schrifterklärung steht richtungweisend die Gestalt Philons von Alexandrien. Der Einfluß seines umfangreichen Werks hat die christliche Bibelexegese von ihren frühen Anfängen an befruchtet und ist auch in späteren Jahrhunderten immer spürbar geblieben. Philons Hermeneutik fußt auf dem Grundsatz, daß im Text des Alten Testaments — und das war für ihn der griechische Text der Septuaginta, dessen Wortlaut er für ebenso inspiriert hielt wie den des hebräischen Originals — vieles, ja das meiste einen tieferen Sinn berge als den wörtlichen und daß dieser verborgene, geistige Sinn oftmals selbst durch unscheinbare Kleinigkeiten stilistischer oder grammatischer Art angedeutet sein könne. Ein Wechsel im Ausdruck, eine pleonastische Wendung, ein auffallender Plural, ein Tempus, eine Partikel oder Präposition usw.: in alledem entdeckt der Alexandriner bedeutungsvolle Hinweise auf den eigentlichen, gottgewollten Gehalt der heiligen Schriften, für die man nur ein offenes Ohr haben müsse[1]).

Dem engmaschigen Netz philonischer Allegorese entgehen auch die biblischen Altersangaben nicht. Namentlich die der Genesis spielen bei Philon eine bedeutende Rolle. Wenden wir uns gleich einem markanten Beispiel zu! Gen. 24, 1 heißt es: „Abraham war alt (*πρεσβύτερος*) und hochbetagt.“ Der Satz gibt dem Exegeten zu denken. Wie kommt es, fragt er, daß Abraham als erster in der Schrift *πρεσβύτερος* genannt wird? Der Patriarch, der im Alter von 175 Jahren starb, lebte doch bedeutend kürzere Zeit als fast alle seine Vorfahren, geschweige denn, daß er zu jenen Wundern an Langlebigkeit wie Adam, Henoch, Methusalem, Noe u. a. gehört hätte, deren Lebenszeit jeweils nahezu ein Jahrtausend füllte! Warum also heißt gerade er zuerst *πρεσβύτερος*? Philons Prinzipien der allegorischen Exegese geben ihm die Lösung an die Hand: der Ausdruck meint nicht das körperliche Alter des Erzvaters, sondern das geistige, in dem er vor allen ausgezeichnet war: *ὁ γὰρ ἀληθείᾳ πρεσβύτερος οὐκ ἐν μήκει χρόνων, ἀλλ' ἐν ἐπαινετῷ καὶ τελείῳ*

[1]) Einen guten Überblick über die mannigfaltigen Ansatzpunkte der allegorischen Methode Philons bietet das alte, aber immer noch nützliche Buch von SIEGFRIED 160/197. Eine zusammenfassende Darstellung gibt WOLFSON 1, 115/138. Vgl. auch FRÜCHTEL 119/126. CHRISTIANSEN sucht Philons Exegese mehr im ganzen zu erklären, d. h. als logisches System, aufgebaut auf den Voraussetzungen der platonischen Erkenntnistheorie.

βίῳ θεωρεῖται· τοὺς μὲν οὖν αἰῶνα πολὺν τρίψαντας ἐν τῇ μετὰ σώματος ζωῇ δίχα καλοκἀγαθίας πολυχρονίους παῖδας λεκτέον, μαθήματα πολιᾶς ἄξια μηδέποτε παιδευθέντας, τὸν δὲ φρονήσεως καὶ σοφίας καὶ τῆς πρὸς θεὸν πίστεως ἐρασθέντα λέγοι τις ἂν ἐνδίκως εἶναι πρεσβύτερον (Abr. 270/72)[2]). Eine entschiedenere, kernigere Absage an äußere Lebenszeit und natürliches Greisenalter als Maßstäbe menschlichen Werts ist selten vorgetragen worden, und so erscheint es begreiflich, daß sich Auszüge aus eben diesem Passus bis in die Florilegien der ausgehenden Antike und des frühen Mittelalters hinübergerettet haben[3]). Die gleiche Exegese findet sich noch an mehreren Stellen der philonischen Schriften, so z.B. in den *Quaestiones ad genesim*. Dieses Werk, das sich für unsere Zwecke als besonders ergiebig erweist, ist nur in armenischer Sprache erhalten, kann aber heute in der englischen Übersetzung von Ralph MARCUS bequem benutzt werden[4]). Anläßlich derselben Genesis-Stelle wirft Philon dort (quaest. gen. IV 84) das gleiche Problem auf und gelangt wiederum zu dem Ergebnis, die Schrift wolle keine Angabe über das zeitliche Lebensalter des Patriarchen machen, sondern ziele vielmehr auf sein geistiges Alter, auf das Greisenalter der Tugend. Prägnanter noch und daher wert, hier ausgeschrieben zu werden, sind die Worte, die er ebenda (IV 14) in Exegese von gen. 18,11 findet: "Why does (Scripture) say, 'Abraham and Sarah were old and advanced in days'? It tells us of the lawful years, teaching us that the foolish man is a child and a crude person, for even though he may be advanced in age, his folly produces childishness. But the wise man, even though he may be in the prime of youthfulness, is old..." An dieser Stelle versteht es Philon sogar, den zweiten Teil des Bibelworts, nämlich den Ausdruck „hochbetagt" (*προβεβηκότες ἡμερῶν*), den er sonst gelegentlich außer acht läßt[5]), voll in die Exegese einzu-

---

[2]) Hinsichtlich der Abkürzungen der philonischen Schrifttitel halte ich mich an das Verzeichnis im Schlußband der deutschen Philonübersetzung: 7 (Berlin 1964) 385. Sie sind im wesentlichen identisch mit den Abbreviaturen der französischen Philonausgabe: 1 (Paris 1961) 15f.

[3]) Maxim. Conf. loci 41 (PG 91, 917B); Joh. Damasc. sacra parall. 4 (PG 95, 1308C/D).

[4]) Supplement-Band 1 der Philonausgabe in der Loeb Library (1953). Seine Übertragung ersetzt die alte lateinische von J. B. AUCHER (Venedig 1826), so gern man bisweilen auch bei dieser noch Rat holen wird.

[5]) So zieht er in sobr. 17 die biblische Wendung folgendermaßen zusammen: *Ἀβραὰμ ἦν πρεσβύτερος προβεβηκώς*, wobei das Wort *ἡμερῶν*, das einer vergeistigenden Deutung leicht unbequem sein konnte, unterschlagen wird. Vgl. dazu die Anmerkung M. ADLERS in der deutschen Übersetzung (5, 84[4]). — Überhaupt sei hier dankbar vermerkt, daß ich Text und Anmerkungen der deutschen Philonübersetzung mit Gewinn benutzt habe: Philo von Alexandria. Die Werke

bauen. Er entdeckt darin einen lichtsymbolischen Gehalt, vor allem aber ein nachdrückliches Zeugnis für die Zeitüberlegenheit des Geistes: der Tugend, so wolle die Schrift sagen, fehle es nicht an Tagen, Monaten, Jahren und überhaupt allen erdenklichen Zeitmaßen!

Mit Vorliebe verweilt Philon auch bei der allegorischen Auslegung von num. 11, 16. Das Gebot des Herrn an Moses: „Rufe mir siebzig Männer von den Ältesten Israels zusammen, von denen du weißt, daß sie Älteste (*πρεσβύτεροι*) . . . sind", zieht das für Auffälligkeiten jedweder Art geschärfte Auge des Allegorikers auf sich. Denn wer die Ältesten im Volke waren, folgert Philon, hätte doch jedermann feststellen können. Wozu bedurfte es eines so nachdrücklichen Appells an die Urteilskraft des auserwählten Moses? Die Antwort erteilt sich in der bekannten Weise: die Ältesten, die Gott meint, sind alt *οὐχὶ ἡλικίαις, ἀλλὰ φρονήσει καὶ βουλαῖς γνωμαῖς τε καὶ ἀρχαιοτρόποις ζηλώσεσιν* (migr. 202), und sie herauszufinden, bedurfte es in der Tat eines Moses. Philon trägt auch diese Exegese des öfteren vor (vgl. noch sacr. 77f.; gig. 24), am eindringlichsten in der Schrift Über die Nüchternheit, und zwar dort in Kombination mit der uns schon vertrauten Erklärung zum Alter Abrahams[6]). Überhaupt hat der Alexandriner wohl nirgendwo in dem erhaltenen Corpus seiner Schriften so ausführlich von der allegorischen, d.h. geistigen Bedeutung der Altersbezeichnungen gehandelt wie in jenem Traktat. Er häuft hier biblische Beispiele und gefällt sich in immer neuen, immer kühneren Formulierungen, die alle darauf abzielen, die Wertlosigkeit des bloß körperlich Alten kraß hervorzukehren. Die Passage sobr. 6/29 erhält somit für unser Thema zentrale Bedeutung, und es lohnt sich, daß wir uns mit ihr etwas eingehender befassen.

---

in deutscher Übersetzung. Hrsg. von L. Cohn, I. Heinemann, M. Adler und W. Theiler. Bd. 1/6: Breslau 1909/1938 (Nachdruck: Berlin 1962), Bd. 7: Berlin 1964.

[6]) Eben diese Kombination wird man wohl — unter anderem — zum Beweise dafür nehmen dürfen, wie wenig Philon bei Behandlung des Gebots num. 11, 16 von einer im modernen Sinne historisch-philologischen Betrachtungsweise ausging. Dasselbe dürfte übrigens für die christlichen Exegeten gelten, die sich ja ebenfalls mit der Stelle gerne beschäftigten. Andrerseits ist zu bemerken, daß eine moderne Interpretation in diesem Falle zu einem Ergebnis gelangt, das der Sache nach nicht allzuweit entfernt ist von dem Resultat der philonischen Allegorese: die Siebzig waren eine Elite aus den so betitelten 'Ältesten Israels', den Häuptern der Großfamilien, d. h. wohl nicht unbedingt die an Jahren Ältesten; vgl. Michaelis 11 und vor allem M. Noth, Das vierte Buch Mose (Göttingen 1966[6]) 78 z. St. Allerdings hat Philon die Unabhängigkeit der Wahl vom Lebensalter in charakteristischer Weise zugespitzt und geradezu zum Wesenskern der göttlichen Weisung gemacht.

Philon legt seinen Erörterungen den biblischen Bericht über die Trunkenheit Noes, genauer gesagt: über sein Erwachen aus der Trunkenheit (gen. 9,24/27), zugrunde. Daß es gerade der jüngere Sohn Cham war, der die Blöße des schlafenden Vaters angesehen hatte und dafür vom Fluch Noes getroffen wurde, ist für den Allegoriker natürlich ein höchst bedeutungsvoller Zug. Nach Philons Überzeugung will die Schrift auch diesmal keine Altersangabe machen, sondern die Wesensart dieses Sohnes zum Ausdruck bringen, die von 'Neugier' geprägt war (sobr. 6). Wie auch sonst häufig findet Philon hier einen geschickten Übergang zur vergeistigenden Deutung des Begriffs *νεώτερος* durch den wörtlichen Anklang an die *νεωτεροποιία* (Neuerungssucht, Neugier). Sachlich gesehen liegt dieser Gleichung etwa dieselbe Typologie der Altersstufen zugrunde, wie sie mit umgekehrten Vorzeichen an der oben zitierten Stelle migr. 202 zutage tritt: dort sind es die „Bestrebungen althergebrachter Art", welche als typisches Merkmal des Greisenalters empfunden und daher zur Stütze der vergeistigenden Interpretation herangezogen werden — auf die auch bei Philon allenthalben durchschimmernde Widersprüchlichkeit der gesamten Altersmetaphorik brauchen wir nach dem, was dazu schon in der Einleitung bemerkt wurde, jetzt nicht mehr einzugehen. Übrigens nimmt der Alexandriner gerade in der Beurteilung von Tradition und Altertum nicht immer die gleiche Haltung ein[7]). Philon macht nun die Exegese des Ausdrucks *νεώτερος* zum Ausgangspunkt einer großangelegten Erörterung über den geistigen Sinn der biblischen Altersangaben. Eingeleitet wird sie durch eine grundsätzliche Feststellung, die das Thema in allgemeinen Zügen umreißt: „An vielen Stellen des Gesetzes nennt er (Moses) Personen vorgerückten Alters jung und wiederum solche, die noch nicht das Greisenalter erreicht haben (*μήπω γεγηρακότας*), alt (*πρεσβυτέρους*), weil er nicht auf die Vielzahl der Jahre oder die Kürze und Länge der Zeit sieht, sondern auf die Kräfte der Seele, je nachdem sie sich zum Guten oder Schlechteren bewegt" (sobr. 7). Dann läßt der Exeget die Reihe seiner Beispiele vorbeiziehen. Gemäß der gegebenen Einteilung stellt er an den Anfang solche Fälle, aus denen hervorgeht, daß die Schrift ältere Personen

---

[7]) Die *ζηλώσεις ἀρχαιότροποι* gelten durchaus nicht überall als besonders lobenswerter Vorzug, wie das ja an sich schon aus Philons Geringschätzung der Zeit folgen muß. Aufschlußreich sind in dieser Hinsicht die erkenntnistheoretischen Überlegungen in sacr. 76/79. Das Studium des Altertums, seines Mythos und seiner Geschichte, erhält dort zwar einen begrenzten Wert zugesprochen, wird aber doch als *πολιὸν μάθημα χρόνῳ* der intuitiven, gottgegebenen Erkenntnis klar untergeordnet.

durch Begriffe wie 'Kind', 'jung' u.dgl. in negativer Weise charakterisiert. Ismael, der Sohn der Hagar, heißt im Alter von immerhin schon zwanzig Jahren[8]) noch immer *παιδίον*, denn er vertritt die Sophistik, Isaak dagegen die Weisheit: wie ein unmündiges Kind zum erwachsenen Mann, so verhält sich der Sophist zum Weisen. Als die Israeliten auf Umsturz sannen (*νεωτερίζειν*!), nannte sie Moses *τέκνα*, und zwar eben nicht deswegen, weil sie etwa im körperlichen Sinne Kinder gewesen wären, sondern weil sie sich kindisch gegenüber der Wahrheit verhielten. Ähnliches gilt für Rachel, die 'jünger' war als Lea, und für Joseph. Letzterer heißt in der Schrift stets 'jung' und 'jüngster', gemeint ist jedoch sein *νέος τρόπος* (sobr. 14)[9]).

Die positiven Werte der Lebensalterallegorie gewinnt Philon, wie schon bemerkt wurde, auch in *De sobrietate* wieder aus seinen beiden Lieblingsexegesen zum Alter Abrahams und zur Wahl der siebzig Ältesten. Besonders lehrreich ist wieder die überleitende Formulierung: ,,Daß sie (die Schrift) oftmals die Bezeichnung 'jung' nicht mit Rücksicht auf die körperliche Blütezeit, sondern auf die Neuerungssucht der Seele gebraucht, ist also bewiesen; daß sie aber auch 'alt' (*πρεσβύτερον*) nicht den nennt, der vom Greisenalter (*γήρᾳ*) befallen ist, sondern den, der Ehre und Auszeichnung verdient, wollen wir jetzt zeigen" (sobr. 16). Vergleicht man diese Äußerung mit der oben mitgeteilten in sobr. 7, dann springt deutlich ein für die philonische Allegorese des Greisenalters wichtiges Moment hervor: die Unterscheidung der Begriffe *πρεσβύτης*, *πρεσβύτερος* einerseits und *γῆρας*, *γέρων*, *γηράσκειν* andrerseits. Die letztere Gruppe dient bei Philon fast durchweg zur Bezeichnung des im körperlichen, zeitlichen Sinne Alten; *γῆρας* ohne nähere Qualifikation ist jedenfalls niemals Träger eines positiven geistigen Sinnes wie *πρεσβύτερος*. Das nämliche Verhältnis der Begriffe beleuchtet gut die in unserem Text wenig später folgende Bemerkung über die siebzig Ältesten: *οὐκοῦν οὐ τοὺς ὑπὸ τῶν τυχόντων γέροντας νομιζομένους ὡς ἱεροφάντας, ἀλλ' οὓς ὁ σοφὸς οἶδε μόνος τῆς τῶν πρεσβυτέρων ἠξίωσε προσρήσεως* (sobr. 20). Auch sonst ließe sich die

---

[8]) Über die Art, wie Ismaels Alter berechnet wird, s. SANDMEL 165[96].

[9]) Von der negativen Bedeutung der Gestalt dieses 'jungen' Jakobsohnes war Philon fest überzeugt, vgl. agr. 56 *νέος δέ ἐστιν οὗτος ἀεὶ κἂν τὸ χρόνου μήκει γῆρας ἐπιγινόμενον ἐνέγκηται*, und imm. 120: *νέος ὢν ἔτι, κἂν μήκει χρόνου πολιὸς γένηται*. Gestützt wurde diese Auffassung, das zeigt gerade die Passage in der Schrift über die Trunkenheit, durch die Rolle Josephs als Ernährer Ägyptens, denn der Name dieses Landes hat für den Allegoriker stets einen dunklen Klang. Trotz alledem war Konsequenz auch in diesem Punkt nicht Sache der philonischen Exegese: zu Joseph als Typos des *εὐγήρως* (im moralischen Sinne) s. Jos. 268.

gleiche Antithese noch des öfteren nachweisen (vgl. z.B. agr. 56; sacr. 76f.). Offensichtlich bedient sich Philon bei seinen vergeistigenden Deutungen des Altersbegriffs mit voller Absicht gerade eines Worts, das für griechisches Sprachgefühl schon seit jeher den Nebensinn des Ehrwürdigen mitführte[10]), und er konnte dies um so leichter tun, als gerade *πρεσβύτερος, πρεσβύτης* in der Septuaginta weitaus häufiger vorkommen als die Wörter der anderen Gruppe. Ganz streng ist er im übrigen hierbei doch nicht verfahren, bisweilen macht er auch das *γῆρας* zum Ansatzpunkt seiner Spekulationen. Aber er erlaubt sich das, soweit ich sehe, nur dann, wenn der Begriff bereits in der Schrift durch ein lobendes Attribut näher bestimmt wird. Dies ist der Fall bei Gottes Verheißung an Abraham gen. 15,15: „Doch du wirst zu deinen Vätern in Frieden eingehen *τραφεὶς ἐν γήρᾳ καλῷ.*“ Das ‘schöne Alter’ Abrahams hat die Bibelexegeten immer wieder beschäftigt. Voran geht Philon her. 290/292 mit einer rein spiritualisierenden Deutung des Ausdrucks, die darauf hinausläuft, daß der Erzvater als *εὐγήρως* ebenso wie als *πρεσβύτερος* in geistiger Weise ausgezeichnet war: „Gott ... verspricht ein schönes Alter, allerdings nicht ein langdauerndes Leben, sondern ein Leben der Einsicht; denn glückliche Tage sind besser als viele Jahre ...“ usw.[11]). *Γῆρας* ist für den Alexandriner also vox media, gibt es doch, wie er in den *Quaestiones ad genesim* zur gleichen Bibelstelle bemerkt, ein *γῆρας καλόν* und ein *γῆρας κακόν*[12]).

---

[10]) Es gilt aber auch zu bedenken, daß das hebräische Wort zaqen ebenfalls in einem weiteren Sinn gebraucht wurde, ja damit nicht genug: daß sich auch Midrasch-Stellen finden, an denen das ‘Alter’ Abrahams ganz ähnlich wie bei Philon aus dem vorbildlichen Wandel des Erzvaters erklärt wird! Vgl. L. Treitel, Agada bei Philo: MGJ 53 (1909) 162f. und E. Stein, Philo und der Midrasch (Gießen 1931) = ZAW Beih. 57,27. Allgemein über das Verhältnis Philons zur rabbinischen Gelehrsamkeit s. Wolfson 1,90/93, aber auch dessen Kritik durch Sandmel 1/29.

[11]) Philon knüpft diese Exegese an eine Anspielung auf das Psalmwort (83,11): „Besser ist in deinen Vorhöfen ein Tag, als tausend andere es sind ...“ usw., wobei er allerdings den genauen Wortlaut dieser Stelle verändert (über die Gründe seines kontaminierenden Verfahrens s. Schmid 27/29). Es folgt wiederum der Hinweis auf die im Verhältnis zu seinen Vorfahren kürzeste Lebenszeit Abrahams, und als Stütze der Allegorese wird diesmal mit besonderem Nachdruck das etymologisierende Wortspiel *γῆρας – γέρας* angebracht. Am Schluß steht die pointierte Aufforderung: *δογματικῶς* (!) *οὖν ἄκουε κατὰ τὸν νομοθέτην μόνον τὸν ἀστεῖον καὶ εὐγήρων καὶ μακροβιώτατον, ὀλιγοχρονιώτατον δὲ τὸν φαῦλον ... κτλ.* Wir haben es hier also geradezu mit einem ‘Lehrsatz’ zu tun!

[12]) So hieß es wohl im Original; vgl. quaest. gen. III 11. Die Parallelstelle gen. 25,8 behandelt Philon in ähnlichem Sinn quaest. gen. IV 152. Dazu s. unten S. 136f.

Doch wir wollen unsere Erörterung der Passage in *De sobrietate* kurz zu Ende führen! Nachdem Philon dort den geistigen Sinn der biblischen Bezeichnungen für 'jung' und 'alt' getrennt behandelt und jeweils durch Beispiele belegt hat, geht er dann noch dazu über (21/29), das gleichzeitige Vorkommen beider allegorischen Bezüge in der Schrift nachzuweisen, vor allem anhand des Gesetzes über das Erstgeburtsrecht (dtn. 21, 15/17). Dieses Gesetz stellt Philon durch eine jener höchst gekünstelten Interpretationen, wie sie für seine Allegorese so charakteristisch sind, auf den Kopf: in Wahrheit wolle der Gesetzgeber gar nicht dem zeitlich Älteren unbedingt das Recht der Erstgeburt sichern, im Gegenteil: dieses Recht gebühre dem Besseren, auch wenn er jünger sei[13]). Zum Beweise, daß diese Regel in der Schrift wirklich befolgt werde, führt Philon das Beispiel der Brüderpaare Jakob und Esau, Ephraim und Manasse an, nicht ohne noch einmal seinen 'Lehrsatz' durch eine kräftige, hyperbolische Formulierung einzuprägen: „Der Freund der Lust ist unvollkommen und stets ein echtes Kind, mag er auch viele Jahre eines überlangen Lebens erreichen, der Freund der Tugend aber erhält, auch ohne ein Greis zu sein, sozusagen von den Windeln an seinen Platz im Altenrat der Vernunft" (sobr. 24).

Läßt sich das, was man das '*puer senex*-Motiv' genannt hat, schärfer und bedingungsloser ausdrücken, als es Philon an der zuletzt zitierten Stelle getan hat? Gewiß ist diese Feststellung mehr theoretisierender Natur, Philon hat aber auch keinen Zweifel daran gelassen, daß er in der Alterstranszendenz eine an die Allgemeinheit gerichtete, praktisch zu verwirklichende Forderung erblickt. Das zeigt sich zum Beispiel gerade in dem Traktat über die Nüchternheit, wenn er Jakobs Worte an Joseph: „Wende dich zu mir!" (LXX gen. 49, 22) als Aufforderung zum Streben nach altersreifer Einsicht verstanden wissen will, und dies in einem Kontext, der deutliche Anklänge an die stoische Ethik enthält (sobr. 15). Es bedurfte auch nur der Anwendung jenes allgemein formulierten Prinzips auf einen konkreten Fall, um das *puer senex*-Ideal fix und fertig vor unseren Augen erstehen zu lassen. Das geschieht bei

---

[13]) Die geliebte und die gehaßte Frau, von denen das Gesetz spricht, deutet Philon als Lust und Tugend, ihre Söhne als den *φιλήδονος* bzw. *φιλάρετος*. Daß der Sohn der geliebten Frau der zeitlich ältere sei (und trotzdem nicht das Recht der Erstgeburt erhalten dürfe!), folgert Philon aus der bloßen Wortstellung, d. h. aus der Tatsache, daß im Text die geliebte vor der gehaßten genannt werde. Allegorese hat eben oft so gar nichts 'Philologisches' an sich. Auf derselben Ebene liegt es, wenn Philon anderorts, einer allegorischen Deutung zuliebe, die Ambivalenz des Worts *παῖς* (= „Kind" und „Knecht") in einer Weise ausnützt, die den biblischen Kontext glatt überspielt (quaest. gen. IV 108. 120).

Philon zum Beispiel in bezug auf die Person Isaaks: Isaak legte vollendetere Tugenden an den Tag, als sie seinem jugendlichen Alter entsprachen (Abr. 168), ja er fand die Weisheit nicht erst als Greis, sondern schon als Jüngling (quaest. gen. IV 146). Entscheidend ist nun aber, daß Philon den Gedanken der geistigen Alterstranszendenz nicht einfach als konventionelles Lobschema handhabt, sondern als exegetisches Prinzip fest mit seiner Auslegung der heiligen Schriften verknüpft. Absichtlich haben wir im Voraufgehenden Philon möglichst oft selbst zu Wort kommen lassen, um deutlich zu machen, mit welcher Breite er die vergeistigende Deutung der Lebensalter und das damit fast immer ausdrücklich verbundene sittliche Postulat einführt. Dabei haben wir längst nicht alles Hierhergehörige beigebracht, noch so manche andere Passage wäre der Erwähnung wert[14]). Wenn aber Philon den Transzendenzgedanken in seiner Allegorese verankert, so besagt das zugleich auch, daß er dieses Ideal als göttlich sanktioniert anerkennt. Denn eben dem inneren, gottgewollten Sinn der heiligen Schriften gerecht zu werden, ist ja Sinn und Zweck seiner gesamten Hermeneutik. Schon von hier aus ist klar, welch bedeutende Aufwertung die Alterstranszendenz durch Philon für alle diejenigen erfahren mußte, die, wie er, an die göttliche Inspiration der Bibel glaubten und in der Allegorese ein geeignetes Mittel sahen, ihren innersten Gehalt zu erschließen.

Wir können aber noch weiter ausholen. Wie schon angedeutet, wäre es ganz falsch, wollte man die Spiritualisierung der Lebensalter als bloß äußeres Instrument der exegetischen Methode Philons verstehen. Vergeistigung sowie Transzendenz der Altersstufen müssen vielmehr auf dem weiteren Hintergrund der Religionsphilosophie des Alexandriners gesehen werden. Dazu noch zwei Überlegungen! Zunächst einmal gilt es hier, Philons Geringschätzung der Zeit ins rechte Licht zu rücken. Bereits an anderer Stelle sind wir ja darauf aufmerksam geworden, daß der Abwertung der Zeit die Bedeutung eines konstitutiven Ele-

---

[14]) So vor allem sacr. 11/19, wo es um die Frage geht, warum Moses (gen. 4,2: Abel wurde ein Hirt, Kain ein Bauer) den jüngeren Abel vor Kain an erster Stelle nennt; vgl. ebd. 42 die Worte der personifizierten Arete über Jakob und Esau; ferner: post. 63; quaest. exod. I 4; plant. 168: *κατὰ γοῦν τὸν ἱερώτατον Μωυσῆν τέλος ἐστὶ σοφίας παιδιὰ καὶ γέλως, ἀλλ᾿ οὐχ ἃ τοῖς νηπίοις ἄνευ φρονήσεως πᾶσι μελετᾶται, ἀλλ᾿ ἃ τοῖς ἤδη πολιοῖς οὐ χρόνῳ μόνον ἀλλὰ καὶ βουλαῖς ἀγαθαῖς γεγονόσιν*. Besonderer Art ist die Exegese zu exod. 24,5 (junge Leute zur Darbringung des Brandopfers abgeordnet!): Philon nimmt hier an, daß es 'jugendliche' und 'altershafte' geistige Prinzipien gebe, entsprechend den Erfordernissen des *βίος πρακτικός* und *θεωρητικός*; in der Seele des Weisen seien beide vereinigt (quaest. ex. II 31).

ments der gesamten Transzendenz-Thematik zukommt, und was Philon anlangt, so ist dieser Gesichtspunkt wohl schon durch die in diesem Kapitel beigebrachten Paraphrasen und Zitate philonischer Exegesen einigermaßen klar hervorgetreten. Von der Zeit und dem Greisenalter spricht Philon oft und oft mit schneidender Verachtung, Begriffe wie *μῆκος χρόνου, πολυετία, πολυχρόνιος, πολιός* u. a. gebraucht er fast nur in abschätzigem Sinne. Die gleiche Einstellung läßt sich noch durch eine Reihe anderer charakteristischer Äußerungen, von denen bisher noch nicht die Rede war, belegen. In der Schrift über die Giganten sieht sich Philon mit dem Problem konfrontiert, weshalb Moses nur ebenso alt geworden sei wie die Sünder, nämlich 120 Jahre (dtn. 34,7 bzw. gen. 6,3), aber er erledigt dieses Problem rasch und entschieden mit dem Hinweis, das Schlechte und das Gute könnten eben sehr wohl „die gleichen Zahlen und Zeiten" haben, nicht aber die gleichen Kräfte[15]). Die Zeit, so erklärt er an anderer Stelle (somn. II 41), sei nur die scheinbare Ursache von allem, eine Erkenntnis, die er auf prägnante und zugleich höchst merkwürdige Weise in dem Traktat über das Opfer Abels und Kains vorträgt. Philon verurteilt dort die Torheit der Menschen, weil sie die „alte, greise und mythenhafte Zeit" verehren, ohne die „schnelle und zeitlose Kraft Gottes" zu erkennen[16]). Er stützt sich dabei, und das ist das Seltsame, ausgerechnet auf das biblische Mahnwort Lev. 19,32: „Vor einem grauen Haupte sollst du aufstehen und die Gestalt eines Alten ehren!" Durch einen gewagten Kunstgriff macht er diese Stelle seinen Zwecken gefügig: er deutet das „Aufstehen" als „Fortlaufen" und konstruiert in der bekannten Manier einen Gegensatz zwischen dem Minuswert *πολιός* und dem Pluswert *πρεσβύτερος*: der „Altersgraue", vor dem man die Flucht ergreifen solle, bedeutet die Zeit, die nichts bewirkt, aber doch unzählige täuscht, als ob sie etwas vermöchte, der „Ältere" aber ist der Ehrwürdige von der Art jener *πρεσβύτεροι*, wie sie Moses erwählte! Philon wertet hier (sacr. 77) nicht nur die Zeit radikal ab, sondern verbindet zugleich diese Abwertung mit seiner Lieblingsexegese zu num. 11,16, also mit einer

---

[15]) Das will Philon allerdings nur als vorläufige Lösung verstanden wissen; eine gründlichere Erklärung verspricht er in der Vita des Moses zu geben, wo aber nichts davon steht. — Die *δύναμις* tritt bei Philon öfters als die positive Gegenspielerin des *χρόνος* oder *ἀριθμός* auf, so z. B. an der gleich zu nennenden Stelle sacr. 76. Von Manasse heißt es migr. 205: *χρόνῳ μὲν πρεσβύτερος ὢν* (sc. *τοῦ Ἐφραΐμ*), *δυνάμει δὲ νεώτερος*. Die Siebenzahl, lehrt Philon (post. 64), sei zwar der Reihenfolge nach später als die Sechs, *δυνάμει δὲ πρεσβυτάτη παντὸς ἀριθμοῦ*. Dergleichen Äußerungen ließen sich häufen.

[16]) Sacr. 76. Die ganze Passage 76/79 ist in erster Linie erkenntnistheoretischen Inhalts, vgl. oben S. 78[7].

seiner Hauptstützen für die vergeistigende Deutung des Altersbegriffs! Es ist nur konsequent, wenn Philon auch in seinen kosmogonischen Spekulationen dem Chronos einen untergeordneten Rang zuweist: die Zeit, lehrt er hierin Platon folgend, wirkte bei der Erschaffung der Welt nicht mit, sondern entstand erst zusammen mit dem Kosmos „oder nach ihm", und dementsprechend billigt er anderorts dem Chronos nur die Stellung eines 'Enkels' des Weltschöpfers zu, was eben besagt, daß die Zeit genaugenommen sogar erst nach dem Kosmos rangiert[17]).

Philon ist Eklektiker. Verschiedene philosophische Richtungen, besonders Platonismus, Peripatos und Stoa, haben ihn beeinflußt oder doch zu kritischer Auseinandersetzung herausgefordert. Die Sonderung der einzelnen Elemente fällt oft schwer, zumal gerade auf ethischem Gebiet mit der Existenz einer gemeinhellenistischen Denkweise, vor der sich schulmäßige Unterschiede nur schwach abheben, zu rechnen ist[18]). Hinzu kommt die andere Komponente seiner Religionsphilosophie, die es notwendig macht, stets auch jüdische Frömmigkeit und rabbinische Gelehrsamkeit im Auge zu behalten. Schließlich wird sich eine angemessene Betrachtungsweise auf die Person Philons selbst richten müssen, auf seine eigene denkerische Formkraft und die besondere Art, wie er die verschiedenen Bildungselemente zusammenfügte[19]). Vorsicht ist also geboten, will man etwas über die Herkunft dieser oder jener seiner Anschauungen sagen. Trotzdem wird man als sicher annehmen dürfen, daß Philons Verachtung für Zeit und Lebens-

---

17) Op. 26; imm. 31: vgl. Wolfson 1,311[1]. Philons Bestreben, der Zeit einen möglichst niedrigen Platz zuzuteilen, erklärt sich wohl aus seiner Polemik gegen die Gleichsetzung Χρόνος = Κρόνος und die hieraus resultierende Lehre von der Zeit als der obersten Gottheit: s. Leisegang 10/14 sowie seine Anmerkungen zu sacr. 65 und imm. 31 in der deutschen Philonübersetzung (3,245f.; 4,79). Nichts wesentlich Neues bringt demgegenüber A. Levi, Il concetto del tempo nelle filosofie dell' età Romana: RSF 7 (1952) 173/200.

18) Heinemann 542/45; Pohlenz, Philon 469. 478f. Zum Ganzen vgl. die instruktive Übersicht über die Philonforschung bei R. Arnaldez: Les Œuvres de Philon d'Alex. 1 (Paris 1961), Introduction générale 70/88.

19) Das ist die Frage, die gerade die jüngere Forschung immer wieder beschäftigt (z.B. Sandmel), von der aber auch Heinemann und Pohlenz ausgingen, ersterer bei Behandlung des philonischen Gesetzeswerks, letzterer bei seinem Versuch, einen Überblick über das Verhältnis von hellenistischem Denken und jüdischem Empfinden in Philons Gesamtwerk zu geben. Früchtel 129 möchte den Ausdruck „Eklektizist" am liebsten gemieden wissen; Philons Verfahren bei der Aufnahme griechischer Philosopheme sei mit dem seiner platonisierenden Zeitgenossen, vor allem des Antiochos v. Askalon, zu vergleichen: „ein Sammeln mit Methode und einem bestimmten Telos".

alter, die wir in diesem Kapitel kennengelernt haben, entscheidend durch die Ethik der Stoa beeinflußt ist. Wie oben (S. 59f.) bereits bemerkt wurde, sahen zwar auch die Epikureer die Lebenszeit als durchaus irrelevant an, aber ihre positive Wirkung auf Philon konnte begreiflicherweise nicht groß sein. Deutlich nachweisbar sind dagegen in seinem Werk die Spuren stoischer Ethik. Philons ethische Lehre gründet auf dem — ausdrücklich so bezeichneten — „stoischen Dogma" von der Tugend als dem einzigen Schönen und Guten, und ebenso wie dem Stoiker gelten auch ihm die äußeren 'Güter' als bloße *ἀδιάφορα* (*πλεονεκτήματα*)[20]. Zu diesen rechnet er, wiederum ganz in Übereinstimmung mit der Stoa, die Lebenszeit. Wenn HEINEMANN (547) feststellt, die „scharfen Kontraste seiner Wertelehre" seien stoisches Erbe, so trifft das in besonderem Maß auf Philons grelle Kontrastierung von Zeit und Tugend, äußerem und innerem 'Alter' zu. Für einen bestimmten Fall, nämlich für die oben S. 80 zitierte Kernstelle her. 290, hat SCHMID den detaillierten Nachweis geführt, daß Philon dort auf einer gemeinstoischen Sentenz fußt, die auch auf Cicero (Tusc. V 5) und — durch Vermittlung des Poseidonios — auf Seneca (epist. 78, 28) gewirkt hat. Überhaupt sind die Anklänge gerade an Seneca unüberhörbar (s. oben S. 60). Aber auch der Verfasser der *Consolatio ad Apollonium*, der stoische Philosopheme verarbeitet, wertet das *μῆκος χρόνου* in ganz ähnlicher Weise ab wie der Alexandriner[21]. Anders jedoch, als das bei diesen Schriftstellern oder sonst der Fall sein mochte, fand Philon häufig Anlaß, die Unabhängigkeit der Tugend von der äußeren Lebensdauer durch den vergeistigenden Gebrauch der Altersnamen auszudrücken, denn er war eben Exeget und Allegoriker[22]. Vor allem aber muß auch dieser Gedanke in den weiteren Zusammenhang philonischer Religiosität eingeordnet werden. Weisheit und Tugend beruhen ja für ihn nicht auf menschlicher Selbstvollkommenheit,

---

[20]) POHLENZ, Philon 461. 462[1]. WOLFSON 1, 111f. (u. ö.) betont stark Philons kritische Haltung gegenüber der Stoa.

[21]) Ps. Plut. cons. ad Apoll. 111B: *τὸ καλὸν οὐκ ἐν μήκει χρόνου θετέον, ἀλλ' ἐν ἀρετῇ ... κτλ.* 111D: *μέτρον τοῦ βίου τὸ καλόν, οὐ τὸ χρόνου μῆκος.* Vgl. KUIPER 53.

[22]) Ob und inwieweit die antike Homererklärung hierin Philon vorgearbeitet hatte, muß wohl offen bleiben. Die moralisierende Exegese der homerischen *βουλὴ γερόντων* (s. oben S. 57f.) vermag immerhin an Philons Deutung der 'Ältesten' zu erinnern. Aber einmal kann stoisches Gedankengut der gemeinsame Quellgrund solcher Exegesen sein — denn auch die Homerscholien führen stoische Gedanken weiter —, und zum anderen darf der Einfluß der jüdischen Schriftauslegung auf Philon nicht unterschätzt werden (vgl. oben S. 80[10]).

sondern auf Gottesgnade und Gottesnähe[23]), und so sieht er denn die Belanglosigkeit des äußeren Alters durch die göttliche Verheißung, wie sie uns in der Schrift vorliegt, gewährleistet (besonders deutlich wieder her. 290/92). Gerade durch die eigentümliche Verbindung mit jüdischer Gläubigkeit einerseits und spiritualisierender Bibelexegese andrerseits sollte die stoische Zeitentwertung bedeutenden Einfluß auf das christliche Denken erlangen.

Schließlich läßt sich unser Gesichtskreis noch nach einer anderen Richtung hin erweitern; denn auch Philons Anthropologie berührt unser Thema. Freilich müssen wir uns hier auf ganz wenige Bemerkungen beschränken. Wenn Philon immer wieder von den geistigen Lebensaltern spricht, wenn er die Nahrungsmittel der Seele mit denen des Leibes vergleicht[24]), so kann diese Metaphorik kaum recht gewürdigt werden ohne Kenntnis seiner anthropologischen Anschauungen, genauer gesagt: seiner Auffassung vom „wahren Menschen". Philon verwendet den Begriff zwar nicht stets im gleichen Sinne[25]), aber primär meint er damit den *νοῦς*. Er ist der „Mensch im Menschen" und der „wahre Mensch". Es liegt nun nahe, diese Lehre vom 'doppelten' Menschen in Beziehung zu bringen zur Doppelung der Altersstufen — denn nichts anderes bedeutet ja das fortwährende Rechnen mit geistigen Lebensaltern. Setzt man die einzelnen Bausteine zusammen, dann ergibt sich etwa folgendes Bild[26]): Wie der äußere, sinnlich wahrnehmbare Mensch eine Entwicklung kennt, nämlich die Stufen seines körperlichen Wachstums, so auch der innere, nur im Denken erfaßbare, der wahre Mensch. Auch er hat seine 'Altersstufen'. Im Unterschied zur körperlichen Entwicklung ist aber der Fortschritt des Geistes nicht an die Zeit gebunden: das ist der kardinale Unterschied.

---

[23]) Über die Idealfigur des Weisen bei Philon s. POHLENZ, Philon 426. 476f.

[24]) Zum Beispiel congr. 19. Uns ist dieser Vergleich besonders aus den paulinischen Briefen geläufig. Die gemeinsame Quelle bildet die hellenistische Moralphilosophie. Vgl. etwa LIETZMANN-KÜMMEL zu 1 Cor. 3,2: HNT 9 (1949⁴) 15, WINDISCH zu Hebr. 5,13: HNT 14 (1931²) 48 sowie BONHÖFFER 61f.

[25]) Nicht weniger als sechs Bedeutungen des Begriffs unterscheidet H. LEISEGANG, Der heilige Geist 1 (Leipzig/Berlin 1919) 78/80; s. auch J. GROSS, Philons v. Alex. Anschauungen über die Natur des Menschen (Diss. Tübingen 1930) 7/9 und H. SCHMIDT, Die Anthropologie Philons v. Alex. (Würzburg 1933) 3f. Zu Philons Vorgängern in der Lehre von der Seele als dem wahren Menschen gehören Kleanthes und Poseidonios, s. die Anmerkungen der deutschen Übersetzer zu det. 10 (3,279²) und auch BONHÖFER 115/117.

[26]) Mit voller Klarheit zeichnet sich dieses Bild, sehe ich recht, allerdings erst bei Origenes ab, s. dazu unten S. 97.

Hieraus ergibt sich die Möglichkeit der Alterstranszendenz: es ist möglich, als Kind geistig ein Mann zu sein oder gar ein Greis, es ist aber ebenso möglich, hinter der natürlichen Entwicklung zurückzubleiben, d.h. im reiferen Alter auf der geistigen Stufe des Kindes zu stehen. Äußeres und inneres Wachstum sind nicht gleichgeschaltet. — Freilich, die Ansicht, das geistige Lebensalter sei vom körperlichen unabhängig, wird im Werk Philons keineswegs konsequent durchgehalten. Philon ist ja überhaupt alles andere als ein Systematiker im üblichen Sinne[27]), und so darf es nicht irre machen, wenn sich auch Äußerungen finden, in denen Philon den seelisch-geistigen Fortschritt doch mit der körperlichen Entwicklung parallelisiert[28]). Ja, im Grunde genommen ist derlei sogar von vorneherein zu erwarten. Denn wie könnte Philon die Etappen inneren Fortschritts mit den Namen menschlicher Altersstufen belegen, bzw. die Altersbezeichnungen als solche Etappen deuten, wenn er nicht vorher den natürlichen Lebensaltern typische geistige Qualitäten zugeordnet hätte? Wie könnte er einen inneren Aufstieg von der meist negativ bewerteten Kindheit und Jugend zum positiv bewerteten Mannes- und Greisenalter annehmen, wenn nicht ein entsprechender Aufstieg im äußeren, natürlichen Bereich die Regel wäre? Nur auf dem Hintergrund einer normativen Typologie sind ja metaphorische Verwendung der Altersnamen und Transzendenzideal möglich, womit wir wieder einmal an den Rand jener Kluft getreten wären, die den gesamten Vorstellungsbereich durchzieht.

2. *Die christlichen Exegeten*

Angesichts des wohlbekannten, allenthalben nachweisbaren Einflusses der philonischen Schriftauslegung auf die christlichen Exegeten wird es nicht weiter wundernehmen, wenn auch die vergeistigende Deutung der Lebensalter, die der Alexandriner so oft als Mittel seiner Allegorese einsetzt und dem Leser immer wieder in scharfen

---

[27]) Vor einer straffen Systematisierung philonischer Gedanken warnt besonders eindringlich Völker, Fortschritt 49. Die neuere Forschung (so Früchtel, Christiansen) ist demgegenüber stärker bemüht, Philons Religionsphilosophie in ihrer inneren Gesetzmäßigkeit zu erfassen, ohne doch die nach außen zutage tretenden „Inkonsequenzen" in Abrede zu stellen: vgl. Früchtel 129f.

[28]) So her. 295/299 und wohl auch agr. 9, hier sogar in Verbindung mit der Lehre vom inneren Menschen.

Formulierungen einprägt, ihre Wirkung nicht verfehlt hat[1]). Doch über das Maß dieser Wirkung mag man mit Recht erstaunt sein. Den Zugang zu der Fülle des christlichen Materials gewinnen wir am leichtesten, wenn wir zunächst die Wirkungsgeschichte bevorzugter philonischer Exegesen verfolgen. Zugleich dürfte sich auf diese Weise am überzeugendsten die Kontinuität der exegetischen Tradition offenbaren.

Beginnen wir mit den beiden Lieblingsexegesen Philons zum Alter Abrahams (gen. 24,1 bzw. 18,11) und zur Wahl der siebzig Ältesten (num. 11,16)! Einen Gutteil der Arbeit hat uns hier freilich schon Paul WENDLAND abgenommen. Er druckte im zweiten Band der großen Philonausgabe S. 218f. unter dem Text von sobr. 14ff. fünf einschlägige Passagen im Wortlaut ab, vier davon aus Origenes, eine aus Hieronymus. Schon diese Zitate lassen erkennen, mit welcher Passion vor allem Origenes sich die betreffenden Exegesen Philons aneignet, ja teils sogar noch breiter ausführt; sie machen auch deutlich, daß die christlichen Erklärer gerade die Paarung beider Exegesen, in der ebenfalls Philon vorangegangen war, bevorzugten. Auf die Reproduktion der bei WENDLAND abgedruckten Stellen sei hier verzichtet. Erwähnung verdient jedoch, daß Origenes selbst an einer dieser Stellen ausdrücklich auf die Existenz von Vorgängern in der spiritualisierenden Deutung des Begriffs *πρεσβύτερος* aufmerksam macht: *etiam ante nos quidam observantes notarunt in scripturis quia presbyteri vel seniores non ex eo appellentur quod longaevam duxerunt vitam, sed pro maturitate sensus et gravitate vitae veneranda hac appellatione decorentur* ... eqs. Wenn Origenes dann noch das eben genannte 'klassische' Exegesen-Paar folgen läßt, so wird vollends klar, auf wen der anonyme Hinweis primär zielt[2])! WENDLANDS Parallelensamm-

---

[1]) Über den geschichtlichen Einfluß der philonischen Schriftauslegung bis hin zu den Lateinern des vierten und fünften Jahrhunderts unterrichtet der zweite Teil des Buchs von SIEGFRIED (zu unserem Thema: 355. 377). Vgl. außerdem P. HEINISCH, Der Einfluß Philos auf die älteste christliche Exegese (Münster 1908) = Alttest. Abh. 1/2 und WOLFSON passim (s. dort bes. den Index der christlichen Autoren: 2,498/500 und das Sachregister 506ff.). S. auch unten S. 96[21].

[2]) Ruf. Orig. in Jos. hom. 16,1 (GCS 30,394). Andrerseits vermag gerade die summarische Art dieses Hinweises daran zu erinnern, daß auch Philons Allegoristik ihrerseits keine isolierte Größe, sondern eher ein Sammelbecken verschiedener Strömungen darstellt; vgl. oben S. 80[10] und SIEGFRIED 26f. — Origenes könnte freilich auch frühere christliche Erklärer, Clemens v. Alex. vor allem, im Auge haben, doch ist uns von ihnen keine einschlägige Exegese erhalten, so sehr gerade Clemens sonst die allegorische Deutung biblischer Altersangaben gepflegt hat.

lung kann nun allerdings keineswegs den Anspruch erheben, vollständig zu sein, es gäbe mancherlei nachzutragen. Hervorgehoben sei hier ein Passus aus dem Kommentar des Hieronymus zum Propheten Zacharias: die *senes et anus*, die nach Zach. 8,4 auf den Plätzen Jerusalems sitzen, bedeuten die Vertreter der *sapientia* und *vita immaculata* in der Kirche (= Jerusalem). Hieronymus gewinnt diese Exegese in Anlehnung an jene Kardinalstelle in der Weisheit Salomons, deren Wortlaut wir bereits an früherer Stelle mitgeteilt haben (S. 58), und er erhärtet die Richtigkeit seiner vergeistigenden Deutung weiterhin durch die beiden Paradebeispiele: das Alter Abrahams und die Wahl der Ältesten[3]. Instruktiv ist dieser Passus vor allem auch deshalb, weil er uns erstmals zeigt, wie die christlichen Erklärer die exegetischen Ansätze Philons durch Berufung auf sap. Sal. 4,8f. zu untermauern verstehen.

Nicht viel anders steht es mit der Auslegung des „guten Alters" Abrahams gen. 15,15, bzw. 25,8: hatte Philon darin einen Ausdruck rein geistiger Vorzüglichkeit fernab aller irdischer Langlebigkeit erblickt, so folgten ihm die Christen willig, allen voran wieder Origenes. Es gebe einen *profectus aetatis* im geistigen Sinne, lehrt er, und so sei auch gen. 15,15 aufzufassen: . . . *nutritus in senectute bona, utique spiritali, quae est vere senectus bona, canescens et ad finem usque perveniens in Christo Iesu.* Oder an anderer Stelle: die Verheißung Gottes an Abraham gelte *τοῖς τετελειωμένοις καὶ πνευματικῶς μακροημέροις γενομένοις* — was wiederum durch die Weisheit Salomons in Verbindung mit prov. 16,31 und schließlich durch eine spiritualisierende Paraphrase von prov. 20,29 erläutert wird: *δόξα τοῖς ἀληθινοῖς καὶ θείοις πρεσβυτέροις αἱ κοσμοῦσαι αὐτοὺς νοηταὶ πολιαί*[4]. Einer der getreuesten Gefolgsleute Philons war Ambrosius. Seine Erklärung des „guten Alters", die er in der Schrift Über Abraham gibt, läßt denn auch besonders deutliche Anklänge an jenen entschiedenen, ja harten Ton vernehmen, den der jüdische Exeget anschlägt, wenn es darum geht, das natürliche Alter zugunsten des geistigen abzuwerten: *non dixit 'longa'* (sc. *senectute*), *sed 'bona', quia iustus bene senescit, iniustorum autem nemo, quamvis cervis vivacibus diuturniorem vitam vixerit;*

---

[3]) Hier. in Zach. II 8,4f. (PL 25,1465C/D). Nachzutragen wären bei WENDLAND ferner: Ruf. Orig. in ps. 36 hom. 4,3 (PG 12,1354f.); Ps. Basil. in Is. 3,2 (PG 30,288B); Hier. tract. de ps. 91 (CCL 78,140f.): Abraham zuerst *πρεσβύτερος*, bzw. *senex*! Hier. epist. 58,1,2 (CSEL 54,528): Wahl der 70 Ältesten! Vgl. auch unten S. 179f. zu Ambros. in ps. 118,2,18.

[4]) Hier. Orig. in Lc. hom. 20 (GCS 49,124); Orig. in Joh. XX 79 (GCS 10, 340), vgl. auch Ruf. Orig. in gen. hom. 15,6 (GCS 29,134).

nam diu vivere commune sapientibus atque insipientibus est, bene autem vivere speciale sapientis est, cuius senectus venerabilis, et 'aetas senectutis vita inmaculata, non diuturna' inquit (sc. *Salomo*) *'neque numero annorum computata' nec capillis canis in capite, sed sensibus. ille ergo bene senescit qui bene senserit.* Unvermeidlich also auch hier der stereotype Hinweis auf sap. Sal. 4, 8f.[5])!

Die gleiche Bibelstelle ist es auch wieder, die Ambrosius benützt, um eine andere Exegese Philons noch entschiedener, als dies der Alexandriner selbst tat, im Sinne der *aetas spiritalis*-Thematik zu deuten. Daß die Schrift an der Stelle, wo die verschiedene Berufswahl Kains und Abels erwähnt wird (gen. 4, 2), den jüngeren Abel an erster Stelle vor dem älteren Kain nennt, war schon Philon aufgefallen. Er sieht darin eine anthropologische Tatsache angedeutet: das Laster (= Kain) ist zeitlich älter als die Tugend (= Abel), denn es begleitet im Unterschied zu dieser den Menschen schon von Geburt an; trotzdem verdient natürlich die Tugend, ungeachtet der zeitlichen Reihenfolge des Entstehens, den Vorrang vor dem Laster. Ambrosius übernimmt die philonische Erklärung, konzentriert aber die Unterscheidung stärker auf die Personen: *recte ubi nascuntur hi fratres, servatur etiam in praedicando ordo naturae: ubi vero exprimitur disciplina vivendi, seniori iunior antefertur, quia etsi tempore iunior virtute praestantior est.* Zwar wird sofort im Anschluß daran die allgemeine anthropologische Gegebenheit, das Verhältnis von Sünde und Unschuld, dargestellt, aber das Zitat aus der Weisheit Salomons rückt dann wieder die geistige Wertung der Lebensalter stärker in den Vordergrund. So wird Abel bei dem Kirchenvater ganz entschieden zum Typ des *iuvenis senex*[6]).

Es drängt sich die Frage auf, warum die Stelle im salomonischen Weisheitsbuch eine so überragende Bedeutung innerhalb der christlichen Allegorese der Lebensalter erhalten konnte. Diese Frage beantwortet sich leicht, wenn wir den Blick wieder auf Philon richten.

---

[5]) Ambros. Abr. II 9, 64 (CSEL 32/1, 619). Hieronymus verwendet die gleiche exegetische Kombination innerhalb eines Lobs auf den jungverstorbenen Nebridius: *dormivit in domino et adpositus est ad patres suos plenus dierum et luminis et nutritus in senectute bona* (*cani enim hominis sunt sapientia*) *et in brevi aetate tempora multa conplevit* (epist. 79, 6, 1: CSEL 55, 93); auch die in dem Ausdruck *plenus dierum et luminis* angedeutete lichtsymbolische Spekulation geht übrigens auf Philon zurück, vgl. oben S. 76f. — Die bloß moralisierende Exegese der *senectus bona*, die sich von der streng allegorisierenden nicht unbeträchtlich unterscheidet, verdient eine gesonderte Behandlung, die ich an anderer Stelle vorzulegen hoffe.

[6]) Ambros. Cain et Abel I 11 (CSEL 32/1, 346f.); über die entsprechende philonische Deutung vgl. auch oben S. 82[14].

Diesmal ist es allerdings ein Kontrast, der uns ins Auge fällt. Philons vergeistigende Deutung der biblischen Altersangaben brachte einen tieferen Sinn des heiligen Wortlauts zutage, aber eben einen verborgenen Sinn, der nirgendwo in der Schrift klipp und klar und für jedermann faßlich ausgesprochen war; nur denen, „die zu hören verstehen", offenbart sich dieser Sinn[7]). Der christliche Gelehrte, der den Gläubigen die geistige Bedeutung des 'Greisenalters' erklären wollte, befand sich demgegenüber in einer günstigeren Lage, günstiger jedenfalls insofern, als er es leichter hatte, die oft recht gezwungenen Exegesen Philons mit Überzeugungskraft vorzutragen. Denn der Christ konnte sich auf eine Stelle, eben jenen locus classicus in der Sapientia Salomonis, berufen, wo der geistige Sinn des Alters und die damit gegebene Entwertung der bloß natürlichen Lebenszeit klar und unmißverständlich ausgesprochen wird. Er konnte das deswegen tun, weil ihm das Weisheitsbuch wo nicht als kanonischer oder gar authentisch salomonischer Text, so doch als ehrwürdige, den kanonischen Schriften nahestehende Erbauungsliteratur galt[8]), während natürlich der Jude Philon, der in zeitlicher Beziehung und auch sonst in mancherlei Hinsicht mit dem Verfasser der Sapientia Salomonis etwa auf eine Stufe zu stellen ist, ein solches Verhältnis zu diesem Text keinesfalls haben konnte. Für den christlichen Exegeten, der auf Philons Spuren wandelnd die Altersangaben der Schrift allegorisch erklärt, hat die Äußerung der Weisheit Salomons somit den unschätzbaren Wert einer ausdrücklichen Rechtfertigung des exegetischen Prinzips. Wollte man den Sachverhalt pointiert wiedergeben, dann könnte man sagen: was Philon in die Schrift hineintrug, fand der Christ schon darin vor[9])!

Aber noch unter anderem Gesichtspunkt verdienen die Worte des Weisheitsbuchs Beachtung. Wie wir im vorigen Kapitel sahen, nimmt Philon einen bedeutsamen Unterschied der Begriffe *πρεσβύτερος* und *γέρων* (*γῆρας*) an, nur ersterer gilt ihm gemeinhin als Ausdruck positiven Werts, und nur solche Stellen, an denen der Text der Septuaginta dieses Wort bietet, macht er in der Regel zum Kristallisationspunkt seiner allegorischen Spekulationen über das Greisenalter. Es leuchtet ein, daß sich Philon damit eine gewisse Beschränkung auferlegte. Denn

[7]) Sobr. 21; ähnliche Aussagen stellt Wolfson 1,115 zusammen.

[8]) Zur altkirchlichen Bezeugung des salomonischen Weisheitsbuchs vgl. Schürer 3, 508/510.

[9]) Dabei sei nicht die allgemeine Tatsache verkannt, daß sich auch Philon durch gewisse Spuren allegorischer Deutung in der Schrift selbst ermutigt fühlen durfte (vgl. Siegfried 16); aber darunter findet sich nichts, was die Allegorese der Lebensalter betrifft, und erst recht nichts, was dieses Prinzip so radikal zum Ausdruck brächte wie die Weisheit Salomons!

auch wenn zu bedenken bleibt, daß πρεσβύτερος und πρεσβύτης die weitaus häufigsten Ausdrücke der Septuaginta für das Alter sind, so bedeutet doch das bloße Vorhandensein der sprachlich feinen Distinktion Philons eine merkliche Barriere gegen das wahllose Wuchern solcher Metaphorik. Anders die Kirchenväter! Schon die wenigen Passagen, die wir bisher vorführten, zeigen, daß sie in der allegorischen Deutung des Altersbegriffs keinerlei Zurückhaltung mehr üben; die philonische Unterscheidung machen sie im großen und ganzen nicht mit, mögen sie auch gelegentlich darauf zurückgreifen. Billigerweise wird man hierbei allerdings die besondere Situation der lateinischen Exegeten berücksichtigen müssen. Im Lateinischen ist ja jene begriffliche Trennung von πρεσβύτερος und γέρων, die auch im Griechischen auf einer feinen sprachlichen Nuance beruht, schwer nachzuvollziehen; rein lateinische Äquivalente, die eine entsprechende Nuancierung erlaubt hätten, gab es eigentlich überhaupt nicht[10]. Überdies kam noch eine ernste Schwierigkeit hinzu. Die Lateiner des vierten Jahrhunderts, also gerade die Hauptvertreter der kirchlichen Literatur des Westens, konnten nicht mehr ohne weiteres, wie das zum Teil noch in der Itala geschehen war, das griechische *presbyter* als Altersbezeichnung übernehmen, da sie eine mögliche Verwechslung mit dem inzwischen auch im Lateinischen voll ausgebildeten Amtstitel *presbyter* = ‘Priester’ einzukalkulieren hatten. Hieronymus ersetzte daher, als er daran ging, die Bibel neu zu übertragen, das griechische Wort dort, wo es nötig schien, durch andere, zum Beispiel durch *senior*[11]. Lehrreich sind in dieser Hinsicht auch Rufins und Hieronymus' Origenesübersetzungen. Origenes scheint im allgemeinen noch dem Sprachgebrauch Philons gefolgt zu sein, jedenfalls verwandte er in jenen genuin philonischen Exegesen, zum Alter Abrahams etwa oder

[10]) Es fehlt ein lateinisches Wort für „Greis“, das einerseits von *senex* stammverschieden ist, andrerseits den deutlichen Sinn des Ehrwürdigen mitführt, das mithin den Begriffen *senex, senectus* etc. ebenso gegenübertreten könnte wie πρεσβύτερος (πρεσβύτης) den Begriffen γέρων, γῆρας etc. Wie problematisch für den lateinischen Übersetzer die im Griechischen mögliche Differenzierung zwischen γέρων und πρεσβύτης sein kann, erörtert, allerdings in anderem Zusammenhang, Augustin in ps. 70 serm. 2,4 (CCL 39,962f.). Seine Bemerkungen enthalten zugleich das Eingeständnis, daß die Trennung zweier verschiedener Altersstufen *gravitas* und *senectus*, die er selbst gelegentlich ebenso wie Isidor vertritt (vgl. ThLL 6,2308,12/18), im tatsächlichen Sprachgebrauch kaum einen Anhalt fand.

[11]) Zur Wortgeschichte von *presbyter* vgl. außer den Arbeiten von Mohrmann (Sondersprache 138; Études 1,293; 3,81) auch H. Janssen, Kultur und Sprache (Nijmegen 1938) = Latinitas Christianorum Primaeva 8,73ff. (bes. 74[1]).

zur Wahl der Ältesten, das Wort πρεσβύτερος, wie das ja ohnehin auch durch den Bibeltext nahegelegt wurde. Hieronymus und Rufin bemühen sich nun nach Kräften, durch Beibehalten des griechischen Ausdrucks dem Wortlaut des Originals gerecht zu werden, können aber aus besagtem Grund nicht umhin, fortwährend erläuternde Hinweise wie *presbyter id est senex, presbyteri vel seniores* beizugeben, womit sie natürlich den von Philon und wohl auch von Origenes her vorausgesetzten Unterschied der Begriffe wieder einebnen. Daß sich die Lateiner in ihren eigenen Exegesen von vorneherein unbedenklich der Wörter *senex, senectus* etc. bedienen, versteht sich von selbst. Für sie hat Philons Sonderung eigentlich nie Gewicht erlangt. Aber auch in den Texten der griechischen Exegeten ist zu beobachten, wie sich die Begriffe zusehends nivellieren. Die Aufnahmebereitschaft des Christentums für den Gedanken der geistigen Alterstranszendenz war ja allgemein außerordentlich groß. Nachdem sich die vergeistigende Interpretation der Altersnamen einmal in der christlichen Exegese eingebürgert hatte, ging folglich der Zug dahin, dem beliebten exegetischen Grundsatz einen möglichst weiten Anwendungsbereich zu verschaffen. Wie mußte es da wirken, daß ausgerechnet an jener immer wieder zitierten Kernstelle des Weisheitsbuchs die Ausdrücke γῆρας, πολιά, ἡλικία γήρως zur Grundlage der spiritualisierenden Deutung gemacht werden! Angesichts solcher Autorität konnte keinerlei Grund mehr bestehen, dem Wort πρεσβύτερος ein Sonderrecht zuzugestehen, auch die anderen Begriffe wurden voll in den Prozeß der Spiritualisierung einbezogen. Das zeigt sich zum Beispiel schon bei Eusebius, wenn er aus Anlaß von ps. 91,15 (Vergleich des Gerechten mit der Palme und der Libanonzeder, die im Alter Frucht tragen) erklärt: γῆρας δὲ ἐνταῦθα τὴν τελείωσιν πέπεισο λέγεσθαι τῆς ψυχῆς[12]). Wohl am stärksten wirkten sich aber die Worte der salomonischen Weisheit für

---

[12]) Euseb. in ps. 91,15f. (PG 23,1181C). Dieselbe Deutung gibt er schon vorher zu v. 11 (τὸ γῆρας μου ἐν ἐλαίῳ πίονι): Jugend und Mannesalter der Seele müssen sich im Kampf gegen das Böse bewähren, die Wendung zum Besseren bringt das γῆρας der Seele, τουτέστιν ἡ τελείωσις (1180A/B). Zur weiteren Auslegungsgeschichte vgl. Hieronymus in seinem Traktat zum 91. Psalm (s. oben S. 89[3]), der v. 11 in die spiritualisierende Exegese zum Alter Abrahams einschmilzt, und besonders Augustin (CCL 39,1287f.), der von demselben Vers ausgehend das traditionelle Thema der *senectus spiritalis* mit dem heilsgeschichtlichen und eschatologischen Aspekt verknüpft. — Der Baumvergleich ist bei den Vätern im Hinblick auf die vielen Anhaltspunkte im AT und NT äußerst beliebt. Meist umschreibt aber das 'Fruchttragen' geistige Vorzüge des wirklichen Greisenalters oder überhaupt solche eines gerechten Christenlebens; zu ersterem s. vor allem Chrys. hom. de Eleaz. 1 (PG 63,523).

die christliche Metaphorik des 'Grauhaars' aus. Als höchstes Lob gilt es, wenn einem jungen Menschen „grauhaarige Jugend" bescheinigt[13]) oder das Zeugnis ausgestellt wird, er sei „an Verstand grauhaarig gewesen vor dem grauhaarigen Alter"[14]); Ziel des rechten Christen muß es sein, die Seele „ergrauen" zu lassen und einen „altersgrauen Sinn" zu erwerben, und immer wieder wird fast bis zum Überdruß das „Grauhaar" der Weisheit, des Glaubens oder kurzum das „apostolische Grauhaar" gerühmt[15]). Ohne die besondere Art der Formulierung, wie sie das Weisheitsbuch an der betreffenden Stelle bietet, wäre diese Bildersprache bei den Vätern kaum so üppig ins Kraut geschossen. Man bedenke dabei, wie sehr der Begriff des 'Grauen' bei Philon fast durchweg abgewertet wurde, wenn es um die vergeistigende Deutung des Greisenalters ging; er steht dort fast immer auf der negativen Seite und kennzeichnet die Zeit oder das körperliche Alter. Diese Gegensetzung von innerer Reife und sichtbarem Alterszeichen handhaben zwar auch die christlichen Autoren mit großer Virtuosität, aber sie verzichten darauf, die Kontrastwirkung auf Kosten der Begriffe *πολιά*, *canities* zu erzielen: auch diese erhalten im Kreis der vergeistigten Altersbezeichnungen volles Daseinsrecht. So erklärt etwa Chrysostomus, dem Christen sei die Haarfarbe als solche gleichgültig: entscheidend sei nur „das weiße Haar im Innern" (*ἡ ἔνδον πολιά*), und Augustin macht das helle Greisenhaar sogar zum Gegenstand einer farbensymbolischen Spekulation, insofern er den natürlichen Prozeß

---

[13]) So spricht der alte Nikobulos bei Greg. Naz. carm. II/2,5,221 (PG 37, 1537) von der *πολιὴ νεότης* seines Sohnes.

[14]) Gregor v. Naz. in der Grabrede auf Basilius: *τίς μὲν οὕτω πολιὸς ἦν τὴν σύνεσιν καὶ πρὸ τῆς πολιᾶς; ἐπειδὴ τούτῳ καὶ Σολομὼν τὸ γῆρας ὁρίζεται . . . κτλ.* (or. 43,23: PG 36,525C). Gerade im Bereich des Totenlobs berief man sich gerne auf die Sapientia Salomonis, da dort (4,13. 16) das geistige Greisenalter mit dem Gedanken an die frühe Vollendung Jungverstorbener verbunden wird. Vgl. Hier. epist. 79,6 über Nebridius, den frühverstorbenen Schwiegersohn Gildos und Neffen der Aelia Flacilla — dazu oben S. 90[5] —, und epist. 75,2,1 (CSEL 55,31) über einen ebenfalls vorzeitig verstorbenen Lucinus. Das vierte Kapitel des Weisheitsbuchs wird die Verbreitung des *puer senex*-Ideals im inschriftlichen und literarischen Totenpreis der Christen wohl auch allgemein befördert haben, selbst wenn nicht überall ausdrücklich Zitate daraus gegeben werden.

[15]) Neben den oben S. 38[13] genannten Belegen vgl. Pallad. dial. 4 (PG 47,17): *ἀρετῇ τὴν ψυχὴν πολιοῦν*, Aug. mor. eccl. I 10,17 (PL 32,1318): *canities sapientiae*, Ambros. Joseph 58 (CSEL 32/2,110): *canae fidei aetas*, Paul. Nol. carm. 25,218 (CSEL 30/2,245): *apostolica canities*; s. auch ThLL s. v. *canesco* (3,250,15), *canities* (261,17/26), *canus* (297,71/79), *incanus* (7,847,34/40).

des *canescere* und *inalbescere* spiritualisierend auf die zunehmende Befreiung der Kirche von der Sündenschwärze deutet[16]).

Mit einigen der eben genannten Beispiele zur altchristlichen Bildersprache haben wir bereits die Grenze der eigentlichen exegetischen Literatur überschritten. Aber wo ließe sich diese Grenze überhaupt einhalten? Welches Thema gestattete eine derartige Beschränkung? Die Kirchenväter leben ganz und gar in der Welt der Schrift, mögen sie sich nun als Kommentatoren im strengen Sinne oder etwa als Redner, Briefschreiber, Dichter äußern. Es liegt uns nur daran zu zeigen, wie der Umgang mit den vergeistigten Altersnamen, der den kirchlichen Autoren so selbstverständlich ist und der sich so leicht mit dem Transzendenzgedanken verbindet, aus der Schrifterklärung erwächst. Philon war hierin der Lehrmeister der christlichen Exegeten. Der Same, den er gelegt hatte, ging auf dem Boden der Väterliteratur voll auf. Bei aller Ausweitung der Transzendenzidee im Christentum bleibt sein Einfluß immer deutlich fühlbar. Bisweilen meint man sogar, die Spur einzelner besonders einprägsamer philonischer Wendungen wiederzuentdecken. In den Jeremiashomilien sagt Origenes, Jeremias sei mit dem Prophetengeist ausgezeichnet worden *ἔτι ἐκ σπαργάνων* und habe von Kindheit an geweissagt[17]). Das ist eine Feststellung, die zunächst einfach die Angabe in Jer. 1,5 (Jeremias vom Mutterschoß an zum Propheten bestimmt) paraphrasiert. Aber erinnert diese Ausdrucksweise nicht auch an jene markante Formulierung Philons, die wir oben S. 81 kennengelernt haben? Der Tugendfreund, lehrt Philon, erhält einen Platz im Altenrat der Vernunft, und zwar: *ἐξ ἔτι σπαργάνων*. Auch Chrysostomus gebraucht den Ausdruck; ja sachlich kommt er dem, was Philon an der betreffenden Stelle meinte, sogar recht nahe. In seinem Lobpreis auf den antiochenischen Bischof Flavianus, unter dem er zum Priester geweiht worden war, sagt er, Flavianus habe nach dem tugendhaften Vorbild des Moses gelebt „und das von Jugend an, wenn er überhaupt einmal jung war; denn ich glaube es nicht: ein so altersgrauer Sinn eignete ihm *ἐξ αὐτῶν τῶν σπαργάνων*“[18]). Das ist eine wahrhaft groteske Übertreibung, die an manches erinnert, was die Grabinschriften bieten. Aber nicht viel anders äußert sich auch Gregor v. Nazianz, und zwar über seine eigene Kindheit: *ἐκ σπαργάνων* im Guten unterwiesen, habe er — schon damals, als kleines Kind — ge-

---

[16]) Chrys. in Hebr. hom. 7,4 (PG 63,66); Augustin im Psalmenwerk: s. oben S. 93[12].

[17]) Orig. in Jer. hom. 14,5 (GCS 6,110, Z. 4/6).

[18]) Chrys. ordin. 3 (PG 48,697 unten).

wissermaßen die Würde des Alters angenommen[19]). Das gleiche Motiv begegnet endlich noch bei Venantius Fortunatus: (*Hilarii*) *a cunabulis tanta sapientia primitiva lactabatur infantia* . . . eqs.[20]). Man wird wohl in keinem der vier Fälle von einer direkten Philonreminiszenz sprechen dürfen. Dazu ist diese Hyperbel überhaupt zu verbreitet. Aber auch so kann der Weg, den die genannten Stellen weisen, in einem weiteren Sinne aufschlußreich sein. Denn in ihm spiegelt sich der Entwicklungsgang des Transzendenzgedankens überhaupt: Philon geht voran, dann folgt Origenes, einer der wichtigsten Mittler philonischen Gedankenguts; Chrysostomus verwendet den Ausdruck, nunmehr losgelöst aus exegetischem Zusammenhang, in einer panegyrischen Rede, Gregor in seinem autobiographischen Gedicht, und den Schluß bildet ein später lateinischer Dichter und Hagiograph[21]).

Aber wir müssen noch weiter ausholen! Bisher haben wir uns im Anschluß an entsprechende philonische Exegesen und deren Übernahme durch die christlichen Interpreten sowie in Erörterung der Kardinalstelle im salomonischen Weisheitsbuch vornehmlich mit der vergeistigenden Deutung des Greisenalters und mit der Forderung nach frühzeitiger Antizipation der Alterstugenden beschäftigt. Will man aber ein wirklichkeitsgetreues Bild von der Ausbreitung des Transzendenzgedankens im Christentum erhalten, so kommt viel darauf an, vollen Einblick in das verzweigte System der *aetates spiritales* zu gewinnen. Zunächst einmal ist natürlich klar, daß auch bei den Christen nicht nur der Begriff des 'Alters' zu einem geistigen Wert genormt wird; denn er setzt ja die Existenz eines Gegenpols, einer geistigen 'Kindheit' oder 'Jugend' voraus. Bis zu welcher Perfektion die Lebensaltermetaphorik zur Bezeichnung des geistig-sittlichen Fortschritts von den Vätern entwickelt wurde, zeigt am besten Origenes. Sein gesamtes exegetisches Werk ist von dieser Vorstellung förmlich durchsetzt, namentlich seine Lukashomilien und seine Kommentare zum Matthäusevangelium und zum Hohen Lied bilden wahre Fund-

[19]) Greg. Naz. carm. II/1,11 (*de vita sua*), 93/95: PG 37,1036.

[20]) Ven. Fort. vita Hil. 3,7 (MGH a.a. 4/2,2).

[21]) Um Mißverständnissen vorzubeugen, sei hier nochmals nachdrücklich darauf hingewiesen, daß die Annahme philonischen Einflusses durchaus nicht immer die direkte Benutzung seiner Werke voraussetzt. Lehrreich ist in diesem Zusammenhang eine Beobachtung COURCELLES (184) zu Augustins Philonkenntnis: Augustin c. Faust. XII 39 (CSEL 25/1, 365f.) zitiert eine Exegese ausdrücklich unter dem Namen Philons, verdankt jedoch sein Wissen wahrscheinlich nur der Vermittlung des Ambrosius. Hieronymus dagegen benutzte Philon ebenfalls direkt (vgl. COURCELLE 70f.), und es verdient immerhin Erwähnung, daß er ihn in den christlichen Schriftstellerkatalog aufnahm (vir. ill. 11).

gruben für unser Thema. Uns kann es nur darum zu tun sein, aus der Masse des Vorhandenen einige charakteristische Belege auszuheben. Origenes nimmt ein doppeltes 'Wachstum' des Menschen an, ein körperliches und ein geistiges; auf das erstere hat der Einzelne selbst keinen Einfluß, letzteres dagegen hängt von ihm ab [22]). Wie es körperlich große, mittelgroße und kleine Menschen gibt, so gibt es auch Größenunterschiede unter den menschlichen Seelen; im seelischen Bereich ist das 'Größerwerden' aber eben in unsere Macht gestellt, es liegt an uns, durch das geistige Alter Fortschritte zu machen [23]). Dementsprechend gibt es zweierlei Stufenfolgen menschlicher Lebensalter: *duae in scripturis feruntur aetates, altera corporis, quae non est in potestate nostra, sed in lege naturae, altera animae, quae proprie in nobis sita est, iuxta quam, si volumus, cotidie crescimus* . . . eqs [24]). Die geistigen Lebensalter sind dem inneren Menschen zugeordnet wie die körperlichen dem äußeren [25]). Da aber nun die beiden Altersfolgen unabhängig voneinander verlaufen, „ist es möglich, dem inneren Menschen nach ein Kind zu sein, selbst wenn man im körperlichen Greisenalter steht, aber auch dem äußeren Menschen nach ein Kind, dem inneren nach ein Mann: ein solcher war Jeremias . . ." [26]). Origenes arbeitet also mit zwei Maßstäben, so könnte man verdeutlichend sagen, und auf jedem der beiden Maßstäbe sind die Namen der menschlichen Lebensalter eingetragen. Je nachdem, wie nun die Maßstäbe zueinander verschoben werden, ergibt sich bald der Wert eines *senex puerilis*, bald der eines *puer senilis*. Der Gebrauch der Altersmetaphorik ging Origenes sozusagen in Fleisch und Blut über. Als er sich im Prolog des Kommentars zum Hohen Lied um den Nachweis bemühte, daß in der Schrift auch von 'Körperteilen' der Seele die Rede sei, berief er sich hierfür auf die

[22]) Orig. in Lc. hom. 11 (GCS 49,66): *διττὸν γὰρ τὸ αὐξάνειν . . . κτλ.*; so, d. h. im geistigen Sinne, ist das Heranwachsen des Täufers (Lc. 1,80) und Gottes Geheiß: „wachset und mehret euch . . ." (gen. 1,22) zu verstehen sowie auch das, was gen. 26,13 über Isaak gesagt wird. — Zum 'Wachsen' Christi im Menschen s. auch Völker, Vollkommenheit 99f.

[23]) Orig. in Mt. XIII 26 (GCS 40,250f.) zu Mt. 18,10. Die *προκοπή* im geistigen Alter wird hier illustriert durch Lc. 2,52 (Heranwachsen Jesu!) und Eph. 4,13.

[24]) Hier. Orig. in Lc. hom. 20 (GCS 49,123f.); belegt durch Eph. 4,13f.; 1Cor. 13,11.

[25]) Ruf. Orig. in ps. 36 hom. 4,3 (PG 12,1354f.). Die Vorstellung entwickelt sich hier aus der vergeistigenden Interpretation zu ps. 36,25 („jung bin ich gewesen und alt geworden . . ."), wird gestützt durch 1 Cor. 13,11; Lc. 2,52 und Jer. 1,5/7.

[26]) Orig. in Jer. hom. 1,13 (GCS 6,10/11); bezeichnend die Einleitung: *πολλάκις εἴπομεν . . . κτλ.*

geistige Bedeutung der Altersklassen. Ihre spiritualisierende Erklärung hielt er demnach für so evident — der Ausdruck fällt im Rufinschen Text —, daß er damit den geistigen Sinn solcher Begriffe wie Augen, Ohren, Hände, Fuß, Bauch usw. glaubte stützen zu können[27]).

Origenes durfte sich freilich auch in diesem Punkte sicher fühlen. Denn sogar das Neue Testament, Paulus selbst, kennt ja den geistigen Sinn der Altersnamen! Die Bedeutsamkeit dieser Tatsache für die Entwicklung der Transzendenz-Thematik bei den Christen wird man nicht hoch genug veranschlagen können. Wir sahen ja bereits, wie gerne die Kirchenväter immer wieder die Sapientia Salomonis als Zeugin anrufen, wenn es um die Darstellung des geistigen 'Greisenalters' geht, war doch eben durch sie eine direkte, unverschlüsselte Bestätigung für die Richtigkeit des beliebten hermeneutischen Prinzips gegeben. Wieviel willkommener noch mußte es aber den kirchlichen Exegeten sein, daß der Apostel selbst die Begriffe 'Mann' und 'Kind' gebraucht, um den Zustand innerer Reife und Unreife des Christen auszudrücken! Es sind denn auch die betreffenden Stellen im paulinischen Briefwerk — nämlich vor allem 1Cor. 3,1f., 13,11, Eph. 4,13 (dazu Hebr. 5,13f.) —, die stets von neuem dazu herhalten müssen, die weitgespannte Lebensalterallegoristik der Kirchenväter zu stützen. Das läßt sich wieder bei Origenes besonders gut beobachten. Vom Sprachgebrauch Pauli ausgehend wagt er es, auch an anderen neutestamentlichen Stellen allegorischen Sinn der Altersnamen anzunehmen, z.B. innerhalb des Berichts über die erste Brotvermehrung bei Matthäus[28]), vor allem aber untermauert er natürlich mit den Äußerungen des Apostels seine entsprechenden Exegesen zum Alten Testament. So gibt er, wieder ganz Philons Spuren folgend, gegen Ende der 20. Homilie zum Lukasevangelium eine spiritualisierende Deutung des „guten Alters“ Abrahams (vgl. oben S. 89), vorher jedoch weist er die Berechtigung einer Annahme von *aetates animae* durch Eph. 4,13f. und 1Cor. 13,11 nach! Dieser Fall zeigt einmal besonders deutlich, wie leicht es dem christlichen Exegeten gemacht war, die philonischen Altersallegorien zu übernehmen. Der Gebrauch der Altersnamen zur Bezeichnung der Reifestadien des 'inneren Menschen' hatte sich im Hellenismus entwickelt und war von hier

[27]) Ruf. Orig. comm. in cant. prol. (GCS 33,64f.) mit Bezug auf 1Joh. 2,13f.; 1Cor. 3,1f.; 13,11; Eph. 4,13.

[28]) Orig. in Mt. XI 3 (GCS 40,37f.): es ist von Bedeutung, daß Mt. 14,21 nur die Zahl der Männer, nicht die der Frauen und Kinder angegeben wird: *τροπολόγει δέ μοι τοὺς παῖδας κατὰ τὸ* . . . (1Cor. 3,1) *καὶ τὰς γυναῖκας κατὰ τὸ* . . . (2Cor. 11,2), *τοὺς δὲ ἄνδρας κατὰ τὸ* . . . (1Cor. 13,11).

aus zu Philon gelangt. Er verband die Vergeistigung der Lebensalter auf mannigfache Weise eng mit der allegorischen Bibelexegese. Dadurch aber, daß die Sprache der hellenistischen Moralphilosophie auch in den paulinischen Briefen ihren Niederschlag fand, war der Umgang mit den spiritualisierten Altersbegriffen für die Kirchenväter von vorneherein gewissermaßen 'kanonisiert'. In vollen Zügen konnten sie die philonischen Exegesen in sich aufnehmen und weiterentwickeln. Immer wieder läßt sich denn auch im exegetischen Werk des Origenes das gleiche Verfahren feststellen: die paulinischen Stellen werden herangeholt, um die Allegorese auf dem Gebiet des Alten Testaments zu stützen. Das Sprossen, Grünen, Blühen und Fruchttragen des Aaronstabs (num. 17, 8) deutet er als Etappen des geistigen Fortschritts, wobei er sich darauf beruft, daß der gleiche Sinnbezug im Neuen Testament durch die Namen der vier Lebensalter ausgedrückt sei[29]). Die Tatsache, daß Abraham nicht, wie das 'heutzutage' die Eltern tun, den Geburtstag seines Sohnes feierte, sondern am Tage der Entwöhnung Isaaks von der Mutterbrust ein Fest gab (gen. 21, 8), und weiterhin den Bericht, Samuel sei nach seiner Entwöhnung Gott dargebracht worden (1reg. 1, 24ff.), will er ebenfalls im geistigen Sinn aufgefaßt wissen, nämlich als Hinweis auf die Befreiung von dem unvollkommenen Zustand geistiger 'Kindheit'. Schon Philon war mit einer ähnlichen Exegese zur Entwöhnung Isaaks vorangegangen, aber der christliche Gelehrte versäumt es selbstverständlich nicht, als Stützen seiner Erklärung die paulinischen Milch- und Speisemetaphern anzuführen[30]). Die Reihe solcher Beispiele ließe sich noch

---

[29]) Ruf. Orig. in num. hom. 9, 9 (GCS 30, 67). Er hat hier die Altersangaben des ersten Johannesbriefs (2, 12/14) im Auge, von deren geistiger Bedeutung er fest überzeugt war, vgl. Ruf. Orig. in Jos. hom. 9, 9 (GCS 30, 355) und oben S. 98[27]. Der moderne Theologe wird allerdings die Allegorese dieser Stelle schwerlich ohne weiteres übernehmen; die Ermahnung an die verschiedenen Altersklassen ist dort gewiß wörtlich gemeint und bildet „eine Art Haustafel": s. Windisch-Preisker, Die kathol. Briefe = HNT 15 (1951³) 115.

[30]) Ruf. Orig. in gen. hom. 7, 1 (GCS 29, 70f.); in 1reg. hom. 1, 8 (GCS 33, 13f.). Vgl. Philon somn. I 10; Ambros. Abr. I 64 (CSEL 32/1, 544). An einer anderen Stelle (protr. in mart. 1: GCS 2, 3) kombiniert Origenes 1Cor. 3, 1; Hebr. 5, 12 und Lc. 2, 52 (Heranwachsen Jesu!) sogar noch mit Is. 28, 9/11: *καὶ ὑμεῖς τοίνυν κατὰ τὸν Ἠσαΐαν ὡς οὐκέτι σάρκινοι οὐδὲ ἐν Χριστῷ νήπιοι προκόψαντες ἐν τῇ νοητῇ ὑμῶν ἡλικίᾳ . . . καὶ μηκέτι χρείαν ἔχοντες γάλακτος . . . κτλ.* — Die Milch- und Speisemetapher war, wie sich denken läßt, bei den Kirchenvätern überhaupt außerordentlich beliebt. Besonders detailliert äußern sich z.B. Greg. Nyss. hom. opif. 25 (PG 44, 217 A/B) und Greg. Naz. or. 2, 45 (PG 35, 453 A/B).

fortsetzen, denn Origenes' Interpretationen sind, wie gesagt, ganz durchdrungen von der Vorstellung geistiger Lebensalter[31]).

Mag auch Origenes mithin als einer der Hauptvertreter dieser Anschauung gelten, insofern er sie beinahe zu einem förmlichen System ausgebaut hat, so kann doch keine Rede davon sein, als habe er im Verhältnis zu den anderen altkirchlichen Theologen und Exegeten auf diesem Gebiet Unerhörtes gewagt. Denn nicht nur der metaphorische Gebrauch einzelner Altersnamen, sondern auch die umfassendere Vorstellung eines durch verschiedene 'Altersstufen' gegliederten inneren Aufstiegs sowie das Bild geistigen 'Wachsens' sind eigentlich in der gesamten christlichen Literatur verstreut anzutreffen. Schon Theophilos v. Antiochien lehrt, es gebe ein geordnetes Wachstum von Alter zu Alter wie im Leben, so auch in der Erkenntnis, und ähnlich äußern sich Irenaeus und Tertullian[32]). Erst recht hat sich in späterer Zeit der ganze Vorstellungskomplex entfaltet[33]).

---

[31]) Wo immer das AT 'Männer' von 'Kindern' (und Frauen) trennt — z.B. bei der Volkszählung num. 1,2f., bei der Aufstellung der Wehrdienstpflichtigen num. 32,26 (Jos. 1,14) und sonst (etwa Jos. 8,35) — setzt Origenes mit Vorliebe das Instrument seiner Allegorese an: die 'Kinder' bedeuten die zum Streit für Christus, zum *agon vitae* Unfähigen, die Neubekehrten, die noch mit der „Milch des Evangeliums" ernährt werden usw.: princ. IV 187 (GCS 22,341f.), in Jos. hom. 3,1; 9,9 (GCS 30,301. 355). Origenes spricht gerade von den *παιδία τὴν ψυχήν, νήπιοι ἐν Χριστῷ, θηλάζοντες* so oft und in so mannigfaltigen Zusammenhängen, daß es den Rahmen unserer Untersuchung sprengen würde, wollten wir eine auch nur annähernd vollständige Übersicht über diesen Sprachgebrauch geben.

[32]) Theophil. ad Autol. II 25 (SC 20,160); Iren. haer. IV 38,3/4 (SC 100/2,956); Tert. pud. 1,12 (CCL 2,1282): *nemo proficiens erubescit. habet et in Christo scientia aetates suas* ... eqs.

[33]) So erklärt etwa Ambrosius, durch den 118. Psalm werde der innere Fortschritt des Menschen bezeichnet, der, in der Morallehre unterwiesen, von der geistigen Kindheit zum Greisenalter emporsteige (in ps. 118,22,1: CSEL 62,488). Man beachte, daß es nicht immer nur das Greisenalter ist, das den Höhepunkt geistigen Fortschritts ausdrückt. Vom *ἀναβαίνειν φρονήματι ἐπὶ τὸν ἄνδρα, ἀπανδροῦσθαι (γνωστικῶς)* ist schon bei den Alexandrinern viel die Rede (Orig. c. Cels. III 59: GCS 2,254; Clem. Alex. strom. I 53,2; IV 132,1: GCS 52,34. 307), und besonders wenn Eph. 4,13 anklingt, steht das geistige Mannesalter im Zenit: vgl. z.B. Makarios d. Äg. hom. 15,41 (151f. DÖRRIES) und Ambrosius in der Paraphrase des Epheserbriefs (s. unten S. 104[41]). Dagegen nimmt Augustin mor. eccl. I 17 fin. (PL 32,1318 unten) wieder eine geistige Entwicklung von der Kindheit bis zum Greisenalter an, wobei der *vir perfectus* (!) nur die Mittelstufe bildet. Er bringt also gewissermaßen gegenüber Eph. 4,13 die vollständige Abfolge der natürlichen Lebensalter zur Geltung. — Zu kühner Bildlichkeit steigert einmal Gregor v. Naz. die Vorstellung inneren Wachsens: während der kappadozischen Hungersnot habe Basilius nicht nur den leiblichen

Befragt man nun die einzelnen Texte — etwa die eben genannten Passagen aus Origenes — danach, welcher Art jener innere Aufstieg sei, d. h. für welche Gehalte die vergeistigten Altersnamen stünden, so erhält man eine recht umfassende Antwort: intellektueller und moralischer Fortschritt wird darunter ebenso verstanden wie die im eigentlichen Sinne religiöse, die 'geistliche' Vollendung, die Erfüllung des Gläubigen in Christus[34]). Die Aufwärtsentwicklung vollzieht sich nach Origenes durch eine freie, allseitige Ausbildung der verschiedenen Fähigkeiten des inneren Menschen[35]): den stets gleichbleibenden Kontrapunkt hierzu liefert innerhalb der Transzendenz-Thematik die festgelegte Abfolge der natürlichen Altersstufen. Es ist wichtig, sich die Vielschichtigkeit der Vorstellung 'geistigen Alterns' immer wieder klarzumachen. Denn nicht nur bei Origenes, sondern auch sonst sind es, genau besehen, oftmals recht verschiedene Dinge, für die der Begriff der *aetas* (*senectus* etc.) *spiritalis* eintritt. Nur eine Analyse des jeweiligen Kontextes vermag darüber näheren Aufschluß zu erteilen — worauf wir allerdings aufgrund des weitgespannten Rahmens unserer Untersuchung meistenteils verzichten müssen. Besondere Aufmerksamkeit verdient eine Passage in Augustins Schrift *De vera religione*[36]). Augustin stellt darin den sechs Altersstufen des alten (äußeren, irdischen) Menschen ebenfalls sechs oder genaugenommen sogar sieben Altersstufen des neuen (inneren, himmlischen) Menschen gegenüber. Die Charakteristik beider Altersstränge verläuft gegenstrebig: während das Leben des äußeren Menschen zum Ende hin abfällt — Augustin drückt das durch eine stark negative Zeichnung des häßlichen, hinfälligen Greisenalters aus —, bilden die sechs geistigen Altersstufen eine aufsteigende Linie: die letzte von ihnen

---

Hunger gestillt, sondern auch *λόγου . . . πόθον, τοῦ ἀληθῶς ζωτικοῦ καὶ τροφίμου καὶ εἰς αὔξησιν ἄγοντος πνευματικῆς ἡλικίας τὸν καλῶς τρεφόμενον* (or. 43,36: PG 36,545B).

[34]) Damit verbindet sich dann wiederum der eschatologische Gesichtspunkt: s. unten S. 151f.

[35]) Vgl. bes. die oben S. 97[22] genannte Stelle der Lukashomilien (a.O. 67): *οὕτως ὁ πάσας τὰς δυνάμεις τῆς ψυχῆς αὐτοῦ γεωργῶν πληροῖ τὴν λέγουσαν ἐντολήν· „αὐξάνεσθε“* (gen. 1,22).

[36]) Ver. rel. 48/49 (CCL 32,217/19). Die obigen Bemerkungen dazu hielt ich auch deswegen für angebracht, weil der Sinn dieser wichtigen Stelle unlängst von B. Gatz falsch wiedergegeben worden ist: Weltalter, Goldene Zeit und sinnverwandte Vorstellungen (Hildesheim 1967) = Spudasmata 16,111 (Mitte). Auf die geschichtstheologische Bedeutung des Lebensalterbildes (ver. rel. 50f.) bin ich hier wie auch sonst bewußt nicht eingegangen. Vgl. dazu K.-H. Schwarte, Die Vorgeschichte der augustin. Weltalterlehre (Bonn 1966) = Antiquitas, Reihe 1, Bd. 12, bes. 43/57.

bringt das „vollständige Vergessen des zeitlichen Lebens“ und markiert geradezu den Übergang zum ewigen Leben. Dementsprechend gestaltet sich das Ende beider Entwicklungen: das Leben des alten Menschen mündet in den Tod, das des neuen dagegen führt zu einem siebten Alter empor, nämlich zur ewigen Seligkeit, die ihrerseits „durch keinerlei Altersstufen mehr zu unterteilen ist“. Die gesamte Erörterung zeigt wieder einmal, wie abgegriffene Themen unter der Hand Augustins einen neuen, tieferen Glanz erhalten können. Zu beachten ist vor allem, daß Augustin nicht einfach 'geistige' und 'körperliche' Lebensalter konfrontiert. In das Bild der Lebensalter des alten Menschen sind ja durchaus auch geistige und moralische Züge mitverwoben, ja sogar die Fähigkeit zu einer *servilis iustitia* wird dem *homo vivens ex corpore* zugestanden. Augustin identifiziert eben den äußeren Menschen mit dem alten, d. h. christusfernen Menschen, so daß sich eigentlich zwei Ebenen ineinanderschieben: der Gegensatz lautet nicht nur 'Körper — Geist', sondern auch 'Gottferne — Gottnähe'. Es darf als nahezu selbstverständlich gelten, daß Augustin hier den paulinischen Gegensatz zweier Menschenklassen in sein doppeltes Altersschema eingearbeitet hat: wie bei Paulus wird bei Augustin der alte, weltliche, 'fleischliche', d. h. bloß kreatürliche Mensch in seiner Gesamtheit dem Wesen des neuen, himmlischen, 'geistigen' Menschen gegenübergestellt[37]). Der alte Mensch ist in seiner gesamten Existenz, der körperlichen wie der geistigen, unter das Gesetz der dem Tode zustrebenden Natur gestellt. Nicht so der neue: er hat zwar notwendigerweise die Anfänge mit jenem gemeinsam, aber es gelingt ihm später, „durch die eigene geistige Kraft und den Zuwachs an Weisheit“ die Zwangsfolge der Etappen (*partes*) des natürlichen Lebens zu überwinden. Wann sich dieser Prozeß des geistigen 'Ablösens' von der Natur vollzieht, führt Augustin nicht aus — anders

[37]) Die moderne neutestamentliche Forschung hat der Gegensetzung von ἄνθρωπος πνευματικός (*spiritalis*) und ἄνθρωπος ψυχικός (*animalis*) in 1 Cor. 2, 14 ff. sehr viel Aufmerksamkeit geschenkt — s. dazu jetzt die umfassende Behandlung bei Brandenburger (bes. 135. 188/196: der Sache nach findet sich die Antithese auch schon bei Philon!). Doch wird man daraus nicht ohne weiteres folgern dürfen, die paulinische Gegenüberstellung der Psychiker und Pneumatiker habe in der Entwicklung der *aetas spiritalis*-Thematik eine alles überragende Rolle gespielt: wie z.B. die oben S. 98[27] genannte Passage aus Origenes' Vorwort zum Hohelied-Kommentar beweist, kann 1 Cor. 3, 1/2 durchaus gleichwertig neben Stellen wie 1 Cor. 13, 11 treten: beide Belege garantieren dem Alexandriner den geistigen Sinn der Altersnamen schlechthin, ohne daß die an der früheren Stelle gebotene Scheidung zweier Menschenklassen aufrechterhalten würde. Man darf eben die moderne historisch-kritische Textinterpretation nicht unbedenklich auf die altkirchlichen Theologen übertragen.

übrigens als Origenes, der innerhalb einer ähnlichen Darstellung der sechs menschlichen Lebensalter den Übergang von der naturbedingten geistigen Entwicklung zur freien sittlichen Entscheidung einigermaßen sicher auf die vierte Altersstufe, die Jugend, festlegt[38]). Jedenfalls folgt der neue Mensch vom Zeitpunkt jener Wende an den Gesetzen seines eigenen geistig-religiösen Fortschritts: *iste dicitur novus homo et interior et caelestis, habens et ipse proportione, non annis, sed provectibus distinctas quasdam spiritales aetates suas* ... eqs. Über sechs solcher geistiger Altersstufen emporschreitend befreit er sich von aller Sinnlichkeit und dringt in die höchste Weisheit ein, so daß er schon vor Erreichen des ewigen Lebens, der siebten Altersstufe, sozusagen bis an den Rand der Glückseligkeit geführt wird.

Passagen wie die eben behandelte sind freilich aufgrund ihrer mannigfachen Besonderheiten kaum geeignet, Art und Bedeutung der Transzendenz-Thematik bei den Kirchenvätern im allgemeinen zu beleuchten. Überhaupt erweist sich ein origineller Denker vom Range Augustins für den Gegenstand unserer Untersuchung oftmals als höchst unbequemer Gewährsmann. Er repräsentiert die breitere Vorstellungswelt der christlichen Exegeten und Prediger in geringerem Maße als etwa Ambrosius, fast überall setzt er neue Akzente, knüpft er neue Bezüge. Doch gerade auf das Allgemeine, das Übliche muß es uns vor allem ankommen, weniger dagegen auf die kühnen Neuerungen eines spekulativen Geistes. Diese erfordern zudem, will man ihren Sinn angemessen wiedergeben, meist eine eingehendere Behandlung, als sie hier erbracht werden kann. Dennoch dürfte gerade unsere knappe Skizze der augustinischen Darstellung in *De vera religione* dazu beitragen, einen Grundzug der Transzendenz-Vorstellung deutlich hervortreten zu lassen. Damit meinen wir die Ausrichtung der Transzendenz auf das jeweils höhere und zu guter Letzt auf das höchste Alter, das Greisenalter. Bei Augustinus wird dieses Moment deswegen besonders gut sichtbar, weil er ja die Entwicklung des äußeren Menschen zum Schluß stark abfallen, die des inneren dagegen immer höher ansteigen läßt: seine Schilderung der *aetates spiritales* beruht deutlich auf einem 'ansteigenden' Altersschema, d. h. auf jener wohlbekannten Anschauung, die in geistiger und sittlicher Hinsicht dem Greis oder reiferen Mann den Primat zuerkennt. Die gesamte Altersmetaphorik, soweit wir sie bislang in diesem und dem vorangegangenen, Philon gewidmeten Kapitel kennengelernt haben, setzt eine solche aufwärts gerichtete geistige Entwicklung voraus. Variationen gibt es natürlich auch schon innerhalb dieser Anschauung. So

[38]) Vgl. unten S. 121[27].

bedeutet das Kindesalter zwar unter diesem Aspekt immer einen tiefen Stand des inneren Fortschritts, doch schwankt seine Bewertung, je nachdem, ob es wenigstens schon die erste Etappe auf dem Wege christlichen Lebens markiert oder schlechthin nur die Unreife ausdrücken soll. Weiterhin müßte das Jugendalter eigentlich oberhalb der Kindheit stehen, und in der Tat ergibt sich diese Reihenfolge gelegentlich[39]). Aber durchaus nicht immer wird das Lebensalterschema so konsequent angewandt. Denn gerade betreffs des Jugendalters überschneiden sich zwei Gesichtspunkte: für die Entwicklung des Verstandes bringt die Jugend gegenüber der Kindheit einen deutlichen Fortschritt, für die moralische Festigung gilt nicht unbedingt dasselbe. Im Gegenteil! In den Augen der Kirchenväter ist die Jugend die Zeit inneren Kampfes und sittlicher Bewährung. Oft und oft hören wir von den schlimmen Gefahren dieses Lebensabschnitts. Wer ihnen entronnen ist, darf sich glücklich schätzen wie ein Reisender, der nach stürmischer Seefahrt den schützenden Hafen erreicht hat[40]). Werden folglich die Begriffe *μειρακίσκος*, *νέος*, *adulescens*, *iuvenis* etc. vergeistigt, dann erhalten sie sehr oft einen streng negativen Sinn[41]). Das geht so weit, daß man bisweilen, wie dies z.B. Chrysostomus an der oben (S. 95) zitierten Stelle tut, einem vorbildlichen Christen überhaupt absprach, jemals 'jung' gewesen zu sein. Origenes erklärt rundweg: *ὁ δίκαιος οὐκ ἔστιν ἐν νεότητι*[42]). Recht

[39]) Ruf. Orig. in num. hom. 1,1 (GCS 30,4) zu num. 1,3: *docet enim me praesens lectio, quod si transcendero puerilis aetatis insipientiam, si . . . effectus fuero iuvenis et talis 'iuvenis, qui vincam malignum'* (1 Joh. 2,13) . . . eqs. Ein seltenes Beispiel für die Forderung nach Alterstranszendenz in Richtung auf das Jugendalter — freilich mit einer bezeichnenden Kautel!

[40]) Das Bild der Seefahrt z.B. bei Chrys. adv. opp. vitae monast. III 17 (PG 47,378). Dieser Beleg soll hier genügen. Einiges ist noch unten S. 126. 169 beigebracht. Mehr wird mein Artikel 'Jugend' im RAC bringen.

[41]) Dabei gilt es zu bedenken, daß *iuvenis* und *νέος* bald im engeren Sinn den Jüngling, bald im weiteren Sinn den Mann in der Vollkraft der Jahre bezeichnen. Dementsprechend kann die Wertung wechseln. Vgl. etwa Ambros. epist. 16 (76), 5: *cum . . . electi videremur in iuventutis aetate, quae est vita inmaculata* (!), *nihil habentes lasciviae puerilis et senilis infirmitatis*, und ebd. 12: *quis autem vir perfectus est nisi ille, qui absolutus infantia puerilis ingenii adque adulescentiae incerto ac lubrico et inmoderato iuventutis calore* . . . eqs. (CSEL 82,116f., bzw. 120). Im ersten Fall ist die *iuventus* identisch mit der *aetas viri perfecti*, im zweiten tritt sie ihr als Synonym zu *adulescentia* gegenüber.

[42]) Orig. in proph. frg. 1 (GCS 6,199), und zwar im Anschluß an sap. Sal. 4,8f. Die pejorative Wertung der Jugend ergab sich eben logisch aus der Umkehrung der im Weisheitsbuch aufgestellten Gleichung: Ambros. epist. 20 (77), 9 (CSEL 82,150): *nam si aetas senectutis vita inmaculata, utique aetas adulescentula est vita maculosa.*

beständig erweist sich die positive Wertung des Mannesalters. Sie wurde durch den paulinischen Sprachgebrauch, besonders durch die vielbeachtete Stelle im Epheserbrief (4,13), aber auch durch das Lebensalter Jesu gestützt. Eine Anschauung menschlichen Lebens, die einen geistigen Altersausgleich als Ideal betrachtet, neigt wohl auch von vorneherein dazu, dem mittleren Alter vor den Extremen den Vorzug zu geben[43]). In gewisser Weise schwankt aber doch die Einordnung des Mannesalters auch wieder, und zwar insofern, als es bald das mittlere Reifestadium des inneren Menschen darstellt, bald das höchste und letzte. Trotz dieser und ähnlicher Variationen im einzelnen, über die eben nur eine sorgfältige Prüfung des betreffenden Zusammenhangs Klarheit schaffen kann, bleibt doch innerhalb solcher Betrachtungsweise die Auffassung konstant, daß aufs Ganze des menschlichen Lebens gesehen eine innere Aufwärtsentwicklung die Regel sei, daß mithin bei metaphorischem Gebrauch der Altersnamen Kindheit und Jugend unten, Mannes- und Greisenalter obenan stehen müßten[44]). Ins Praktische gewendet heißt das: die Anti-

---

[43]) So urteilte schon Aristoteles (rhet. II 1390a25/b12), und aus ähnlichem Grunde gilt das Mannesalter in der Spätantike als bestes Alter für den Herrscher (s. Hartke 148ff.). Die Kirchenväter stellen zwar gemeinhin in sittlicher Hinsicht das Greisenalter sehr hoch, kennen andrerseits aber auch spezielle Alterslaster! Über das Alter der Lebensmitte hört man dagegen seltener ein schlechtes Wort. Wenn Origenes (in Mt. XIII 16: GCS 40,219) die Befreiung von den *ἀνδρικαὶ ἐπιθυμίαι* durch die geistige Kindheit predigt, so erklärt sich das aus der besonderen Blickrichtung, wozu gleich noch mehr zu sagen sein wird. Grundsätzlich besteht ja überhaupt die Möglichkeit, daß durch einseitigen Blick auf ein idealisiertes 'Extrem-Alter' (vgl. unten S. 139) auch die Lebensmitte in den Kreis der negativ beurteilten Altersstufen einbezogen wird — nur findet sich das eben, sehe ich recht, selten klar ausgesprochen. Chrysostomus hält Geldgier und Neid für schlechte Eigenschaften des Mannesalters: in Mt. hom. 10,1; 81,5 (PG 57,185; 58,738); vgl. Danassis 223. Bemerkenswert ist die erstere Stelle, weil der Kirchenvater dort die sittliche Typologie der Lebensalter auf besondere Weise mit dem Alter Jesu in Verbindung bringt; Jesus ließ sich erst im vollen Mannesalter taufen, damit deutlich würde, daß er allen Lastern widerstehen, d.h. das Gesetz erfüllen konnte, bevor er es auflöste.

[44]) Wenn wir hier und auch sonst eine Vierteilung des Lebens voraussetzen, so nur deshalb, weil die Scheidung von Kindheit, Jugend, Mannes- und Greisenalter von der Sache her nahegelegt wird. Bei den Vätern begegnet zwar nicht selten auch ein ausdrückliches Viererschema, aber daneben finden sich andere Einteilungen, ja es gibt keine Zahl zwischen Zwei und Sieben, die nicht zur Grundlage solcher Altersschemata gemacht würde. Entscheidend ist immer der jeweilige Zusammenhang, sehr oft ein exegetisches Erfordernis. Das läßt sich gut anhand der Fünfteilung beobachten. Waszink hält dieses Schema ebenso wie Boll 177[3] für selten und nennt zu Tert. an. 56,6 nur zwei Parallelen aus der christlichen Literatur, nämlich Iren. haer. II 36,2 und Clem. Alex.

zipation späterer Entwicklungsstufen ist das erstrebenswerte Ziel geistig-sittlichen Strebens. Formulierungen wie *praecurrere aetatis maturitatem*, *praevenire tempus longaevae senectutis*, *φθάνειν τὸ γῆρας* bringen diese Einstellung klar zum Ausdruck[45]). Oder anders gesagt: das *puer senex*-Ideal in all seinen Schattierungen bildet das praktische Resultat solcher Typologie der Lebensalter. Wäre sie nun in der christlichen Literatur alleinherrschend, dann ließe sich das Material auf einen verhältnismäßig einfachen Nenner bringen: die christliche Alterstypologie wäre dann im Kern deckungsgleich mit der philonischen, im Gebrauch der Altersmetaphorik und in der Forderung nach einer geistigen Transzendenz der Altersgrenzen würden gegenüber Philon hauptsächlich quantitative Unterschiede sichtbar, insofern der Vorstellungskomplex im christlichen Denken nur einen weiteren Raum zu beanspruchen hätte. Aber so einfach gestalten sich die Dinge eben nicht.

Eine gegengerichtete Bewegung entstand durch das christliche Ideal geistiger Kindheit. Seit Jesus ein Kind in die Mitte der Jünger gestellt, Kindesart als vorbildhaft empfohlen und Kindern das Himmelreich verheißen hatte (Mt. 18,2/4 par.; 19,14), war es nicht mehr möglich, im Kinde weiterhin nur noch den Repräsentanten geistiger Unreife zu sehen, das Kindesalter ausschließlich als Stadium innerer Unvollkommenheit und Schwäche zu werten. Eine neue Sicht der Kindheit wurde durch die Herrenworte angeregt. Das ist nicht so zu verstehen, als habe man sich nunmehr sehr viel stärker als vorher darum bemüht, das Kind in seiner Eigenart zu würdigen. In der christlichen Literatur, besonders bei Chrysostomus und Augustinus, finden sich zwar feine Beobachtungen zur Kindespsychologie, und gelegentlich sind die Kirchenväter kindlichem Wesen auch mit liebe-

---

protr. 10,108,2/3. Es bedurfte aber nur eines exegetischen Anlasses, um auch diesem Schema Geltung zu verschaffen. Ein solcher Anlaß war das Gleichnis von den Arbeitern im Weinberg (Mt. 20): die fünf verschiedenen Tageszeiten, zu denen die Arbeiter angeworben werden, bedeuten für Origenes (in Mt. XV 36: GCS 40,457) und Augustin (serm. 49,2: PL 38,320) die fünf Lebensalter! Auch sonst stößt man gelegentlich auf dieses Schema: Euseb. quaest. ev. 12,2 (PG 22,924B); Hier. epist. 60,19,1 (CSEL 54,574); Prud. c. Symm. II 318/323 (dazu s. W. Schmid: VigChr 7 [1953] 174/177). Besonders interessant: Ephraem serm. I 4,227/64 (CSCO scr. Syr. 131,86); er unterscheidet fünf Lebensalter entsprechend den fünf Fingern einer Hand.

[45]) Ambros. in ps. 118,19,19 (CSEL 62,430); Iacob II 35 (CSEL 32/2,52); Greg. Nyss. virg. 23,6 (SC 119,548). Vgl. etwa noch ILCV 1559,6 (*praecedebat tempora*). Ferner s. das Register s. v. *praevenire*.

vollem Verständnis gegenübergetreten[46]). Aber in erster Linie sah man im Kinde positive moralische Werte verkörpert: vor allem Demut, Einfalt und Unschuld[47]). Sie zu erringen, bzw. über die natürliche Kindheit hinaus während des ganzen Lebens zu bewahren, wurde eine immer wieder erhobene Forderung christlicher Moral. *Ἡ πρὸς τὰ παιδία ὁμοίωσις* heißt bei Origenes Ziel und Inhalt dieses Postulats. Er versteht darunter eine Haltung, die durch bewußtes sittliches Streben verwirklicht, was den Kindern nur aufgrund ihres natürlichen Alters zukommt, nämlich eine weitgehende Freiheit von den Leidenschaften[48]). Nähere Ausführungen dazu, wie die Kirchenväter im einzelnen den Inhalt geistigen Kindseins bestimmt haben, müssen wir uns hier versagen. Aber es dürfte auch so klar genug sein, daß jene Werteskala, auf der die Vorstellung einer Transzendenz der natürlichen Altersgrenzen beruht, durch das Ideal geistiger Kindheit eine entscheidende Erweiterung erfahren hat. 'Kind' im übertragenen, geistigen Sinne kann fortan auch ein Positivum ausdrücken. Die Alterstranszendenz zielt nicht mehr nur auf die Vorwegnahme der typischen Qualitäten späterer Lebensalter, sondern ist jetzt auch gewissermaßen 'rückwärts' ausgerichtet. Die geistige Bewegung des *praecurrere* (*senectutem*) wird nicht aufgehoben, aber ergänzt durch die gegenströmige Bewegung des *remeare* (*ad infantiam*)[49]). Das *puer senex*-Ideal findet so ein positives Gegenbild. Man kann geradezu von einem *senex puer*-Ideal reden[50]).

---

[46]) Über ersteren s. DANASSIS passim, über letzteren: J. HOGGER, Die Kinderpsychologie Augustins (München 1937). S. ferner unten S. 167.

[47]) Darüber, auch über die verschiedene Auffassung der Herrenworte, s. HERTER 158/162 und die dort genannte Literatur. HERTER betont zu Recht (158f.), daß die Vorbildlichkeit des Kindes im Christentum nur durch einen denkerischen Neuansatz möglich war. Wenn es dennoch auch hierin zu gewissen Berührungen zwischen Antike und Christentum kommen konnte (vgl. bes. oben S. 68[8]), so widerlegt das nicht die prinzipielle Richtigkeit jener Erkenntnis.

[48]) Orig. in Mt. XIII 16f. (GCS 40,219/224) zu Mt. 18,1/6 und Joh. frg. 35 (GCS 10,510f.) zu Joh. 3,3f. In der Frage, ob den Kindern *ἀπάθεια* oder *μετριοπάθεια* eigne, wird bei Origenes ein gewisses Schwanken fühlbar.

[49]) Ambros. virginit. 30 (14 CAZZANIGA): *talium est enim regnum caelorum, qui in puerilem castimoniam tamquam in naturam infantium corruptelae ignoratione remeaverint.* Zu der in *remeare* liegenden Vorstellung mochte die Wendung Mt. 18,3 *ἐὰν μὴ στραφῆτε* anregen, insofern man nämlich darin nicht nur einen Aufruf zur Reue, sondern zu regelrechter 'Umkehr' erblicken kann (im Sinne von: wenn ihr nicht 'wieder' werdet wie die Kinder!). Vgl. HARNACK, Terminologie 98[2].

[50]) Im Hinblick auf Aussagen wie die unten S. 139 zitierte Tertullianstelle ist das durchaus zulässig.

Vorangegangen war auch hier Paulus, und zwar diesmal mit einer Formulierung, die es nicht bei Metaphern beläßt, sondern darüber hinaus auch den Forderungscharakter der Alterstranszendenz deutlich zum Ausdruck bringt. Im ersten Korintherbrief mahnt der Apostel: *ἀδελφοί, μὴ παιδία γίνεσθε ταῖς φρεσίν, ἀλλὰ τῇ κακίᾳ νηπιάζεσθε* (*parvuli estote*, vulg.), *ταῖς δὲ φρεσὶν τέλειοι γίνεσθε* (1 Cor. 14, 20). Paulus fordert hier zum vernünftigen Nachdenken auf. Kindlichkeit solle man auf moralischem Gebiet an den Tag legen, in Fragen des Verstandes habe man sich als Erwachsener zu zeigen[51]). Lehrreich ist diese Stelle nicht nur deswegen, weil hier das Ideal innerer Kindheit trotz der ausdrücklich beigefügten Einschränkung klar ausgesprochen wird, sondern auch aus anderem Grunde: zum ersten Mal im christlichen Schrifttum begegnen wir hier einer Synthese der Tugenden verschiedener Altersstufen. Auf Formulierungen ähnlicher Art stößt man später bei den Kirchenvätern immer wieder, und sie sind für das Thema unserer Untersuchung stets besonders aufschlußreich, weil sie dem Postulat einer geistigen Zeitüberlegenheit in vollständigerer, überzeugenderer Weise Ausdruck verleihen als andere Äußerungen, die nur einen Teilaspekt der Transzendenz-Thematik — entweder geistige Kindheit oder geistiges Alter — anvisieren. Freilich werden dem Inhalt nach die Gewichte bei weitem nicht immer in derselben Art verteilt wie im ersten Korintherbrief. Nicht immer gilt das Kind in sittlicher Hinsicht schlechthin, der Erwachsene im Gebrauch des Verstandes als vorbildhaft. Die Gegensätze lauten oft anders. Das folgt ja schon notwendig aus alledem, was im Voraufgehenden zur Sprache kam, etwa aus der Gleichsetzung von *senectus* und *vita immaculata*, wie sie im salomonischen Weisheitsbuch vollzogen wird. Gerade das Greisenalter und überhaupt jedes reifere Alter kann natürlich auch in moralischer Hinsicht, nicht etwa nur in intellektueller, als normgebend empfunden werden. Eine allgemeine, unverfängliche Formel für die Verbindung geistiger Kindheit und geistigen Alters gibt z.B. Ps.Basilius: *in quibusdam te exhibe senem, in quibusdam infantem*[52]). Man darf niemals

---

[51]) Vgl. LIETZMANN-KÜMMEL z. St.: HNT 9 (1949⁴) 73.

[52]) Ps.Basil. ad fil. 17 (57, Zeile 10/11 LEHMANN: SBAW 1955, 7). Der Satz wurde in den Liber Scintillarum aufgenommen (68, 19; vgl. 20: SC 86, 234), der sich im Mittelalter großer Beliebtheit erfreute und in kaum einer Klosterbibliothek fehlen durfte (vgl. ROCHAIS: SC 77, 9f.). — Auch Florilegien solcher Art haben fraglos dazu beigetragen, den Transzendenzgedanken lebendig zu erhalten (vgl. oben S. 76), noch mehr freilich das geistige Erbe der Väter insgesamt und die literarische Tradition der Antike. Obgleich ich durchweg darauf verzichten muß, den Gang unserer Untersuchung bis in mittelalterliche Zeit fortzuführen, sei dennoch bei dieser Gelegenheit eine besonders charakteristische

aus dem Auge verlieren, daß Systematik in solchen Dingen nicht zu erwarten ist.

Der neue positive Sinn geistigen Kindseins wird von den Kirchenvätern mit Hilfe der allegorischen Methode auf vielfache Weise in der Schrift verankert, ja selbst in das Alte Testament hineingetragen. Dafür ein bezeichnendes Beispiel: Schon Philon benützt bisweilen die Ambivalenz des Worts *παῖς*, das sowohl 'Kind' als auch 'Sklave' bedeuten kann, um eine Altersangabe auch da zu erhalten, wo dies durch den biblischen Kontext eigentlich ausgeschlossen wird[53]). Die christlichen Erklärer haben ihrem Lehrmeister diesen Kunstgriff abgeschaut. So läßt Origenes innerhalb der Exegese der Vorschriften über die Sklaverei exod. 21,2 den Begriff *παῖς* (= Sklave) geschickt und kaum merklich in die Bedeutung 'Kind' übergehen[54]). Während aber er an dieser Stelle noch die pejorative Wertung der Kindheit mit dem jüdischen Exegeten gemeinsam hat, geht Ambrosius einen Schritt weiter. Daß der schon fast hundertjährige Abraham von Gott *puer* genannt wird (Itala gen. 18,17) — in Wahrheit ist natürlich „mein Knecht Abraham" gemeint! —, will er als Hinweis auf die geistige Kindheit des Erzvaters verstanden wissen: *merito puer dicitur, qui senile nesciebat fastidium, pueritiae innocentiam et obsequium deferebat*[55]). Abraham wird also bei Ambrosius gewissermaßen zum biblischen Typos des positiv verstandenen *senex puerilis*. Die Stelle zeigt zugleich, wie sich dem christlichen Exegeten durch die positive Bedeutung der Kindheit neue Ansatzpunkte seiner Allegorese und neue Kombinationsmöglichkeiten ergaben. Denn da ja die alte abwertende Beurteilung geistiger Kindlichkeit weiter fortbestand, hatte der christliche Erklärer, so oft er in der Schrift auf den Begriff 'Kind' stieß, jedesmal die Wahl zwischen einer positiven und einer

---

Stelle erwähnt: *mente senex, aetate puer* heißt der junge Friedrich Barbarossa: Ligurinus I 286 (PL 212,338 D).

[53]) S. oben S. 81[13].

[54]) Ruf. Orig. in Jos. hom. 10,3 (GCS 30,360f.): *puer enim est qui facilitate animi in servitium decidit ... in hoc servitium non virilis et perfectus animus decidit, sed puerilis et facilis.*

[55]) Ambros. Abr. I 45 (CSEL 32/1,534). Von Siegfried (377 unten) wird diese Stelle mit Recht als Beleg für die Übernahme philonischer Regeln der Allegorie durch Ambrosius angeführt, ohne daß jedoch der bezeichnende Unterschied in der Bewertung der Kindheit erwähnt würde. Selbstverständlich waren sich die Allegoriker ihres Vorgehens klar bewußt. Ambrosius hebt in der gleichen Schrift (I 82f.: ebd. 554) die Ambivalenz von *puer* selbst deutlich hervor: *inde et pueros dicimus, quando et servulos significamus, non aetatem exprimentes, sed condicionem.*

negativen Deutung, bzw. er brauchte eine allegorische Deutung auch dann nicht zu unterdrücken, wenn, wie im Falle Abrahams, ein negativer Sinn nicht passend erschien. So kann z.B. Augustin auch den Aufruf des Psalmisten: *laudate, pueri, dominum*! (ps. 112,1) im Anschluß an die Worte Jesu über die Kinder als Mahnung zu kindlicher Demut interpretieren, obgleich doch hier ebenfalls mit den *pueri* keineswegs 'Kinder' gemeint sind[56]).

Besondere Aufmerksamkeit dürfen in diesem Zusammenhang zwei Kapitel im „Pädagogen" des Clemens v. Alexandrien beanspruchen (I 5. 6). Clemens erweist sich darin als einer der eifrigsten Wortführer geistigen Kindseins. *Παῖς* ist seines Erachtens die schlechthin angemessene Anrede des Christen, auf die er auch den Titel des Werks abgestimmt hat. Durch eine Fülle verschiedener Bibelstellen sucht er sie zu stützen: sogar die in der Schrift erwähnten Namen junger Tiere wie Küken, Füllen, Lämmer u. a. deutet er allegorisch als Bezeichnungen der Christen[57]). Clemens ist es bei alledem vornehmlich darum zu tun, falsche Auffassungen der Herrenworte über die Kinder zurückzuweisen. Sie wurden zum Teil von Gegnern des Christentums in der Absicht vorgebracht, die christliche Lehre als kindisch und verächtlich zu brandmarken. Aus dem Bemühen, jedweden abwertenden Gebrauch der Begriffe *παῖς*, *νήπιος* fernzuhalten, erklärt es sich, daß Clemens sogar diejenigen Stellen im paulinischen Briefwerk, an denen die Kindheit unbestreitbar innere Unvollkommenheit ausdrückt, im Sinne der idealisierten Kindheit umdeutet, was natürlich nicht ohne Gewaltsamkeiten abgeht[58]). Besondere Schwierigkeiten bereitet ihm 1Cor. 3,2 ('Milch' als Nahrung für die kindlich Unreifen). Aus der Tatsache, daß Milch im Gelobten Lande fließt, folgert er, 'Milch' bedeute stets die Nahrung der Vollkommenen und daher dürfe auch die Stelle im ersten Korintherbrief nicht als Zeugnis für die Gleichsetzung von Kindheit und Unvollkommenheit gewertet werden[59])! Was Clemens im Pädagogen versucht, ist also nichts anderes als eine Vereinheitlichung der bald negativen, bald positiven Verwendung der Begriffe 'Kind' und 'Kindheit' auf Kosten der ersteren. Daß sich

---

[56]) Aug. in ps. 112,1f. (CCL 40,1630f.).

[57]) Er versteht das Kindsein als Ausdruck der gläubigen Einfalt, sieht aber darüber hinaus in der Vielzahl der auf den Christen anwendbaren Namen für 'neu', 'jung', 'Kind' einen Hinweis auf die immerwährende Jugend des Christenstandes (I 5,20,3f.: GCS 12,102). Vgl. dazu Harnack, Terminologie 99f.

[58]) Diesen charakteristischen Zug hat Harnack, Terminologie a.O. unerwähnt gelassen.

[59]) Paed. I 6,34,3ff. (GCS 12,110f.).

dieser Versuch nicht durchsetzen konnte, versteht sich. Aber er zeigt, wie stark das Ideal geistigen Kindseins wirkte.

Überdenken wir die Ergebnisse, die sich aus dem bisher Gesagten gewinnen lassen! Mit der allegorischen Bibelexegese haben wir jenen Bereich christlichen Denkens entdeckt, der den fruchtbaren Nährboden für die Transzendenz-Vorstellung bildete. Hier entwickelte sich jenes Rechnen mit geistigen *aetates*, das bei den Kirchenvätern allenthalben so auffällig in Erscheinung tritt. Immer wieder nehmen die christlichen Exegeten geistigen Sinn der Altersbegriffe an. Viel öfter, als es die wenigen beigebrachten Beispiele erkennen lassen, setzen sie die Spiritualisierung der Lebensalter zur Erklärung des Textes ein, wobei sich eine breite Skala variierender Deutungsmöglichkeiten herausbildet. In diesen weiteren Zusammenhang ist auch das '*puer senex*-Motiv' einzuordnen, das man bislang als mehr oder weniger isolierte Größe verstand. Denn durch die Bibelexegese wurde der Gebrauch geistiger Altersnamen zum selbstverständlichen Allgemeinbesitz, durch sie setzte er sich in allen Gattungen christlichen Schrifttums durch[60]). Gegenüber der philonischen Exegese lassen sich, um das hier nochmals zusammenzufassen, folgende Unterschiede feststellen: erstens die zunehmende Ausweitung und Ausbreitung der Thematik, die ihrerseits — und das ist das zweite — begünstigt wurde durch die ausdrückliche biblische Bezeugung im Weisheitsbuch und in den paulinischen Briefen. Auf sie konnte der christliche Exeget jederzeit zurückgreifen. Hinzu kommt schließlich als dritter Punkt die neue Wertung der Kindheit, welche die Anwendungsmöglichkeiten des allegorischen Prinzips auf dem Gebiet der Lebensalter erheblich vermehrte und der Alterstranszendenz eine ganz neue Richtung gab.

Gewiß tritt nicht überall dort, wo die Erklärer einen vergeistigten Altersnamen gebrauchen, auch schon das Transzendenz-Moment klar zutage, ja es gibt Fälle, in denen natürliches und geistiges Alter einer Person ausdrücklich zur Deckung gebracht werden[61]). Andrerseits

[60]) Zuzugeben ist, daß gerade das *puer senex*-Ideal zu besonderer Beliebtheit gelangte und in manchen Genera auch der christlichen Literatur ein gewisses Eigenleben führte. Aber eine Betrachtungsweise, die sich ausschließlich auf diese Seite der Sache konzentriert, wird kein angemessenes Gesamtbild der Verhältnisse erhalten; denn die relative Häufigkeit gerade dieser Form des Transzendenzgedankens besitzt ja durchaus ihre inneren Gründe, die nur aus der Anschauung des Ganzen erhellen (s. unten S. 134; vgl. auch S. 124f.).

[61]) So spiritualisiert Ambrosius das tatsächliche Greisenalter des Jakob und läßt dadurch zwei Bedeutungen von *senex* aufeinanderstoßen: *citius utique iuniores aliquid quam seniores audire consuerunt, dum foris positi multi circumeunt. sed hanc negotiationem prius senex audit, sed ille senex, in quo . . . venerabilis*

bedarf es keiner Frage, daß das, was wir das Transzendenzideal genannt haben, nämlich der Aufruf zur Überwindung der typischen Mängel einer natürlichen Altersstufe und damit die Forderung nach einer idealen Zeitüberlegenheit, im Prinzip der Lebensalterallegoristik von Anfang an mit angelegt war. Das 'Greisenalter' braucht nur einer bestimmten Person in noch jugendlichem Alter, etwa einem Jeremias, die 'Kindheit' nur einem alten Menschen, etwa einem Abraham, zuerkannt zu werden, und schon ist diese Forderung in einem konkreten Fall erfüllt. So oft geistiges und körperliches Alter im positiven Sinne differieren, ist das Ideal verwirklicht. Die vergeistigten Altersbegriffe, mit denen die Allegoriker unausgesetzt operieren, lassen solche Anwendungen jederzeit zu. Wie oft werden uns biblische Exempla namentlich für das Leitbild des *puer senex* vorgeführt! Wie oft begegnen aber auch jene verallgemeinernden, resümierenden Äußerungen, in denen die Möglichkeit einer positiven Differenz zwischen geistigem und natürlichem Lebensalter bekräftigt und damit zugleich eine allgemeingültige Norm vorgestellt wird! Stereotyp sind Wendungen der folgenden Art: *ἔξεστι γέροντα εἶναι ἐν νεότητι καὶ ὥσπερ ἐν γήρᾳ νέοι εἰσίν, οὕτω καὶ τοὐναντίον*, oder: *sunt quidam in iuventute senes et alii iuvenes in senectute*[62]). Das Einförmige solcher Sätze läßt ahnen, in welchem Maß die Alterstranszendenz zum Allgemeingut christlichen Denkens geworden war.

Bedenkt man den Sachverhalt genauer, gelangt man zu der Einsicht, daß strenggenommen eine Art Wechselbeziehung zwischen Exegese und Ideal herrscht. Für den Allegoriker ergibt sich die Vergeistigung der Lebensalter einerseits aus den Erfordernissen seiner hermeneutischen Grundsätze (Vermeidung von Ungereimtheiten des Textes, Klärung von Auffälligkeiten jeder Art usw.). Sie dient den

---

est senectus et aetas senectutis vita inmaculata (Joseph 43: CSEL 32/2,103 [zu gen. 42,1f.]). Jakob war also nicht nur alt, er besaß auch die wahre Greisenhaftigkeit (des Glaubens, des reinen Lebens!). Ähnliche Äußerungen lauten: *πολιὸς τὴν τρίχα, πολιὸς τὴν φρόνησιν* (Greg. Naz. or. 15,3: PG 35,913C; vgl. carm. II/1,1,127: PG 37,979), *γέρων ψυχῇ τε καὶ πολιᾷ* (Pallad. dial. 9: PG 47,31), *πλήρης μετρητῶν τῶν τ' ἀμετρήτων ἐτῶν* (Greg. Naz. carm. II/1,11,1575: PG 37,1139; vgl. AP VIII 19); bezeichnend ist auch der Makarismos bei Hier. tract. de ps. 91 (CCL 78,141): *felix ille ..., qui senescit aetate, senescit et virtutibus*! Wie diese Stellen zeigen, kann die *senectus spiritalis* als selbständiger Wert jedermann zugesprochen werden, also auch — paradoxerweise — einem Greis. Daraus folgt, daß das *puer senex*-Ideal eigentlich nur einen (allerdings sehr beliebten) 'Spezialfall' darstellt.

[62]) Chrys. in den Homilien zum Hebräerbrief a.O. (oben S. 95[16]); Ambros. in ps. 36,59 (CSEL 64,117). In beiden Fällen ist das Jungsein als negative Antithese zur idealen Altersreife des Jünglings aufzufassen.

Erklärern also zur Lösung gewisser interpretatorischer Probleme — oder doch wenigstens zur Darstellung eines tieferen Schriftsinnes. Die geistige Deutung der Altersangaben erhält, so gesehen, die Funktion eines Hilfsmittels der Interpretation. Doch würden sich die Allegoriker kaum dieses Mittels so großzügig bedienen, wenn es nicht der schon vorgefaßten Meinung entspräche, daß ein Übergreifen des einen Alters in das andere möglich und erstrebenswert sei, und wenn es nicht die willkommene Möglichkeit böte, jene Meinung durch die Schrift zu beglaubigen. Dieses wechselseitige Verhältnis trifft nicht nur für das begrenzte Thema der Lebensalter zu, sondern eigentlich für die gesamte Allegoristik: sie findet nur, was sie finden will. Beide Aspekte des Spiritualisierungsprozesses lassen sich im Einzelfall kaum jemals säuberlich trennen, sie bilden eben schon in der Vorstellung der Exegeten selbst eine Einheit. Es bleibt fast immer unklar, ob die Annahme geistigen Sinnes dieser oder jener Altersbezeichnung primär durch das Bedürfnis nach tieferem Verständnis der betreffenden Textstelle hervorgerufen wurde oder ob der Exeget von vorneherein nur einen Anlaß suchte, um das beliebte christliche Ideal wieder einmal in der Schrift nachzuweisen. Jedenfalls ließe sich an ungezählten Stellen zeigen, wie irgendein exegetisches Detail — ein biblischer Satz etwa, der jung oder alt erwähnt — zum Ausgangspunkt weitreichender Erörterungen über die Möglichkeit der Alterstranszendenz gemacht wird[63]).

Aus dem, was wir soeben über das Vorhandensein einer gewissen Wechselbeziehung zwischen vorgefaßtem Ideal und exegetischem Grundsatz bemerkt haben, folgt nun notwendig, daß die allegorische Schrifterklärung, so wesentliche Beiträge sie auch zur Verbreitung des Transzendenzgedankens leistete, dennoch nicht der alleinige Faktor gewesen sein kann, der diese Entwicklung förderte. Es müssen von außen her andere Momente gewirkt haben. Sie müssen in der allgemeinen Welt- und Lebensauffassung begründet gewesen sein und den Bibelexegeten schon von vorneherein in einer bestimmten Richtung beeinflußt haben, so daß er mittels der allegorischen Methode in der Schrift fand, was er suchte. Die wichtigste aller Voraussetzungen, auf denen das Leitbild der Alterstranszendenz fußt, haben wir bereits kennengelernt: es ist die Entwertung der Zeit. Mit den philonischen Exegesen der biblischen Altersangaben übernahmen die christlichen Erklärer auch die Anschauung von der Bedeutungs-

[63]) Wie unscheinbar der exegetische Anlaß sein konnte, der zu langen Tiraden über die *senectus spiritalis* führte, zeigt gut die in der vorigen Anmerkung zitierte Ambrosiusstelle, wo ps. 36,25 den Ausgangspunkt bildet.

losigkeit des bloß äußeren Alters. Wir haben im Verlauf dieses Kapitels darauf verzichtet, diesen Gesichtspunkt immer wieder hervorzukehren. Von der Sache her hätten wir aber leicht auch anders verfahren können, denn das auf den vorausgehenden Seiten gebotene Material macht die Erkenntnis nicht schwer, daß die Verhältnisse bei den christlichen Allegorikern nicht anders liegen als bei Philon: die Vergeistigung der Lebensalter geht fast überall Hand in Hand mit der Entwertung des natürlichen Alters und damit der Zeit. Wenn etwa Ambrosius (s. S. 90) im Zusammenhang mit einer philonischen Exegese feststellt, das Altwerden sei *commune sapientibus atque insipientibus*, so ist das eine Aussage, die genauso bei Philon selbst stehen könnte — oder auch bei Seneca. Wir haben oben S. 70f. vom Stoizismus der Kirchenväter gesprochen. Jetzt läßt sich überblicken, daß die stoische Zeitverachtung dem christlichen Denken entscheidend durch die Bibelexegese Philons nahegebracht wurde. Freilich wäre es verfehlt, alles, was im Voraufgehenden zur Sprache kam, kurzerhand dem Stoizismus philonischer Prägung zuzuschreiben; in derart pauschaler Weise ließe sich ein so weites Gebiet christlichen Schrifttums kaum angemessen beurteilen. Andrerseits müssen wir auch direkte Kenntnis stoischer Philosopheme bei den Kirchenvätern in Rechnung stellen[64]), und darüber hinaus dürften auch andere Autoren und Texte vermittelnde Funktion erfüllt haben[65]). Wie immer man nun Art und Maß des stoischen Einflusses einschätzen mag, sicher ist

---

[64]) Vgl. STELZENBERGER bes. 307/54. Über das Fortwirken der stoischen 'Adiaphorie' bei den Vätern s. SPANNEUT 243/45; STELZENBERGER 327. 332 u. ö., über die Mittlerrolle Philons im allgemeinen ebd. 42f. (vgl. ferner sein Register s. v. 'Philon').

[65]) Plotin widmete der Frage: „Ob die Glückseligkeit durch die Zeitdauer wächst“ eine gesonderte Abhandlung (ennead. I 5): er macht sich darin die stoisch-epikureische Ansicht von der Irrelevanz der Zeit — freilich in kritischer Auseinandersetzung besonders mit Epikur — zu eigen. Es wäre also denkbar, daß entsprechender Einfluß auch durch Vermittlung des Neuplatonismus auf die Kirchenväter, auf Basilius etwa oder Augustinus, ausgeübt wurde. Über Plotins Nachwirkung bei den Christen vgl. H.-R. SCHWYZER, Art. Plotin: PW 21/1 (1951) 583/87 und die ebd. 591/92 angegebene Literatur. Übrigens läßt gerade die Sapientia Salomonis, deren Sätze in 4,8f. für die christliche Zeitentwertung eine so willkommene Stütze boten, in mancher Hinsicht stoischen Einfluß erkennen: vgl. z.B. STELZENBERGER 361, SPANNEUT 75 mit Anm. 5. Es erscheint daher nicht allzu gewagt, auch die Geringschätzung der 'Jahre', die Vergeistigung des 'Grauhaars' und das Lob früher Vollkommenheit — all das findet sich ja im vierten Kapitel des Weisheitsbuchs — zur stoischen Güterlehre in Beziehung zu setzen, womit ein weiteres wichtiges Verbindungsstück zwischen stoischer und christlicher Zeitverachtung entdeckt wäre.

jedenfalls, daß sich das Christentum in einer so wesentlichen, an das Grundsätzliche rührenden Frage, wie es eben die Frage nach dem Wert des Alters für die geistige und moralische Vollendung des Menschen ist, niemals einem von außen kommenden Einfluß hätte öffnen können, wenn es nicht schon in sich selbst wenigstens die Ansätze zu entsprechender Auffassung getragen hätte. Davon soll im folgenden Kapitel die Rede sein.

II. DIE GLEICHHEIT DER LEBENSALTER

Die Verkündigung Jesu richtete sich gleichermaßen an alle Menschen. Sie machte keinen Unterschied im Geschlecht und Stand des einzelnen, aber auch nicht im Alter. Der reiche Jüngling erregte Jesu Wohlgefallen (Mc. 10,21), und die Kinder, so lehrte er, sind für das Himmelreich geradezu prädisponiert. Das Heil sollte also nach dem Willen des Erlösers an keine Altersstufe gebunden sein[1]), und das blieb für alle Zeit Grundsatz der christlichen Mission. Christus sei gekommen, um jedes Lebensalter zu retten, verkündet Irenaeus, die Säuglinge, Kinder, Jünglinge und Greise, und deswegen habe er auch selbst jedes Lebensalter durchlebt: er heiligte alle Altersstufen durch sein Vorbild, wollte für alle die Gemeinschaft mit Gott wiederherstellen[2]). Die heidnische Umwelt des Christentums nahm freilich diese Einstellung mit Befremden zur Kenntnis. Die Tatsache, daß das Evangelium auch Kindern, Halbwüchsigen und Greisen gepredigt wurde, erregte den Spott der Gebildeten ebenso wie die niedrige soziale Herkunft der meisten Anhänger der neuen Lehre. Die Christen, so lautete eine verbreitete Meinung, mit der sich schon Tatian auseinanderzusetzen hatte, „schwatzen unter Frauen und jungen Burschen, Mädchen und alten Weibern"[3]). Auch in der Kampfschrift des Christengegners Kelsos fehlte dieser Anklagepunkt nicht. Kelsos wirft den Christen vor, sie machten sich mit Vorliebe an junge Burschen und allerlei niedriges Gesindel sowie an Frauen und Kinder heran[4]). Noch Laktanz kennt die Verachtung, welche die Heiden den alten Frauen und

---

[1]) Vgl. Jentsch 237f.

[2]) Iren. haer. II 33,2 (1,330 Harvey); III 19,6 (2,101 H. [= III 18,7: SC 34,326]). Bei Irenaeus spielt allerdings auch seine besondere Auffassung vom Lebensalter Jesu mit, vgl. dazu unten S. 128f. — Ähnlich äußern sich Hippol. ref. X 33,15 (GCS 26,291); Gel. Cyz. h. e. II 24,23 (GCS 28,100).

[3]) Tat. or. ad Graec. 33,1 (298 Goodspeed).

[4]) Orig. c. Cels. III 52. 55 (GCS 2,248. 250).

Kindern der Christen entgegenbringen[5]), ja sogar bis tief ins vierte Jahrhundert hinein sind die Christen in den Augen ihrer andersgläubigen Zeitgenossen ,,die Schüler von Fischern und Ungebildeten, die mit alten Weiblein zusammensitzen und Psalmen singen"[6]).

Diese Schmähungen werden, auch soweit sie sich auf die altersmäßige Zusammensetzung der christlichen Glaubensgemeinschaft beziehen, kaum völlig aus der Luft gegriffen gewesen sein. Denn sie erscheinen fast immer im Zusammenhang mit anderen Vorwürfen, von denen wir wissen, daß sie sich weitgehend auf reale Verhältnisse bezogen: Frauen und Leute niedrigen Stands bildeten ja tatsächlich einen Hauptteil der frühchristlichen Gemeinden[7]). Es muß aber wohl doch offen bleiben, ob die Christen der ersten Zeit sich vorwiegend aus den von den Christenfeinden in herabsetzender Weise genannten Altersgruppen rekrutierten, ob also etwa mehr Jugendliche und alte Menschen zum Glauben fanden als Erwachsene. Sicher ist, daß die Apologeten selbst die bunte Altersmischung innerhalb ihrer Glaubensgemeinschaft niemals in Abrede stellen, sondern im Gegenteil des öfteren rühmend hervorheben. Tatian sagt: ,,So gewähren wir allen, die (unsere Lehre) hören wollen, Zutritt, auch wenn es alte Frauen und junge Burschen sind, und überhaupt jedes Lebensalter wird von uns geehrt."[8]) Die christlichen Greise, fährt Tatian fort, die ,,mit ihrem Alter ringen", indem sie sich um das Verständnis der göttlichen Dinge bemühen, verdienen weit weniger verlacht zu werden als ,,euer Nestor", der es trotz seines hohen Alters den jungen Männern vor Troja im Kampfe gleichzutun versuchte[9]). Athenagoras

---

[5]) Lact. inst. V 19,14 (CSEL 19,464): *iam profecto ab aniculis, quas contemnunt, et a pueris nostratibus error illorum ac stultitia ridebitur.*

[6]) Greg. Naz. or. 5,25 (PG 35,693B); vgl. Liban. or. 14,65 (2,110 Förster).

[7]) Vgl. Harnack, Mission 2, 559f. und 589/611.

[8]) Tat. or. 32,1 (297 Goodspeed).

[9]) Der Ausdruck τῷ γήρᾳ παλαίειν (or. 32,2: 297 G.) bezeichnet die geistige Anstrengung. *Pugnare contra senectutem* (*cum senectute*) bei Cic. Cato 35 und Plin. epist. III 1,8 bezieht sich dagegen zunächst auf die körperlichen Übungen im Alter. Allerdings wird im Cato maior das geistige Training an das körperliche sofort angeschlossen. — Tatian selbst fand übrigens erst in vorgerücktem Alter zum Glauben, was er durch eine Anspielung auf den berühmten Vers des Solon: γηράσκω δ' αἰεὶ πολλὰ διδασκόμενος (eleg. 22,7) rechtfertigt (or. 35,2: 301 G.). Die Kirchenväter vertraten überhaupt durchweg den Grundsatz: ,,Es ist nie zu spät" (z.B. Cypr. Demetr. 25: CSEL 3/1,370; Hier. epist. 107,2, 1: CSEL 55, 291) — nicht für die Bekehrung, aber auch nicht für das Lernen allgemein! Vgl. Ruf. Orig. in gen. hom. 11,1 (GCS 29,101): *sapientiae nullus est finis nec discendi terminum senectus imponit*; Aug. epist. 166,1 (CSEL 44,546): *sed ad discendum quod opus est nulla mihi aetas sera videri potest* (freilich zieme den

bekennt stolz, bei den Christen fänden sich ungebildete Leute und alte Mütterchen, die nicht klug reden, aber Gutes tun[10]). Clemens v. Alexandrien verkündet, ein Christ könne auch ohne wissenschaftliche Bildung 'philosophieren', ganz gleich, ob er Greis oder Kind sei[11]), und daß Menschen jeden Alters zum Christentum übergehen, hebt auch Tertullian hervor[12]). Eine objektive Bestätigung erfahren alle derartigen Berichte durch den berühmten Christenbrief des Plinius[13]).

Das mangelnde Verständnis der Heiden für diese Seite der christlichen Mission dürfte sich zum Teil daraus erklären, daß man das Christentum an den Verhältnissen des philosophischen Unterrichts maß. Dieser Vergleich konnte sich um so eher festigen, als ja die Christen selbst ihre Lehre gerne als 'Philosophie' ausgaben[14]). Ein Greis macht nun aber nach antikem Empfinden in der Rolle des Schülers eine lächerliche Figur[15]), und kleine Kinder haben im philo-

---

Alten mehr das Lehren als das Lernen!). Ferner: Cypr. epist. 74,10 (CSEL 3/2, 807). Was BLOMENKAMP 544 zur Sache sagt, ist demnach zumindest sehr einseitig.

10) Athenag. suppl. 11,3 (326 GOODSPEED).

11) Strom. IV 58,3 (GCS 52,275). Wörtlich: *κἂν βάρβαρος ᾖ κἂν Ἕλλην κἂν δοῦλος κἂν γέρων κἂν παιδίον κἂν γυνή*. Vgl. ebd. 68,1/2 (278f.): Greis, Jüngling, Kind, Sklave und Frau leben und sterben für ihren Glauben; wie der Kontext beweist, umfassen die genannten Gruppen hier die abhängigen Glieder der Familie, die gegen den Inhaber der Hausgewalt den christlichen Glauben behaupten müssen.

12) Tert. apol. 1,7 (CCL 1,86); Scap. 5,2 (CCL 2,1132).

13) Gerade die Tatsache, daß sich Menschen verschiedensten Alters zum Christentum bekannten, machte Plinius während seiner bithynischen Statthalterschaft Sorgen: er fragt beim Kaiser an, ob die im zarten Alter Stehenden ebenso zu behandeln seien wie die Erwachsenen (epist. X 96,2), und gegen Ende des Schreibens betont er nochmals, die Christenfrage sei wegen der Größe des betroffenen Personenkreises akut, denn Leute jeden Alters, jeden Standes und beiderlei Geschlechts würden in die Prozesse verwickelt (ebd. 9). Vgl. A. N. SHERWIN-WHITE zu den beiden Stellen, der auch auf Lucian *De morte Peregrini* 12 aufmerksam macht (The Letters of Pliny [Oxford 1966] 696. 709). Über den juristischen Hintergrund der Anfrage des Plinius unterrichtet FREUDENBERGER 55/57.

14) Vgl. A.-M. MALINGREY, 'Philosophia' (Paris 1961) = Études et Commentaires 40, 121 u.ö.

15) *Turpis et ridicula res est elementarius senex*, sagt Seneca (epist. 36,4) und verleiht damit einer alten Anschauung Ausdruck. Man denke nur an den Strepsiades in den Wolken des Aristophanes oder an den Spottnamen *γεροντοδιδάσκαλος*, den Konnos, Sokrates' Lehrer im Lyraspiel, von den Knaben erhielt (Plat. Euthyd. 272C). Überhaupt stand der *ὀψιμαθής* nicht im besten Ruf. Vgl. P. LENKEIT, Varros Menippea 'Gerontodidaskalos' (Diss. Köln 1966) 88f.

sophischen Lehrbetrieb ohnehin nichts zu suchen[16]). Mochte sich auch die hellenistische Moralphilosophie an weitere Kreise wenden, eine einschneidende Veränderung der allgemeinen Praxis bewirkte sie wohl kaum[17]). Die christliche Einstellung zur Altersfrage ergab sich dagegen folgerichtig aus der grundlegenden Ansicht, jedes Lebensalter sei vor Gott gleichberechtigt. Der Verfasser des pseudocyprianischen Traktats *De singularitate clericorum* lehrt: (*in conventu sacrorum*) *nec aetas nec dignitas, sed sola aequalitas regnat*[18]). Denselben Grundsatz veranschaulicht der echte Cyprian durch ein merkwürdiges Bild. Er geht dabei vom biblischen Bericht über die Auferweckung des Sohnes der Sunamitin aus (4reg. 4,32/35). Daß sich der Prophet Elisaeus über den toten Knaben legte und seine Gliedmaßen denen des Verstorbenen genau anpaßte, müßte angesichts des natürlichen Größenunterschieds zwischen Kind und Mann als unmöglich gelten. „Aber dort", erklärt Cyprian, „wird die göttliche und geistige Gleichaltrigkeit (*aequalitas divina et spiritalis*) ausgedrückt, weil alle Menschen gleich und gleichaltrig sind, wenn sie einmal von Gott geschaffen wurden, und weil unser Alter hinsichtlich des körperlichen Wachstums nach irdischem Gesetz, nicht nach göttlichem einen Unterschied haben kann . . . Denn wie Gott nicht auf die Person sieht, so auch nicht auf das Lebensalter . . ." usw.[19]). Eben diese Tatsache sieht Cyprian im AT auch dadurch vorgeprägt, daß man vom Manna für jeden der Israeliten das gleiche Maß, nämlich einen Gomor (exod. 16,16), sammelte — ohne Rücksicht auf Geschlecht, Lebensalter und Ansehen der Person[20]). Den Gedanken einer prinzipiellen Gleichwertigkeit der Lebensalter hat sich in besonderer Weise Ambrosius zu eigen ge-

[16]) Sehr wohl aber μειϱάκια, und es ist bezeichnend, daß Origenes den diesbezüglichen Vorwurf des Kelsos mit der Bemerkung zurückgibt, auch die heidnischen Philosophen sähen es gerne, wenn junge Leute ihre Vorträge besuchten (c. Cels. III 54: GCS 2,249f.).

[17]) Wie eine Stelle aus Ciceros Hortensius lehrt (frg. 57 Grillj), blieb es weiterhin ein Streitpunkt, ob es schicklich sei, ältere Menschen zur Philosophie zu ermahnen: s. Gigon 189f. Der Unterschied zwischen Theorie und Praxis wird sich wohl auf diesem Gebiet ähnlich ausgewirkt haben wie hinsichtlich der philosophischen Bildung der Frauen und Sklaven — vgl. dazu die Polemik bei Laktanz inst. III 25 (CSEL 19, 257/59). Immerhin konnte der Christ in der philosophischen Programmatik etwas Verwandtes entdecken: Clem. Alex. strom. IV 69, 2/4 (GCS 52, 279) zitiert beifällig das Proöm des Menoikeusbriefs, wo Jüngling und Greis gleichermaßen zur Philosophie angehalten werden: s. W. Schmid, Art. Epikur: RAC 5 (1962) 803.

[18]) Ps. Cypr. sing. cler. 14 (CSEL 3/3, 189).

[19]) Cypr. epist. 64,3 (CSEL 3/2, 719).

[20]) Cypr. epist. 69,14 (CSEL 3/2, 763), vgl. auch dom.or. 28 (CSEL 3/1,287).

macht. *Omnis aetas perfecta Christo est*, sagt er einmal kurz und treffend[21]). Schon hier sei auch darauf aufmerksam gemacht, daß dieser Grundsatz sogar für die Kirchenordnung nicht ohne Einfluß geblieben ist, insofern er bisweilen als Gegengewicht gegen die strenge Beobachtung der für die kirchlichen Ämter festgesetzten Altersgrenzen wirkte[22]).

Die Vorstellung einer 'Gleichaltrigkeit' aller Menschen birgt nun aber in sich eine bedeutsame Konsequenz. Wenn Kind und Greis, Jüngling und Mann vor Gott gleich sind, wenn der Mensch, auf welcher Stufe des Lebens er sich auch befinden mag, gleichermaßen das Wohlgefallen Gottes erlangen kann, wenn kurzum kein Alter schon von sich aus einen höheren oder niederen Grad der Vollkommenheit bedingt, dann ist offenbar die Zeit für den Wert eines Menschen nicht entscheidend. Diese Konsequenz kann mit sehr unterschiedlicher Schärfe gezogen werden. Sie kann ganz unausgesprochen bleiben, sie kann aber auch zu einer radikalen Abwertung der Zeit führen. Allerdings gilt die Entwertung der Zeit eigentlich nur für den Bereich des Sittlichen und Religiösen, in Sachen der praktischen Lebenserfahrung wurde ihre Bedeutung weniger bestritten[23]). Bedenkt man aber, daß solche praktischen Dinge im christlichen Denken einen vergleichsweise geringen Raum beanspruchten, daß sich letztlich alles Streben auf die Bewahrung von Glauben und Tugend richtete oder doch richten sollte[24]), dann mag man erahnen, wie stark die Frage nach Wert oder Unwert der Zeit für die Kirchenväter an Aktualität gewann. Denn es gab gar manche Momente, die ihrer Entwertung widerstritten. So schien es namentlich in den ersten Jahrhunderten, als noch längst nicht jeder aus christlicher Familie stammte, vielen schon ein besonderes Verdienst, wenn man christliche Eltern gehabt und daher

---

[21]) Ambros. epist. 17,15 (PL 16,965A). Vgl. ferner die unten S. 186 ausgeschriebene Stelle aus *De virginitate*. Instruktiv ist auch Cassian. coll. XXI 9,2 (CSEL 13,582): *ad omnem sane aetatem omnemque sexum perfectionis magnificentiam pertinere et universa ecclesiae membra ad conscendendam sublimium meritorum celsitudinem provocari* . . . eqs. (Gedanken des späteren Abts Theonas über seine junge Frau).

[22]) Davon wird unten S. 170 ff. ausführlich die Rede sein.

[23]) Vgl. Chrys. in Hebr. hom. 7,4 (PG 63,66): nur bei Verwaltungsaufgaben, wenn *χρόνος* und *πεῖρα* notwendig sind, gilt jugendliche Unerfahrenheit als Entschuldigungsgrund, nicht jedoch, wenn es um sittliche Leistungen geht!

[24]) Natürlich ist hier wie auch sonst 'gepredigte' und 'gelebte' Moral — um mit BOLKESTEIN zu reden — nicht ohne weiteres gleichzusetzen (vgl. H. BOLKESTEIN, Wohltätigkeit und Armenpflege im vorchristlichen Altertum [Utrecht 1939] passim).

dem Glauben sein ganzes Leben lang angehört hatte. Gegen diese offenbar verbreitete Anschauung wendet sich Origenes im Matthäuskommentar an der Stelle, wo er das Herrenwort: „Die Ersten werden die Letzten sein . . .“ (Mt. 19,30) behandelt. Dieser Ausspruch, erklärt er, kann als Ermunterung für die neu zum Glauben Hinzukommenden verstanden werden: wenn sie sich sputen, werden sie viele von denen, die den Ruf genießen, im Glauben alt geworden zu sein, noch überholen *ὡς οὐκ ἐμποδίζοντος οὔτε χρόνου τοῖς ὕστερον πιστεύουσιν οὔτε γονέων μοχθηρῶν τοῖς αὐτοὺς ἀνεγκλήτως ἀγωνιζομένους παραστήσασιν*[25]). Die Zeit bedeutet also für die einen kein Hindernis und für die anderen keine Garantie. Ähnlich äußert sich Origenes anläßlich des Gleichnisses von den Arbeitern im Weinberg (Mt. 20,1/16). Die Arbeit im Weinberg ist die Arbeit für das Reich Gottes, der 'Tag' des Gleichnisses entspricht dem Menschenleben, die fünf verschiedenen Tageszeiten, zu denen die Arbeiter in den Weinberg kamen, bedeuten die fünf Lebensalter. Daß alle 'Arbeiter' den gleichen Lohn erhalten, daß der als Greis bekehrte Sünder dasselbe bekommt wie der von Kindheit an Gläubige, erklärt Origenes mit dem energischen Hinweis: *προαίρεσις καὶ οὐ χρόνος ἐξετάζεται, ὃν ἐν πίστει πεποίηκέ τις . . . κτλ.*[26]). Es kommt also alles auf die Entscheidung für Christus an. Noch ein drittes Mal hat Origenes in dem gleichen Kommentarwerk die Bedeutungslosigkeit der Zeit dargestellt. Diesmal richtet er sein Augenmerk aber nicht auf den früheren oder späteren Zeitpunkt der Bekehrung, sondern betrachtet generell den sittlichen Fortschritt des Menschen. Er legt hierbei die Parabel von den bösen Winzern zugrunde. Darin steht der Satz: „Als die Zeit der Weinlese kam . . .“ usw. (Mt. 21,34), ein Satz, dessen Erklärung Origenes als besonders schwierig ansieht. Er deutet ihn zunächst mikrokosmisch auf den einzelnen, dann makrokosmisch auf das Volk. Für uns ist die Erklärung *καθένα* wichtig. Sie läßt sich folgendermaßen resümieren: Es gibt sechs Stadien im Wachstum und Reifen der Traube, und dementsprechend sechs Reifestadien der menschlichen Seele. Aber nur der 'Hausherr', d. h. Gott allein, weiß, wann bei jeder einzelnen Menschenseele die 'Zeit der Reife' gekommen ist; denn viele sind noch nicht

---

[25]) Orig. in Mt. XV 26 (GCS 40,425f.).

[26]) Ebd. XV 36 (457f.). Ausführlicher ist die alte lateinische Übersetzung: *quoniam ergo adfectus, non tempus respicitur, quod quis fecit in fide, ideo non adspicitur ex quo quis vocatus est, sed quantum quis operatus est.* Ganz schlüssig erscheint die Begründung gerade in dieser Form freilich nicht: wenn das Maß der geleisteten Arbeit entscheiden soll, hätte ja wohl auch der Lohn verschieden sein müssen.

vollkommen, obgleich sie es längst sein müßten *ὅσον ἐπὶ τῷ χρόνῳ* — Origenes stützt seine Exegese mit Hebr. 5,12: „Der Zeit nach solltet ihr schon Lehrer sein ..." usw. Im Gegensatz zur Sphäre des bloß natürlichen Wachsens und Reifens wird der Reifungsprozeß der Seele nicht durch den Zeitfaktor bestimmt[27]).

Wir haben uns bisher bemüht, die Anschauung von der Bedeutungslosigkeit des Lebensalters und die damit leicht sich verbindende Abwertung der Zeit aus dem Totalitätsanspruch der christlichen Verkündigung, die gleichermaßen für alle da sein wollte, zu erklären. Freilich haben wir mindestens mit der zuletzt erwähnten Passage die Grenze dieses Bereichs überschritten, denn Origenes' Räsonnement über die *προκοπή* der Seele atmet spürbar den Geist griechischer Philosophie. Hier tritt wieder jene andere Linie der Zeitentwertung klar hervor, die von der philosophischen Spekulation des Hellenismus ausgeht und sich nicht zuletzt durch Vermittlung Philons bei den Kirchenvätern fortsetzt. Allerdings laufen die verschiedenen Linien bereits bei Origenes zusammen, wie man gerade anhand der ausgewählten Stellen aus dem Matthäuskommentar beobachten kann. Es würde uns auch schon genügen, wenigstens das eine gezeigt zu haben, daß nämlich das Christentum von sich aus für die Abwertung der Zeit besonders empfänglich sein mußte, daß hier der Boden für entsprechende Einflüsse von außen bestens vorbereitet war. Erst so wird recht verständlich, wie die radikale Zeitverachtung Philons bei den christlichen Exegeten eine derart bereitwillige Aufnahme finden konnte. Lehrte die Stoa und mit ihr Philon, Zeit und Alter seien Adiaphora, so konnte der Christ diese Anschauung von der eigenen Position aus mühelos nachvollziehen, ja sie mochte ebenso gut christlich wie stoisch oder philonisch dünken, wofern man nur die eigenen Voraussetzungen damit verband.

Doch es empfiehlt sich, unsere Überlegungen zum Zeitproblem entschiedener als bisher in eine bestimmte Richtung zu lenken. Schon oben war davon die Rede, daß es gewisse Momente gab, wie etwa der Stolz auf ein langes Leben als Christ, die einer Abwertung der Zeit

---

[27]) Ebd. XVII 8 (605/608). Genauer besehen sieht die Erklärung des Origenes allerdings komplizierter aus. Denn er nimmt zugleich auch einen altersbedingten geistigen Fortschritt an. Dieser Gesichtspunkt ist maßgebend für die ersten vier Entwicklungsstufen bis zur Jugend. In der Jugend — sie entspricht dem *ὀμφακίζειν* der Traube — stellt sich dem Menschen die Entscheidung: er kann in jener natürlichen *κακία*, die dem Jugendalter eignet, verharren und eine unreife Traube (*ὄμφαξ*) bleiben; er kann aber auch zur Tugend fortschreiten und Frucht tragen. Diese beiden letzten, entscheidenden Stufen sind nicht mehr an Alter und Zeit gebunden.

widersprachen. Das stärkste Gegengewicht dürfte aber die allgemein verbreitete, gerade im christlichen Denken tief verwurzelte Ehrfurcht vor dem Alter schlechthin gewesen sein. Daß dem so war, können wir schon allein aus den heftigen Angriffen schließen, welche die Kirchenväter gegen Autoritätsgläubigkeit und kritiklose Verehrung des Alters richten. Dafür einige charakteristische Beispiele! Palladius hat seinem Dialog über das Leben des Johannes Chrysostomus eine Vorrede beigegeben, deren eigentlicher Zweck überhaupt nur der zu sein scheint, die Autorität des Greisenalters in Frage zu stellen [28]). Der Dialogführer verlangt von seinem Gesprächspartner, einem römischen Diakon namens Theodoros, unbedingten Glauben an die Wahrheit seines Berichts, wobei er sich auf die Würde seines grauen Haars beruft. Wie sich bald erweist, will er damit den Jüngeren nur auf die Probe stellen. Aber der Diakon besteht die Prüfung. Er bittet den Alten, nicht seine grauen Haare als Zeugen anzuführen: „Denn alt geworden sind auch Schlechte, die nicht durch Tugend ihre Seele ergrauen ließen, sondern (nur) durch die Länge der Zeit runzelige Leiber bekamen". Palladius schreckt, wie man sieht, nicht vor realistischen Zügen zurück. Aber es kommt noch besser! Zunächst führt der Diakon biblische Belege für die Schlechtigkeit mancher Greise an, nämlich „die falschen Ältesten zu Babylon" (*οἱ κατὰ Βαβυλῶνα ψευδοπρεσβύτεροι*) — gemeint sind die Ältesten, die Susanna verführen wollten — und das Volk Ephraim nach dem Bilde bei Hosea 7, 9. Dann aber fährt er fort: „Wer war altersgrauer und wer seiner Erscheinung nach würdiger als Acacius von Beröa, den ihr jetzt als Unruhestifter und Anführer frevlerischer Aufrührer streng rügt? Ihm wuchsen sogar lange graue Haare aus den Nasenlöchern heraus . . ." usw. Hier ist die Entwertung des grauen Haars als Würdeabzeichen ins Groteske gesteigert. Der Hieb auf den Chrysostomusgegner Acacius, der wie nebenbei fällt, offenbart im übrigen den hintergründigen Zweck des ganzen Geplänkels: Acacius muß wohl eine imponierende Greisengestalt gewesen sein, und zweifellos ist es in erster Linie seine Autorität, die Palladius gleich zu Anfang seines Dialogs neutralisieren möchte. Die Ältesten der Susannaepisode werden gerne angeführt, wenn es darum geht, den Glauben an den Wert des Greisenalters zu erschüttern, so zum Beispiel auch bei Chrysostomus [29]) in einer Erörterung über Davids Sündenfall (2reg.

---

[28]) Pallad. dial. 4 (PG 47, 17f.).

[29]) Chrys. de paen. hom. 2, 2 (PG 49, 286); eine ähnliche Gegensetzung von *γνώμη* und *ἡλικία* bringt die oben S. 35 und unten S. 233 erwähnte Passage aus einem anderen Werk desselben Kirchenvaters. Vgl. auch Ps. Chrys. hom. in ps. 50, 2f. (PG 55, 567f.) und Chrys. bei Maxim. loci 41 (PG 91, 917B).

11, 2ff.): „(David) trieb Ehebruch ... und das im äußersten Greisenalter. Daraus sollst du lernen, daß dir, wenn du leichtsinnig bist, das graue Haar nicht nützt, und umgekehrt: daß die Jugend dir nicht schaden kann, wenn du rechtschaffen bist; denn Charakter ist nicht Sache des Lebensalters, sondern die sittlich gute Tat kommt aus der Gesinnung. Daniel war erst zwölf Jahre alt und doch Richter; die Ältesten aber waren hochbetagt und planten dennoch das Ehebruchstück: diesen nützte nicht das graue Haar und jenem schadete nicht die Jugend. Auch daraus sollst du lernen, daß Taten der Enthaltsamkeit nicht nach dem Lebensalter beurteilt werden, sondern nach der Gesinnung. David verfiel gerade damals, als er im Greisenalter stand, in Ehebruch und beging einen Mord ..." usw. Wir haben Chrysostomus absichtlich selbst zu Wort kommen lassen um zu zeigen, mit welch nachdrücklicher Umständlichkeit der Prediger den Vorzug der *γνώμη* vor der *ἡλικία* einhämmert. Oft und oft vernehmen wir in der altchristlichen Literatur dieselben Töne, die Kirchenväter werden nicht müde, Zeit, Alter und graues Haar in den Bereich der Adiaphora zu verweisen. Hieronymus warnt in einem seiner Briefe an Paulinus v. Nola ganz ähnlich wie Palladius vor purer Autoritätsgläubigkeit dem Alter — und zwar seinem eigenen — gegenüber: *noli ... annorum aestimare nos numero,* ruft er und wiederholt: *noli, inquam, fidem pensare temporibus!* Unter den biblischen Exempla, die er zum Beweise anführt, fehlen wiederum Daniel und „die schamlosen Greise" nicht[30]). Cassian legt an einer Stelle seiner *Collationes* einem Abt Moses eine ausführliche Predigt gegen böse Greise in den Mund, deren Ansehen nur auf der *vitae longaevitas, numerositas annorum, annositas* beruht: ihr Grauhaar benütze der Teufel, um junge Leute zu Fall zu bringen[31]).

Mit der Wiedergabe derartiger Äußerungen ließen sich Seiten füllen. In den gleichen Zusammenhang gehören auch die Darstellungen spezieller Alterslaster[32]) und die erbaulichen Geschichten vom späten

---

[30]) Hier. epist. 58,1,2 (CSEL 54,527f.); vgl. 37,4,2 (ebd. 289): *neque vero eorum ... vel auctoritate vel aetate ducaris, cum et Danihel senes iudicet et Amos, pastor caprarum, in sacerdotum principes invehatur.*

[31]) Cassian. coll. II 13 (CSEL 13,52f.). Zum Gebrauch des Begriffs *longaevitas* im abfälligen Sinne vgl. z.B. noch Ambros. in ps. 118,2,18. 13,14 (CSEL 62,31. 290).

[32]) Oft genannt werden Jähzorn, Kleinmut, Trunksucht, Trägheit, vgl. etwa Basil. reg. brev. 82 (PG 31,1141 A/B); Chrys. in Tit. hom. 4,1 (PG 62,681f. [zu Tit. 2,2]); Greg. Naz. or. 25,7 (PG 35,1208 A).

Sündenfall bewährter greiser Asketen[33]). Bemerkenswert ist ferner die Vorsicht, welche die Kirchenväter nicht selten dann an den Tag legen, wenn sie wirklich dem Alter Lob spenden. Gerne flechten sie dabei ein, diesem oder jenem gebühre die Verehrung nicht nur aufgrund seines Alters, sondern auch dank seiner Verdienste, seines Lebenswandels. Stereotyp sind Formulierungen wie *καὶ πολιτείᾳ καὶ ἡλικίᾳ αἰδέσιμος, καὶ πολιᾷ καὶ φρονήσει* (*πολιᾷ καὶ συνέσει, αἰδοῖ καὶ χρόνῳ*) *τετιμημένος*, *probatae aetatis et fidei, annis meritisque verenda* u. dgl.[34]).

Es mag sein, daß innerhalb einer Betrachtungsweise, welche die Zeit vorwiegend unter ethischem Aspekt sieht[35]), sie gewissermaßen auf ihren moralischen Nutzwert für das Leben des einzelnen prüft, das Greisenalter wie von selbst in den Mittelpunkt des Interesses rückt. Der alte Mensch ist am längsten 'in der Zeit', deren etwaige Wirkungen positiver oder negativer Art er mit steigendem Alter an sich erfahren muß. Jedenfalls stellt sich den Kirchenvätern die Frage nach der Bedeutung der Zeit für die innere Vervollkommnung des Menschen meist in der konkreteren Form der Frage nach Wert oder Unwert des Alters. Oder anders ausgedrückt: die Auseinandersetzung um den Wert der Zeit kann zum wesentlichen Teil als Kampf gegen die Überschätzung des Greisenalters angesehen werden.

In die gleiche Richtung weist die Vielzahl biblischer *παραδείγματα* für das Idealbild des tugendhaften, weisen Knaben und Jünglings, die sich die Kirchenväter bereitgestellt haben (vgl. dazu den Exkurs S. 223ff.). Gerade sie machen deutlich, wieviel den Vätern darauf ankam, den Wert des Alters zu relativieren und bedingungslosen Autoritätsanspruch zurückzuweisen. Die Existenz solcher Vorbilder in der Schrift sollte die Lehre von der grundsätzlichen Gleichrangigkeit der Lebensalter festigen, und stets war dabei die Spitze gegen die Überbewertung des Alters gerichtet. Bezeichnenderweise haben sich für das Leitbild geistiger Kindheit keine festen Typen herausgebildet,

---

[33]) Chrys. tract. ad Theodor. 19 (SC 117,198/200); Cassian. coll. II 5 (CSEL 13,44f.) u.ö.

[34]) Basil. epist. 169 (2, 104f. Courtonne); Greg. Naz. or. 25,12 (PG 35, 1213C); 42,11. 26 (PG 36,472A. 489C); Hier. epist. 54,11,2 (CSEL 54,478) — vgl. 22,17,1; 79,7,4 (CSEL 54,164; 55, 95): *quas et aetas probavit et vita.* Ferner: ILCV 1433,1.

[35]) Grilli 95 spricht, mit glücklicher Wahl des Ausdrucks, von der „concezione etica del tempo" (in der hellenistischen Philosophie).

für das Ideal des altersreifen Knaben dafür um so mehr[36]). Das kann nicht etwa nur daraus erklärt werden, daß Philon dem Ideal innerer Kindlichkeit noch nicht huldigte und folglich den christlichen Exegeten hierin nicht mit seinem Beispiel vorangehen konnte. Die Tradition der Bibelexegese mag mitgespielt haben, reicht jedoch allein zur Erklärung des Sachverhalts nicht aus. Es ist vielmehr so: das Übergewicht des Ansehens, welches das reifere und hohe Lebensalter weithin genoß und zu dessen Festigung übrigens die kirchlichen Prediger selbst, wie wir gleich sehen werden, nicht wenig beitrugen, machte es notwendig, daß auf der anderen Seite die Autorität der Schrift in größtmöglichem Umfang aufgeboten wurde, um auch dem Kindes- und Jugendalter zu seinem Recht zu verhelfen.

Jene fast uneingeschränkte, ja bisweilen geradezu schwärmerische Verehrung des Alters, die von den Kirchenvätern mit so viel Entschiedenheit bekämpft wird, behauptete sich aber durchaus nicht etwa nur in den Gemütern einfacher Gläubiger. Sie hinterließ vielmehr ihre deutlichen Spuren auch in den Werken der großen kirchlichen Schriftsteller selbst. Bei allem, was bisher über die Gleichrangigkeit der Altersstufen und die Entwertung der Zeit gesagt wurde, hat man sich eben immer wieder ins Gedächtnis zu rufen, daß derlei Ansichten keine strenge Systematisierung dulden. Wollte man sie zu einem geschlossenen System ausbauen, müßte notwendig ein verzerrtes Bild entstehen. Kein Teil der christlichen Spätantike, nicht einmal ein einziger der größeren Autoren würde sich einer derartigen Prozedur fügen. Altersüberlegenheit und Zeitverachtung haben wir nur als eine, allerdings eine sehr mächtige geistige Strömung zu verstehen. Um der Gefahr der Einseitigkeit zu entgehen, müssen wir uns wenigstens ganz kurz einmal auch der entgegengesetzten Anschauung zuwenden!

Das Lob des Alters schlägt bei den Kirchenvätern hohe Wellen[37]). Auf Schritt und Tritt werden seine Tugenden gerühmt, vor allem Weisheit, Freiheit von Sinnenlust und Frömmigkeit. Zeit und Natur wirken beide zugunsten des Alters: durch die lange Lebenszeit erwirbt

---

[36]) Gelegentlich wird zwar auch die Aufforderung zur '*infantia christiana*' mit biblischen Beispielen gestützt: von Abraham war schon oben S. 109 die Rede; Origenes nennt Christus selbst und den Apostel Paulus (in Mt. XV 7: GCS 40, 369f.). Aber solche Exempla stehen nach Zahl und Wirkung in keinem adäquaten Verhältnis zu den Paradigmen des *puer senex*!

[37]) Für das Folgende kann ich vorerst nur auf meinen Beitrag 'Altersklage und Jenseitssehnsucht': JbAC 14 (1971) verweisen. Weiteres Material wird mein RAC-Artikel 'Greisenalter' enthalten.

der Greis Weisheit[38]), der natürliche Kräfteverfall hat ein Nachlassen der sinnlichen Versuchungen zur Folge, ja so gesehen erscheint das Greisenalter ähnlich wie die Krankheit geradezu als von der Natur selbst errichtetes Bollwerk gegen die Sünde[39]). Das geht so weit, daß dem Greis mitunter die Fähigkeit zu sittlichen Leistungen überhaupt abgesprochen wird, denn in einem Kampf, in dem es keinen Gegner mehr gibt, kann es auch keinen Sieg mehr geben[40]). Um so schlimmer freilich, wenn der Greis dennoch sündigt, besonders wenn er in Jugendlaster zurückfällt! Er gilt vom moralischen Standpunkt aus als Monstrum, als *ὑπερβολὴ τῆς κακίας*[41]), weil seiner Sündhaftigkeit gewissermaßen etwas Widernatürliches anhaftet. Es versteht sich: in je hellerem Licht das Alter erscheint, desto tieferer Schatten muß auf die Jugend fallen. Hat die Natur dem Alter den Weg zur Tugend leicht gemacht, so hat sie ihn der Jugend erschwert: dieser eignet eine natürliche Lasterhaftigkeit wie jenem eine natürliche Tugendhaftigkeit[42]). Mit diesen und ähnlichen Urteilen stehen die Kirchenväter in einer langen Tradition. Die positiven geistigen und ethischen Werte des Greisenalters sind seit jeher in der Antike gesehen worden, besonders aber im Zeitalter des Hellenismus verdichtet sich der Lobpreis seiner Vorzüge. Einen Markstein in dieser Entwicklung bedeutet das Gespräch des Sokrates mit dem greisen Kephalos in Platons Staat (I 328 B/330 A). Nach Platon gewann das Thema zusehends

---

38) Clem. Alex. paed. III 18,3 (GCS 12,247): *φρόνησις δὲ καὶ ἀκριβεῖς λογισμοὶ πολιοὶ συνέσει συνακμάζουσι τῷ χρόνῳ καὶ τὸ γῆρας ἐνισχύουσι τῷ τόνῳ τῆς πολυπειρίας . . . κτλ.* Mit dem Wert von Zeit und Alter steigt stets auch der Wert der Empirie. Vgl. etwa noch Greg. Naz. or. 16,20 (PG 35,961 C); carm. II/2,5,8f. (PG 37,1522).

39) Ambros. hex. I 31 (CSEL 32/1,32). Clem. Alex. paed. II 95,1 (GCS 12, 214) zitiert beifällig das in der Literatur *περὶ γήρως* beliebte Dictum des greisen Sophokles (vgl. Plat. rep. I 329 B/C; Cic. Cato 47).

40) Chrys. adv. opp. vitae monast. III 17 (PG 47,378): *ποία μάχη οὐδενὸς ὄντος ἡμῖν τοῦ πυκτεύοντος*; Basil. hom. in bapt. 5 (PG 31,436 B/C): *ἡ ἐν γήρᾳ σωφροσύνη οὐ σωφροσύνη, ἀλλ' ἀκολασίας ἀδυναμία. νεκρὸς οὐ στεφανοῦται . . . κτλ.* Zugrunde liegt solchen pointierten Aussagen der verbreitete Gedanke, Askese in der Jugend sei ungleich wertvoller als im Alter. Stereotyp ist dabei der Hinweis auf thren. 3,27; so bei Chrys. a. O., Hilar. in ps. 118 beth 2 (CSEL 22,370), Ambros. in ps. 118,19,19 (CSEL 62,431) u. ö. Auch unter solchem Aspekt erfüllt die Zeit im Menschenleben eine wichtige Funktion: sie gibt die Chance zur Bewährung! *Vult longi proelii militem* (sc. *Hieremias*), erklärt Hilarius a. O.

41) Chrys. in Hebr. hom. 7,3 (PG 63,65). Als *ignes prodigiosi* bezeichnet Zeno v. Verona das Liebesbegehren der beiden Alten in der Susannageschichte (tract. I 36,26: CCL 22,98).

42) Siehe oben S. 121[27] und Chrys. in gen. hom. 59,1 (PG 54,515): *ἢ οὐκ οἶσθα ὅτι ἡ νεότης καὶ καθ' ἑαυτὴν μὲν εὐόλισθόν ἐστι πρᾶγμα καὶ ὀξύρροπον πρὸς κακίαν;*

an Interesse, wir erhalten Nachricht von speziellen Schriften περὶ γήρως. Auf uns gekommen sind zwar nur Ciceros berühmter Dialog und Plutarchs Abhandlung *An seni sit gerenda res publica* sowie etliche Bruchstücke einschlägiger Werke, die uns das Florilegium des Stobaios bewahrt hat, aber auch außerhalb dieser Spezialliteratur wird das Alter in der ganzen Antike immer wieder gerne gerühmt, ja das Alterslob hat als Topos der Popularphilosophie zu gelten[43]. In der Reihe der Altersvorzüge stehen die reine Geistigkeit des Greises, seine Einsicht und Überlegenheit gegenüber der Sinnlichkeit ganz obenan.

Die weitverbreitete Hochschätzung des Alters gerade auch in moralischer Hinsicht konnte ihre Wirkung auf die christliche Ethik unmöglich verfehlen, zumal Philon vielleicht auch hier eine Mittlerrolle gespielt hat; denn auch er vertritt gelegentlich die Ansicht (z.B. sacr. 15ff.), daß sich erst in reiferem Alter die Tugend im Menschen festige. Ebenso wie Philon sahen sich die Christen aber noch ganz anderen Einflüssen ausgesetzt. Im Alten Testament ist viel vom ehrwürdigen Greisenalter die Rede, langes Leben und hohes Alter erscheinen oft genug als Lohn Gottes und somit als Zeichen eines gerechten Lebenswandels[44] — eine Anschauung übrigens, die nicht nur im späteren Judentum fortlebte, sondern wiederum auch der griechisch-römischen Antike keineswegs fremd war und sich daher um so eher den Kirchenvätern einprägen konnte[45]. Mochten die christlichen Exegeten die göttlichen Verheißungen eines langen Lebens oder schönen Alters noch so sehr spiritualisierend deuten oder im eschatologischen Sinne als Hinweise auf die ewige Seligkeit erklären, es konnte gar nicht ausbleiben, daß auch die alttestamentliche Vorstellungswelt dazu beitrug, dem Greisenalter gewissermaßen einen Glorienschein zu verleihen. Wenn der Bischof Hosius v. Cordoba, eine der imponierendsten Greisen-

---

[43]) Vgl. Wilhelm 1f., Gnilka 6f.; s. auch J. Makowsky, De collatione Alexandri Magni et Dindimi (Diss. Breslau 1919) 23. Aus der Fülle des Materials greife ich die drei Altersreden des Libanios heraus (or. 2. 3. 4). Sie tragen teils persönlichen Charakter, stellen jedoch die Verteidigung des Alters auch in einen weiteren Zusammenhang (vgl. or. 4,3/5 [1,288 Förster]: Platon, Isokrates, Sophokles, Gorgias, Apollonios v. Tyana und Nestor als Beispiele für kluge alte Männer). Die *Μακρόβιοι* Ps.Lukians und das Kapitel *De senectute* bei Valerius Maximus (VIII 13) bieten dagegen wenig mehr als bloße Aufzählungen.

[44]) Vgl. dazu E. Sellin, Beiträge zur israelitischen u. jüd. Religionsgesch. 2: Israels Güter und Ideale (Leipzig 1897) bes. 56. 228; H. Duesberg, Le vieillard dans l'Ancien Testament: VS 82 (1950) 237/262.

[45]) Vgl. R. Reitzenstein, Des Athanasius Werk über das Leben des Antonius: SHAW 1914, 8, S. 29[3]. Er warnt davor, solche „allgemein menschlichen" Züge vorschnell als christlich zu etikettieren — eine beherzigenswerte Warnung, die fraglos für das gesamte Thema der Lebensalter gilt!

gestalten der christlichen Antike, bei Athanasius ὁ Ἀβραμιαῖος γέρων heißt, wenn Gregor v. Nazianz seinen hochbetagten Vater immer wieder als „Patriarchen“ oder „ehrwürdigen (neuen, zweiten) Abraham“ preist und seine ebenso alte Mutter als „Sarah unserer Zeit“ feiert, dann zeigt sich der alttestamentliche Einfluß auf sinnfällige Weise[46]).

Überhaupt könnte man die christliche Wertschätzung des Alters vielleicht am überzeugendsten dadurch darstellen, daß man die nichtendenwollende Reihe ehrfurchtsgebietender Greisengestalten vorüberziehen läßt, die durch Generationen und Jahrhunderte die Vorstellung gläubiger Christen beherrschten. Dabei müßte am Anfang Gott selbst stehen. Denn Daniel schaute Gott als „Hochbetagten“: „Sein Gewand war weiß wie Schnee, sein Haupthaar wie Wolle so rein“, beschreibt der Prophet (Dan. 7, 9). Die Exegeten haben sich zwar beeilt zu versichern, Gott stehe über der Zeit, ein Altern Gottes sei nicht denkbar, aber unter dem Eindruck des Visionsberichts behauptete sich die Greisenhaftigkeit Gottes wenigstens als bedeutsames Bild: als Warnung vor der Torheit der Menschen, die sich ihres Alters und grauen Haars schämen, oder als Hinweis auf die Weisheit des Weltenrichters[47]). In der Apokalypse ist es der Menschensohn, dessen Haupt und Haar „weiß wie weiße Wolle“ erscheinen (apc. 1, 14), und so wurde sogar Christus in Wort und Kunst gelegentlich als Greis vorgestellt[48]). Auch in der Kontroverse um das tatsächliche Lebensalter Jesu scheint die allgemeine Hochschätzung des reiferen Alters eine gewisse Rolle gespielt zu haben. Jedenfalls wird hinter der Argumentation des Irenaeus, der dafür eintritt, Jesus sei annähernd fünfzig Jahre alt geworden[49]), deutlich die Auffassung sichtbar, man dürfe dem Erlöser

---

[46]) Athanas. hist. Arian. 45 (PG 25, 748 C); Greg. Naz. or. 2, 103 (PG 35, 501 f.); or. 8, 4 (793 A/B); or. 43, 37 (PG 36, 545 C) u. ö.

[47]) Ersteres bei Clem. Alex. paed. III 16, 4 (GCS 12, 246), wo Gott „ewiger Greis“ (ἀΐδιος γέρων) genannt wird, letzteres bei Hier. in Dan. 7, 9 (PL 25, 532 B); vgl. Chrys. in Dan. 7, 9 (PG 56, 231).

[48]) Vgl. Hier. epist. 10, 2, 1 f. (CSEL 54, 36) an den steinalten Paulus v. Concordia: ... *ut senectutem tuam et caput ad Christi similitudinem candidum dignis vocibus praedicem.* Diese Zusammenhänge muß man kennen um zu verstehen, was Gregor v. Naz. meint, wenn er von der πολιὴ θεοειδής seiner greisen Eltern spricht: carm. II/1, 1, 271 (PG 37, 990). Zum *Christus senex* in der Kunst vgl. die beiden Buchdeckel (6. Jh.) bei Volbach Nr. 137, Tafel 42 und Nr. 145, Tafel 47 sowie die Ikone (5./7. Jh.) bei Sotiriou Abb. 8 und 9 (Text: 2, 23/25); s. ferner Grabar 120 und bes. Elisabeth Lucchesi Palli: LexChrIkon 1, 394/96.

[49]) Iren. haer. II 33, 2/4 (1, 330/32 Harvey). Dazu ausführlich Bauer 290/95.

nicht das ehrenvollste und für einen Lehrer notwendige Alter vorenthalten[50]). Ja selbst die Engel, deren Darstellung als bärtige Männer aus der frühchristlichen Kunst bekannt ist, können manchmal geradezu Greise sein[51]), wie denn überhaupt Träger göttlicher Offenbarung gerne Greisengestalt annehmen. Welch tiefen Eindruck mußten aber erst die greisen Apostel, namentlich die Apostelfürsten Petrus und Paulus, hinterlassen! Die entsprechenden Hinweise des Neuen Testaments, die auf ein höheres Alter Petri und Pauli schließen lassen (Joh. 21,18; Phm. 9)[52]), wurden bereitwillig aufgegriffen: die Kunst entwickelte im Lauf der Zeit für das Apostelpaar feste Typen — Paulus wird als älterer Mann, Petrus als weißhaariger und weißbärtiger Greis dargestellt —, und auch in der Literatur ist oft von dem ehrfurchtgebietenden, vorbildlichen Greisenalter Petri und Pauli die Rede[53]). Sogar Johannes lebte in der Vorstellung des alten Christentums vorzüglich als der hochbetagte Evangelist, dem, wie Ambrosius einmal sagt[54]), „gewissermaßen die Gnade des Schwanengesangs im Alter zuteil wurde". Als Greis war er in einem Bilde festgehalten, von dem die apokryphen Johannesakten berichten, als Greis tritt er in jener Rührgeschichte vom jungen Räuberhauptmann auf, die namentlich durch Eusebs Kirchengeschichte weithin bekannt wurde, und als Greis erschien er nachts dem Thaumaturgen, um Glaubensfragen zu erörtern[55]). Wie stark sich die christliche Wertschätzung des Alters an hervorragenden Personen orientierte, zeigt gerade die eben erwähnte Passage bei Ambrosius. Er stellt den Satz auf: *bona iuventus, sed melior senectus,*

---

[50]) Auch die Kunst hat Jesus in Lehrszenen mitunter nach Philosophenart bärtig dargestellt. Vgl. E. Dinkler, Die ersten Petrusdarstellungen: Marburger Jahrb. f. Kunstwiss. 11 (1939) 37^{5}. 64; J. Kollwitz, Art. Christusbild: RAC 3 (1957) 20.

[51]) Zwei Engel erscheinen dem Mönchsvater Pachomius als Greise: vita Pachom. I 107f. (70f. Halkin). So erklärt sich vielleicht auch, warum Evagrius Pont. empfiehlt, die Greise zu ehren „wie die Engel" (PG 40,1252B/C). Zur Deutung der 24 Ältesten als Engel s. J. Michl, Die 24 Ältesten . . . (München 1938) 121f. 125.

[52]) Zur modernen Kritik und Exegese des Ausdrucks *πρεσβύτης* (v.l. *πρεσβευτής*) im Philemonbrief s. etwa G. Bornkamm: TheolWb 6,682f. Für die lateinischen Exegeten ist die vom Griechischen abweichende Fassung: *cum sis* (sc. *Philemo*!) *talis ut Paulus senex* . . . eqs. zu beachten. Vgl. Ambros. Joseph 58 (CSEL 32/2,110); in ps. 36,60 (CSEL 64,118).

[53]) Vgl. Ficker 38/42; 66f. Er berücksichtigt auch literarische Zeugnisse, freilich längst nicht alle: vgl. etwa noch Hilar. trin. VI 37 (PL 10,187B); Chrys. hom. in princ. act. 1,5; 2,6 fin. (PG 51,75. 87f.).

[54]) Ambros. in ps. 36,60 (s. oben Anm. 52).

[55]) Acta Joh. 27 (2/1,165 Lipsius-Bonnet); Euseb. h.e. III 23,6/19 (GCS 9/1, 238ff.); Greg. Nyss. vita Greg. Thaum.: PG 46,909D; s. auch Ficker 31f.

und stützt ihn durch eine Beispielreihe, die geeignet sein mochte, jedweden Zweifel an seiner Richtigkeit zu beseitigen: die Greise Abraham, Johannes, Paulus, Petrus und David werden aufgezählt. Hatte man den Blick auf solche Gestalten gerichtet, dann mußten Zeit und Alter unwillkürlich im Wert steigen. Das Gleichnis von den fünf Talenten enthält den Satz: „Nach geraumer Zeit kam der Herr ...“ (Mt. 25, 19); Origenes folgert daraus[56]), die zur Predigt des Evangeliums geeigneten Männer erreichten im allgemeinen ein hohes Alter, und beruft sich dafür auf das Vorbild Petri und Pauli! In der Tat: unüberschaubar ist die Schar greiser Bischöfe und Kirchenväter. Es müßte ermüdend wirken, wollte man auch nur die prominentesten nennen. Immerhin befinden sich ja unter ihnen solche eindrucksvollen Patriarchengestalten wie der schon erwähnte Hosius v. Cordoba, der „Vater der Bischöfe“[57]), oder Athanasius, dessen erhabenes weißes Haupt, wie Basilius überschwenglich verkündet[58]), Gegenstand höchster Verehrung im ganzen Westen war. Zu einem eigenen Typus bildete sich der ‘Märtyrergreis’ heraus, der auf die Darstellung des greisen Eleazar in den Makkabäermartyrien zurückgeht. Man mag gefühlt haben, daß durch diesen Typus entscheidende Momente einer Passion zu besonders starkem Ausdruck gelangen konnten: die allgemeine Ehrfurcht vor dem Alter ließ das Bekenntnis aus Greisenmund überzeugender, die Unmenschlichkeit der Verfolger grausamer, die Standhaftigkeit des Gefolterten heroischer erscheinen. So fand Eleazar in den christlichen Martyrien viele Nachfolger, angefangen von Polykarp v. Smyrna bis hin zu Marcus v. Arethusa, der unter Julian litt[59]). Doch all das, so lehrreich es auch für die Wertschätzung des Alters und die Verehrung bedeutender alter Männer sein mag, wird weit in den Schatten gestellt durch das Idealbild des greisen Asketen. Es trat seinen Siegeszug etwa zu Beginn des vierten Jahrhunderts an, als sich die Wüsten Ägyptens und des Orients mit Eremiten und Mönchen belebten, und errang eine heute kaum noch vorstellbare Popularität. Antonius, wie ihn die berühmte Vita aus der Feder des Athanasius darstellt, wird wohl für alle Zeiten der eindrucksvollste Vertreter dieses neuen Greisen-

---

[56]) Orig. in Mt. comm. ser. 66 (GCS 38, 156f.).

[57]) Athanas. hist. Arian. 42 (PG 25, 741 C/D).

[58]) Basil. epist. 66, 1 (1, 157, Z. 28f. COURTONNE).

[59]) Mart. Polyc. 7, 2/3 (SC 10, 250/52); Greg. Naz. or. 4, 88/91, bes. 89 in. (PG 35, 620 A). Zu Eleazar und Polykarp s. SURKAU 75. 132. Es ließen sich aber noch viele andere Beispiele beibringen, besonders aus den Berichten, die in Eusebs Kirchengeschichte eingelegt sind: der 120jährige Symeon v. Jerusalem (h. e. III 32, 3/6: GCS 9/1, 268/70), der 90jährige Pothinus v. Lyon (V 1, 29/31: ebd. 412/14) u. a.

typus bleiben. Athanasius schuf mit seinem Büchlein eine Art Propagandaschrift für das Mönchtum. Durch sie wurde der greise Antonius Urbild asketischen Lebens, dem Unzählige nacheiferten. Schon von der Mitte der Vita an heißt Antonius einfach *ὁ γέρων* — kein Wunder freilich bei einem Mann, der fast 105 Jahre alt wurde und so nahezu die Hälfte seines Lebens Greis war! Dabei weiß Athanasius Erstaunliches von der strengen Askese des Hochbetagten zu berichten, der trotz seiner Jahre die geistige und körperliche Frische zu bewahren vermochte. *Μακρόβιοι* wie Antonius waren auch die beiden Makarioi: Makarios der Ägypter starb mit neunzig Jahren, nachdem er sechzig Jahre in der Wüste gelebt hatte, und Makarios v. Alexandrien wurde sogar hundert Jahre alt[60]). Auch sonst hören wir oft von steinalten Asketen. Wohl alle aber übertrifft Paulus v. Theben, der legendäre Vorgänger des Antonius, dessen Leben Hieronymus beschrieben hat. Seine Biographie, in der die Wundergläubigkeit seltsame Blüten treibt, enthält auch die Erzählung vom Besuch des damals neunzigjährigen Antonius bei Paulus, der schon 113 Jahre zählte. Es ist eine gewiß beabsichtigte Pointe, wenn bei der gemeinsamen Mahlzeit der beiden Alten ein frommer Streit entbrennt, wem die Ehre des Brotbrechens zukomme, und der Neunzigjährige als der Jüngere zurückstehen möchte[61])! Greis ist natürlich auch der Mönchsvater Pachomius, der Begründer des koinobitischen Mönchtums[62]). Sowohl er wie Antonius hatten übrigens, so wollen es die frommen Hagiographen[63]), ihrerseits wiederum greise Asketen zu Lehrern. Darin spiegelt sich ein Zug der Zeit: man holte sich Rat bei den ,,Vätern, die in der Wüste alt geworden sind", wie Palladius einmal sagt. So tat z.B. auch der junge Chrysostomus, der sich einen greisen Asketen, den er in den Bergen traf, zum Vorbild nahm, und 'Greis' heißt auch der Einsiedler Hephaistion, den Melania aufsuchte[64]). Die Anachoreten hatten oftmals alle Mühe, sich des Stroms ratsuchender Weltkinder zu erwehren, und ihr Ruhm wuchs gewöhnlich, je älter sie wurden. Unter den Asketen, deren Leben und Wirken Palladius in der Historia Lausiaca darstellt, befinden sich bezeichnenderweise mehr als zwei Dutzend Greise und

[60]) Pallad. hist. Laus. 17 (43 Butler); 18 (56B.).

[61]) Hier. vita Pauli 11 (PL 23, 26A).

[62]) Ähnlich wie Antonius heißt auch er im zweiten Teil der Vita des öfteren *ὁ γέρων*, besonders auffällig 76 (51 Halkin), wo ein Mönch spricht, der selbst Greis ist: die Bezeichnung wird eben zum Ehrentitel.

[63]) Athanas. vita Anton. 3 (PG 26,844B); vita Pachom. I 6ff. (4ff. Halkin): Lehrzeit des jungen Pachomius beim greisen Palamon.

[64]) Pallad. hist. Laus. 23 (75 Butler); dial. 5 (PG 47,18); Vita Melaniae 38 (SC 90,198).

Greisinnen, und auch in den Schriften Cassians begegnen oft alte Mönche: *senex Paesius*, *senex Ioannes*, *senex Machetes*, und wie sie alle heißen[65]). Evagrius Ponticus bezeichnet denn auch die Mönchsväter in seiner Sentenzensammlung *Μοναχικός* kurzer Hand als *οἱ γέροντες*. Die Wüstenheiligen, Mönche und Äbte sind eben die Greise par excellence[66]). Es ist nicht schwer zu erraten, warum man sich gerade die Asketen so gerne als uralte Männer dachte. Abgesehen von der Autorität, die dem Alter im allgemeinen zukommt, spielte noch etwas anderes mit. Es ist, wie schon angedeutet, die Länge der Zeit, die zu einem wesentlichen Teil das Ansehen des Asketen begründet. Über das Leben des jungen Mönchs oder Eremiten läßt sich noch nicht viel Ruhmvolles berichten, Bewunderung verdient, wer sich jahrzehntelang kasteite und, alt geworden, der irdischen Welt fast entrückt scheint. Entschloß man sich in jungen Jahren zu einem Leben härtester Entsagung, so hatte man noch allzu viele Anfechtungen vor sich; der Kampf mit dem Bösen war noch längst nicht entschieden. Aufschlußreich ist in dieser Hinsicht die Geschichte des Mönchs Hierax bei Palladius[67]). Dämonen versuchten, ihn zu entmutigen, indem sie ihm vor Augen stellten, er habe noch fünfzig Jahre zu leben und könne unmöglich so lange seinen strengen Grundsätzen treu bleiben. Doch Hierax entgegnete ihnen: „Traurig habt ihr mich gemacht, weil ihr eine kürzere Zeit nanntet, als sie meinem Vorsatz entspricht; denn ich habe mich für zweihundert Jahre in der Wüste eingerichtet.“

Lenkt man die Aufmerksamkeit auf solche Erscheinungen, wie wir sie eben allerdings mehr skizzenhaft umrissen denn klar ausgeführt haben, so gewinnt man fast den Eindruck einer zunehmenden Vergreisung. Dieser Eindruck verstärkt sich noch, wenn man bedenkt, wie frühzeitig sich die Menschen damals alt vorkamen. Es ist gar nicht so selten, daß schon Vierziger von ihrem Greisenalter reden: der asketische Christ fühlte sich eben vorzeitig dem Diesseits abgestorben und richtete alle Erwartungen auf das künftige Leben[68]). Auch fallen mitunter merkwürdige Äußerungen, die beinahe so klingen, als ob der

---

[65]) Die genannten werden von Cassian inst. V 27ff. (CSEL 17,103) erwähnt.

[66]) Vgl. Evagr.: PG 40,1221C; 1249D; 1252B u.ö. In den *Apophthegmata patrum* (anderer Titel: *Γεροντικόν*!), den *Verba seniorum*, dem *Λειμών* des Joh. Moschos treten ungezählte Greise auf. Manchmal wird ein hohes Alter ausdrücklich angegeben, im ganzen aber ist der Gebrauch von *γέρων* (*senex*) als allgemein ehrende Bezeichnung unverkennbar, vgl. Lampe s.v. *γέρων*.

[67]) Pallad. dial. 17 (PG 47,59).

[68]) Vgl. Gnilka 19 mit Anm. 67.

einzelne das eigene Alter wie einen vom Ich losgelösten Wert verehren könne[69].

Man muß sich das schier erdrückende Gewicht der Autorität des Alters vergegenwärtigen, muß versuchen, sich in diese Welt hineinzuversetzen, um andrerseits die Entschiedenheit, ja Leidenschaftlichkeit recht zu begreifen, mit der die Kirchenväter die Ansicht bekämpfen, Zeit und Alter seien so etwas wie absolute Werte. Denn dieser Ansicht widersprach ja eklatant das 'Gleichheitsprinzip', eben die Anschauung, alle Altersstufen seien vor Gott gleich und hätten die gleiche Chance zum Heil erhalten. Nun hat man zwar zu allen Zeiten gewußt, daß das Greisenalter Vor- und Nachteile bringt und daß die Nachteile nicht nur physischer, sondern auch geistiger und ethischer Art sein können, doch kaum eine Epoche der europäischen Geistesgeschichte dürfte jenes Doppelgesicht des Alters in so scharf profilierter Form zeigen wie die christliche Spätantike. Hier läßt sich ein beinahe paradoxes Verhältnis beobachten: je höher das Alter steigt, desto stärker wird der Kontrapunkt, die Belanglosigkeit der Zeit betont. Dieselben Autoren, die das Alter preisen und greise Heilige verherrlichen, lassen keine Gelegenheit ungenützt, um in schärfster Tonart darauf hinzuweisen, wie wenig auf das bloß äußere Alter zu geben sei. Dabei ist dieser Gegensatz eigentlich niemals mit philosophischer Klarheit gelöst worden. Je nach Anlaß und Zusammenhang wird bald das eine, bald das andere Moment stärker betont. Und doch ist es durchaus nicht so, als ob es überhaupt zu keinerlei Reflexionen über jenes merkwürdig gegensätzliche Verhältnis von Hochachtung und Geringschätzung des Alters gekommen wäre. Eine solche liegt uns zum Beispiel in der schon mehrfach herangezogenen siebten Homilie des Chrysostomus zum Hebräerbrief vor. Die dort angebotene, keineswegs originelle Lösung ist die, daß das Ansehen des Alters auf den sittlichen Leistungen eines ganzen Lebens beruhe, vor allem auf einem der Würde des Alters entsprechenden Betragen des Greises selbst. „Der Greis ist König, wenn er will", predigt Chrysostomus[70]), und in dem bedeutsamen Zusatz: „wenn er will" ist ein ganzes Bündel strenger Bedingungen enthalten. Damit tritt aber wieder jener andere Gedanke an die Oberfläche: die Verehrung richtet sich also gar nicht in erster Linie auf das Alter selbst, sondern auf die geistig-sittlichen Qualitäten, die es ge-

---

[69]) So vor allem Greg. Naz. carm. II/1,50,115 (PG 37,1393A): *ἄζομ' ἐμὴν πολιήν τε καὶ ἄψεα αὐτοδάϊκτα . . . κτλ.*

[70]) PG 63,66 Mitte. Vgl. etwa Hier. epist. 52,3,4 (CSEL 54,417): das Alter kann der Jugend an Weisheit u. a. überlegen sein: *senectus vero — rursus admoneo — eorum, qui adulescentiam suam honestis artibus instruxerunt* . . . eqs.

währleisten soll. Wie von ungefähr gleitet denn auch die Darstellung des Chrysostomus immer wieder in den Gedankenkreis der *senectus spiritalis* hinüber [71]: auf sie kommt es einzig und allein an, sie ist aber dem jungen Menschen ebenso erreichbar wie dem alten!

Damit sind wir wieder bei unsrem eigentlichen Thema angelangt. Wir haben im Voraufgehenden versucht, die gegensätzlichen Standpunkte in der Bewertung der Zeit herauszuarbeiten und so zugleich den sachlichen Hintergrund des Transzendenzideals aufzuhellen. Das Christentum geht einerseits davon aus, alle Lebensalter seien gleichermaßen zum Heil berufen und stünden demzufolge etwa in der gleichen Entfernung zur Vollkommenheit. Bei solcher Sicht der Dinge muß die Zeit notwendig an Bedeutung verlieren, was es den Kirchenvätern erleichtert, dem Stoizismus Philons in diesem Punkte Folge zu leisten. Andrerseits schätzt aber gerade das Christentum das reife Lebensalter sehr hoch ein und mißt der langen, ausdauernden asketischen Bewährung großen Wert bei. Die beiden Anschauungen wechseln miteinander ab, durchdringen einander, ohne je zu einer wirklichen Einheit zu gelangen. Das Ideal einer geistigen Transzendenz der natürlichen Altersgrenzen, insbesondere das Leitbild des *puer senilis*, das man bislang vorwiegend als Element literarischer Konvention hat verstehen wollen, gehören mitten hinein in dieses Auf und Ab, Für und Wider der Beurteilung von Zeit und Lebensalter. Die Forderung nach früher Vorwegnahme spezieller Alterstugenden und die Überzeugung, daß diese Forderung tatsächlich erfüllbar sei, setzen den Zeitfaktor außer Kraft. Schon die Spiritualisierung des Altersbegriffs bedingt einen Gegensatz zum natürlichen Alter und damit zur Zeit. Wie heißt es doch im Weisheitsbuch? ,,Das ehrenvolle Alter ist nicht das hochbetagte, und nicht wird es bemessen nach der Jahre Zahl" (sap. Sal. 4,8) — eine klare Absage an die Zeit, die von den Kirchenvätern oft und oft wiederholt worden ist. Die Vergeistigung des Alters und das Ideal des *puer senex*, das die Übertragung des spiritualisierten Altersbegriffs auf einen Jüngeren voraussetzt, werden so die gebräuchlichsten Waffen der christlichen Denker im Kampf gegen die Überbewertung der Zeit. Aber das ist nur die eine Seite der Sache. In gewisser Weise bringt der ganze Spiritualisierungsprozeß, der sich in der kirchlichen Literatur so breit entfaltet, doch auch wiederum eine prinzipielle Anerkennung der Vorzüglichkeit des hohen Alters. Denn wie könnten die Begriffe 'Greis', 'Greisenalter' usw. zu positiven gei-

---

[71]) Entsprechende Zitate aus dieser Passage haben wir oben S. 41. 94. 112 beigebracht.

stigen Werten genormt werden außer auf der Basis einer Lebensaltertypologie, die dem natürlichen Greisenalter alle jenen hervorragenden Qualitäten zuweist, die im geistigen Begriff enthalten sein sollen? Die positive Bedeutung des vergeistigten Alterswerts beruht auf einer Regel, die aus der normalen Lebenserfahrung, also doch wieder aus einer Beobachtung des natürlichen Alters, gewonnen wird — wir brauchen nicht ausführlicher zu werden, da dieser Gesichtspunkt schon an früherer Stelle ausreichend bedacht worden ist. So kann man sagen, daß das Idealbild des 'greisenhaften' Knaben und Jünglings in sich selbst die beiden gegensätzlichen Aspekte von Zeit und Alter begreift[72]. Es bietet gewissermaßen einen Ausgleich der widersprüchlichen Anschauungen, ohne daß man freilich darin eine klare, durchdachte Lösung des Problems sehen dürfte.

III. DIE ASKETISCHE BEWEGUNG

M. Aubineau hat eine interessante Passage in der Schrift *De virginitate* des Gregor v. Nyssa zum Anlaß genommen, um im Anhang seiner Ausgabe dieses Traktats verschiedene Belege zum *puer senex*-Gedanken zusammenzustellen[1]. Diese Stellensammlung bietet zwar wie alle bisherigen Versuche solcher Art nur eine kaum geordnete Reihe recht willkürlich ausgewählter Belege, ist aber als Ganzes doch von der richtigen Erkenntnis getragen, daß das Ideal der Alterstranszendenz besonders deutlich in der asketischen und monastischen Literatur hervortritt[2]. Die Tatsache als solche war freilich auch schon E. R. Curtius nicht entgangen. Er hatte die vergeistigte Kindlichkeit als Ideal östlichen Mönchtums bewertet[3] und ferner davon gesprochen,

---

[72] Die Art des formalen Ausdrucks der Alterstranszendenz ist eben keineswegs ganz gleichgültig, nicht ohne Grund haben wir darauf in der Einleitung besonderen Wert gelegt. Der metaphorische Gebrauch der Altersnamen setzt typologische Urteile voraus, deren Allgemeingültigkeit gleichzeitig dadurch wieder aufgehoben wird, daß sie auf Vertreter anderer Altersklassen Anwendung finden: in das Spannungsverhältnis der Begriffe, die sich nicht selten in der Art eines Oxymoron gegenübertreten, sind Wert und Unwert des Alters miteinbezogen.

[1] Darauf ist schon oben S. 45[28] aufmerksam gemacht worden. Zu der betreffenden Gregor-Stelle s. unten S. 140f. und S. 209[5].

[2] Die begriffliche Scheidung von Mönchtum und Askese ist für den Gesichtspunkt, den wir in diesem Kapitel verfolgen, von geringer Bedeutung; vgl. dazu K. Heussi, Der Ursprung des Mönchtums (Tübingen 1936) 53f.

[3] Eine Feststellung, die allerdings in dieser Form die wahren Verhältnisse vereinfacht; s. auch oben S. 68.

daß der *puer senex*-„Topos“ in das Mönchsideal Aufnahme gefunden habe. In der Tat hält die Ausbreitung des Transzendenzgedankens etwa gleichen Schritt mit dem Anschwellen der asketischen Bewegung, und es ist nicht übertrieben, wenn man sagt, daß ohne die mächtige Welle asketischer Begeisterung, die das Christentum etwa seit dem dritten Jahrhundert vom Orient her erfaßte und dann im Laufe des vierten immer mehr auch auf den Westen übergriff, das Leitbild einer Überwindung der natürlichen Lebensalter niemals jene Durchschlagskraft erhalten hätte, wie sie sich in den Werken der Kirchenväter allenthalben bemerkbar macht.

Um die Ursachen dieser Entwicklung aufzuspüren, müssen wir zumindest wieder bis auf Philon zurückgreifen. Die *Quaestiones ad genesim* — jenes Werk, das ebenso wie die *Quaestiones ad exodum* nur in armenischer Sprache auf uns gekommen ist — enthalten einen für unser Thema hochbedeutsamen Passus. Philon erörtert darin (quaest. gen. IV 152) die geistige Bedeutung der Angabe ἐν γήρᾳ καλῷ (gen. 25, 8). Wir haben diese Passage bei unserer Behandlung der entsprechenden Exegesen Philons oben bewußt zurückgestellt[4]), um sie hier voll zur Geltung zu bringen. Der Text lautet in der englischen Übersetzung von Marcus:

Moreover, “in a good old age” is a most useful description of law and opinions[5]) in so far as a virtuous man is said to be “a fine old man” (εὐγήρως). For all these are good and desirable measures of age[6]), and are more flourishing than contemptible youth in which sensual pleasures of the body are still growing. For as a youth this young man did not highly esteem any passion in word or deed and did not choose such a life. And as a man he did not always stir up childish outbreaks and quarrel and fights, since he practises manliness (ἀνδρείαν). And in middle age[7]), with his virtues seated around him, he is highly esteemed. He does not therefore, first begin to act prudently and soundly when in course of time the passions of old age[8]) pass away and cease, but because in the way

---

[4]) Vgl. oben S. 80[12].

[5]) D.h.: „of moral conduct“, erklärt Marcus (1,435C).

[6]) Was gemeint ist, verdeutlicht die Übersetzung von Aucher: „Huius enim (i.e. viri virtute pollentis) omnes aetatis dimensiones bonae sunt . . .“

[7]) Da das Mannesalter — es heißt sonst auch *aetas media:* Cic. Cato 76 — schon vorher genannt wurde, kann das „mittlere Alter“ hier nur das Übergangsalter zwischen *vir* (*iuvenis*) und *senex*, d.h. die *aetas senioris* (πρεσβυτέρου), sein: vgl. Sen. epist. 70, 2 *primum pueritiam abscondimus, deinde adulescentiam, deinde quidquid est illud inter iuvenem et senem medium, in utriusque confinio positum, deinde ipsius senectutis optimos annos*; Hier. tract. de ps. 143, 4 (CCL 78, 315) *fui infantulus, . . . fui iuvenis, fui vir, hoc est aetatis perfectae, fui mediae* (!), *dum nescio senex sum.* Im gleichen Sinne steht μεσῆλιξ bei Greg. Nyss.: PG 46, 533B.

[8]) „Vitia senescentia“ übersetzt Aucher (360).

one fits a head to a statue he has fitted a most beautiful and lovable aspect to his former way of life. This the eyes of the body do not see, but the pellucid and pure mind is taught to see.

Der Tugendhafte — *ὁ σπουδαῖος* (*φιλάρετος*) mag es im Griechischen geheißen haben — ist auf jeder Stufe seines Lebens vollkommen: als Jüngling zeigt er sich frei von den sinnlichen Lüsten, als Mann verwirklicht er die (wahre) *ἀνδρεία*, indem er sich nicht der Reizbarkeit und Streitsucht überläßt, Fehlern also, die hier offenbar als typisch für diese Altersstufe empfunden werden. So erreicht er die gesetztere *aetas senioris*, im Vollbesitz der Tugenden und hochgeehrt. Das Verhalten eines solchen Mannes im Ablauf der wechselnden Lebensalter wird folglich, darauf kommt es Philon an, durch ein Gleichmaß an Vollkommenheit gekennzeichnet. Er beginnt nicht erst dann tugendhaft zu leben, wenn die *πάθη* durch die Wirkung der Zeit von selbst nachlassen, eben als Greis, sondern schon früher. Philon gebraucht einen Vergleich aus dem Bereich der bildenden Kunst: wie der Künstler auf den Leib einer schönen Statue einen schönen Kopf setzt[9]), so krönt der Weise sein tugendhaftes Leben durch ein gutes Alter — ein einprägsames Bild zum Ausdruck der schwer definierbaren Tatsache, daß das vollkommene Leben ein ebenmäßiges Ganzes gleichwertiger Teile darstellt, innerhalb dessen jedoch dem Greisenalter ein besonderer Vorrang zukommt[10]). *Εὐγήρως* ist die angemessene Bezeichnung für den Tugendfreund, auf welcher Altersstufe er sich auch befinden mag, besitzt er doch zeit seines Lebens die Vorzüge des Alters.

Wir haben diesen Passus deswegen hierher gesetzt, weil er erkennen läßt, daß auch schon Philon die geistige Transzendenz der Altersgrenzen als asketische Leistung auffassen konnte, nämlich als Sieg über die Leidenschaften[11]). Der Text erinnert in mancher Beziehung an die Worte Gregors v. Nazianz über den christlichen Weisen, die wir an den Anfang unserer Untersuchung stellten. Ähnlich wie hier bei Philon wird dort die geistige Vorwegnahme des Greisenalters als Ergebnis des siegreichen Kampfes gegen die *πάθη* verstanden, wobei das agonale Moment durch den Vergleich mit den olympischen Wettkämpfen noch besonders hervortritt. Anders als Philon läßt aber der

[9]) Philon geht offenbar davon aus, daß die Köpfe der Skulpturen gesondert angefertigt und nachträglich in den Rumpf eingefügt wurden — das Verfahren ist ja bekannt genug.

[10]) Vgl. dazu das oben S. 133 Gesagte.

[11]) Es ließen sich noch andere Belege dafür beibringen; z. B. gehört die ganze Erörterung über den *φιλήδονος* und *φιλάρετος* in sobr. 21/25 hierher (s. oben S. 81 mit Anm. 13). Über Philons Einstellung zur Askese (= *ἐγκράτεια*) vgl. VÖLKER, Fortschritt 130/154.

Kirchenvater das Streben nach idealer Zeitüberlegenheit auch im Alter noch fortdauern, insofern er vom greisen Philosophen eine Alterstranszendenz mit dem Ziel innerer Jugendlichkeit verlangt. Doch wir wollen der Reihe nach vorgehen! In Sachen des philonischen Einflusses auf die Kirchenväter haben wir vor allem die alexandrinischen Theologen zu befragen. Clemens v. Alex. behandelt in seiner Schrift „Welcher Reiche kann gerettet werden?“ die Erzählung vom reichen Jüngling (nach Mc. 10, 17/22). Er legt Wert darauf, daß dieser Reiche das Gesetz erfüllte, und zwar „vom frühesten Alter an“. Daran schließt sich der bekannte Gedanke, tugendhaftes Alter sei nichts Großes und Herrliches: *ἀλλ' εἴ τις ἐν σκιρτήματι νεοτησίῳ καὶ τῷ καύσωνι τῆς ἡλικίας παρέσχηται φρόνημα πεπανὸν καὶ πρεσβύτερον τοῦ χρόνου, θαυμαστὸς οὗτος ἀγωνιστὴς καὶ διαπρεπὴς καὶ τὴν γνώμην πολιός*[12]). Greis zu sein 'vor der Zeit', gilt also auch hier als Ergebnis eines siegreichen Kampfes gegen die Leidenschaften; nur der jugendliche Asket (*ἀγωνιστής*!) vermag dieses Ziel zu erreichen. Daß der Aufstieg zum geistigen Greisenalter von der persönlichen Anstrengung des einzelnen abhängt, hebt auch Origenes des öfteren hervor; man vergleiche Formulierungen wie: *omni labore nitamur deponere parvulum et . . . ad aetates reliquas pervenire*, oder: (*qui*) *iuxta laborem animae in spiritali aetate et senio processerunt*[13]). Vor allem aber sah Origenes die Forderung nach *ἀπάθεια* in dem Ideal geistiger Kindheit verwirklicht. Das Herrenwort: „Wenn ihr . . . nicht werdet wie die Kinder“ (Mt. 18, 3) deutet er in diesem Sinne. Er sagt[14]): Wenn ein Mann seine männlichen Leidenschaften so weit abgetötet hat, „daß er sich im Zustand eines kleinen Kindes befindet, das die Liebeslust nicht gekostet hat und die Regungen des Mannes nicht kennt“, dann erfüllt er den Aufruf des Herrn, und je mehr er sich jenem Kindheitszustand annähert, desto größer ist er im Verhältnis zu „den anderen Asketen“ (*ἀσκοῦντες*). Im übrigen, so erklärt Origenes, betrifft das Herrenwort nicht nur die *ἀφροδίσια*, von denen wir uns durch Angleichen an die Kindheit befreien sollen, sondern auch die übrigen Leidenschaften wie Zorn, Trauer, Furcht, Hoch-

---

[12]) Clem. Alex. quis div. salv. 8, 3 (GCS 17, 165). Vgl. dazu den Exkurs, unten S. 243f. Über die Bedeutung der Apathie bei Clemens im allgemeinen unterrichtet SPANNEUT 248/50; vgl. auch STELZENBERGER 269f.

[13]) Hier. Orig. in Lc. hom. 20 (GCS 49, 124): es folgt Spiritualisierung des Greisenalters nach gen. 15, 15 (s. dazu oben S. 89); Ruf. Orig. in Ez. hom. 3, 3 (GCS 33, 351). — Auch nach Augustin ver. rel. 49 leistet der innere Mensch den Fortschritt durch die Skala der sechs geistigen Altersstufen *suo robore spiritali* (vgl. oben S. 102).

[14]) Orig. in Mt. XIII 16f. (GCS 40, 219/224) — wir haben die Stelle schon oben S. 107 kurz berührt.

mut, die den Kindern ebenfalls weitgehend unbekannt sind[15]). Hier ist der rechte Ort, daran zu erinnern, daß das kleine Kind auch für den gnostischen Asketen das ideale Leitbild liefert. In dem koptischen Thomasevangelium, das auf eine griechische Vorlage des zweiten Jahrhunderts zurückgeht und von Ernst HAENCHEN als Zeugnis asketischer Gnosis gewürdigt worden ist, erscheinen die Säuglinge als Repräsentanten eines Idealzustands spannungsloser Einheit, durch den der Unterschied der Geschlechter wie überhaupt jedweder irdischer Gegensatz aufgehoben wird[16]).

Bereits die wenigen bisher beigebrachten Beispiele führen zu der Erkenntnis, daß die Antipoden Kindheit und Alter bei solcher Betrachtungsweise austauschbar werden. Die vergeistigten Begriffe lassen kaum noch eine inhaltliche Scheidung zu. Das Ideal der Apathie kann sich sowohl in der *infantia* als auch in der *senectus spiritalis* verwirklichen. In welche Richtung sich die vom Asketen zu leistende Alterstranszendenz vollzieht, ist von der Sache her eigentlich gleichgültig. Ausgegangen wird von einer Lebensaltertypologie, derzufolge jeweils eine der beiden extremen Stufen menschlichen Lebens den sittlichen Gefahren, vor allem den Versuchungen der Sinnlichkeit, weit weniger ausgesetzt ist als die anderen: was das Kind noch nicht erlebt, erlebt der Greis nicht mehr. Tertullian stellt im Apologeticum (9,19) das christliche Keuschheitsideal mit den folgenden Worten vor: *quidam multo securiores totam vim huius erroris virgine continentia depellunt, senes pueri*. Ist die Frucht der Enthaltsamkeit hier eine Kindlichkeit des Greises, so verhilft die *continentia* umgekehrt aber auch dem jungen Menschen zum geistigen Alter. Hilarius etwa erklärt zu ps. 118,147: *praeveni in maturitate* (vulg.), der Psalmist wolle sagen, er habe nicht erst das erkaltete, durch ein ausschweifendes Leben geschwächte Greisenalter abgewartet: *sed maturitatem omnem fide et religione praevenit vincens per continentiam iuventutem et conprimens lascivientes annos et senectutis maturitatem modestae et castae adulescentiae tranquillitate praeveniens*[17]). Stellen wie diese beweisen im übrigen schlagend, wie wenig man der Sache gerecht würde, wenn man das *puer senex*-Ideal als Ausdruck bloßer geistiger Frühreife einiger weniger, von der Natur

---

[15]) Solche Sicht der Kindheit war auch der hellenistischen Philosophie nicht völlig fremd. Vgl. Sen. epist. 36,12: Freiheit der Kinder von Todesfurcht! Wie Origenes a.O. fordert Seneca, durch Vernunft die 'unvernünftige', d.h. naturbedingte und unreflektierte Haltung der Kinder anzunehmen.

[16]) Vgl. HAENCHEN 52/54 zu den Logia 4 und 22; s. auch H.-Ch. PUECH bei HENNECKE-SCHNEEMELCHER 1, 199/223, bes. 203f.

[17]) Hilar. tract. in ps. 118 koph 4 (CSEL 22,524).

verwöhnter Personen deuten wollte. Die Vorwegnahme der Alterstugenden erreicht man durch sittliche Anstrengung, die von jedem erwartet wird. Ambrosius sieht im geistigen Greisenalter das Ergebnis von Enthaltsamkeit (*continentia*)[18]), Zucht (*disciplina*)[19]), Fasten (*abstinentia*)[20]), und einmal fällt auch in solchem Zusammenhang das entscheidende Wort, das wir schon längst erwartet haben: *grandis igitur morum adsuefacienda maturitas, quae vincat naturam.* Also der Sieg über die Natur ist es letzten Endes, den der asketische Christ durch Antizipation des Alters anstreben soll[21])!

Man mag das Thema der Alterstranszendenz betrachten von welcher Seite man will, immer wieder stellt sich von neuem das Problem der Zeit. So auch hier; denn der Sieg des Asketen über die Natur kann leicht als Sieg über die Zeit begriffen werden. Das lehrt z. B. jene Stelle bei Gregor v. Nyssa (virg. 23, 6), von der sich AUBINEAU zu seiner oben erwähnten Parallelensammlung anregen ließ. Sie lautet: ... *πολλοὶ ταῖς ἡλικίαις νεάζοντες ἐν τῷ καθαρῷ τῆς σωφροσύνης ἐπολιώθησαν, φθάσαντες τῷ λογισμῷ τὸ γῆρας καὶ τρόπῳ τὸν χρόνον ὑπερβαλλόμενοι*[22]). Vergleichbar sind Wendungen wie *aetatem superare, aetatem vincere, annos vincere* u. a.[23]). Gegenüber dem, was im vorigen Kapitel zur Sprache kam, bringt dieser Zeitaspekt nicht gerade etwas völlig Neues. Denn auch bei solcher Betrachtungsweise wird von der Voraussetzung ausgegangen, die Zeit sei für den inneren Fortschritt kein unbedingtes Hindernis; sie soll ja eben möglichst von jedermann überwunden werden. Andrerseits ist aber nicht zu verkennen, daß in dem gleichen

---

[18]) In ps. 118, 19, 19 (CSEL 62, 430f.), wieder zu ps. 118, 147: *praecurrit aetatis maturitatem, quisquis in adulescentia positus senilem gravitatem induit et iuvenales annos veterana quadam continentia regit fervoremque virentis corporis incana morum maturitate componit.* — Wie solche Anschauung (Altersreife durch *continentia*!) zu panegyrischem Zweck umgestaltet werden konnte, zeigt z. B. Cassiodor. var. II 1, 3 (MGH a. a. 12, 46).

[19]) Epist. 63, 98 (PL 16, 1216 A). Über diese Passage s. unten S. 158.

[20]) Ebd. 26 (PL 16, 1196 C): *quid autem pulchrius abstinentia, quae facit etiam iuventutis annos senescere* ... eqs.

[21]) Ambros. in ps. 118, 18, 31 (CSEL 62, 413f.), zu ps. 118, 141. Der Kontext lautet hier ähnlich wie an mehreren der oben genannten Stellen: Tugend — in diesem Fall ist es die Demut — im Greisenalter bedeutet nichts Besonderes, eine achtenswerte Leistung dagegen stellt sie für den jüngeren Menschen dar.

[22]) Diese Worte schließen sich unmittelbar an jenes umstrittene Textstück an, das in einer längeren und in einer kürzeren Fassung erhalten ist: vgl. dazu unten S. 209[5].

[23]) Ps. Hilar. libell. 13 (PL 10, 745 B); ILCV 1307, 3f. (vgl. 3364, 4 *aetatis victrix*); Ps. Ven. Fort. vita Remed. 2, 4 (MGH a. a. 4/2, 64). Alle diese Wendungen beziehen sich auf die geistige Alterstranszendenz.

Maß, wie die Alterstranszendenz als Resultat höchster asketischer Anstrengung empfunden wird, die Zeit als wirksamer Faktor auch im Bereich des Geistigen ernst genommen wird. Vergleicht man etwa Philons Wort vom *χρόνος μηδὲν ἐνεργῶν*[24]) und Gregors Ausdruck: *τὸν χρόνον ὑπερβάλλεσθαι,* so offenbaren sich schlagartig die verschiedenen Ansatzpunkte. Sie schließen einander nicht direkt aus, mögen oft sogar beim gleichen Autor nebeneinander vorkommen, lassen aber doch erkennen, wie vielschichtig das Zeitproblem ist. Das übergeordnete Ziel bleibt stets die ideale Zeitüberlegenheit des geistigen Menschen: sie kann durch einfache Negation des Zeiteffekts ausgedrückt werden, aber auch durch den Aufruf zum asketischen Widerstand gegen die wechselnden Wirkungen von Zeit und Lebensalter. Im Grunde zeigt sich hierin wiederum dieselbe Ambivalenz, die wir oben (S. 121ff.) anhand der schwankenden Beurteilung des Greisenalters aufgewiesen haben. Schließlich sei in diesem Zusammenhang noch daran erinnert, daß sich der Kampf des Asketen auch gegen die körperlichen Folgen der Zeit richtet. Wie oft hören wir von greisen Mönchen und Eremiten, die ihre Askese trotz Krankheit und Gebrechlichkeit beibehielten oder sogar noch weiter steigerten! Chrysostomus äußert sich einmal ausführlich zu diesem Thema, und zwar zu Beginn seiner Rede Über Abraham. Der Erzvater, der noch als steinalter Mann den Kampf gegen die Natur aufnahm, insofern er dem Gebot Gottes, nach Ägypten zu ziehen (gen. 12,1), Folge leistete und seine natürliche Altersschwäche überwand, gilt ihm als Prototyp des greisen Asketen. Christliche Art, erläutert Chrysostomus, wird eben durch die Zeit nicht bezwungen, ja für den Christen, so lautet seine pointierte Schlußfolgerung, gibt es gar kein körperliches Greisenalter, sondern nur ein geistiges[25]).

Wir haben im Voraufgehenden auswahlsweise einige wenige charakteristische Beispiele für die Verbindung von Alterstranszendenz und Askese beigebracht, deren Anzahl sich mühelos vermehren ließe. Es kommt uns jedoch weniger darauf an, reiches Parallelengut auszubreiten, als vielmehr darauf, einen neuen Aspekt der Transzendenz-Thematik zu eröffnen, einen Aspekt, unter dem auch Teile des bisher in den vorausliegenden Kapiteln unserer Untersuchung schon verarbeiteten Materials gesehen werden können. Der Weg, auf dem das

---

[24]) Sacr. 77 (vgl. dazu oben S. 83).

[25]) Chrys. Abr. 1 (PG 50,738): *τοιαῦτα γάρ, ὡς προεῖπον, τὰ ἡμέτερα· οὐκ ἀτονία γήρως αὐτὰ καταβάλλει, οὐ χρόνος αὐτὰ μαραίνει· οὐ γὰρ ἐν σώμασίν ἐστιν ἡ πολιά, ἀλλ' ἐν ψυχῇ· διὸ καὶ ἀγήρατά ἐστιν.* Vgl. Aug. in ps. 112,2 (CCL 40,1631): *quia senectus vestra albescet quidem canis sapientiae, sed non carnis vetustate marcescet.*

Transzendenzideal in die monastische Literatur der späteren Jahrhunderte Eingang fand, liegt in seinem wesentlichen Verlauf klar vor Augen: Am Anfang steht das stoische Ideal der *ἀπάθεια*, dessen Wirkung auf das christliche Mönchtum u.a. Max POHLENZ hervorgehoben hat[26]). Es wurde von Philon in die Form des Transzendenzgedankens gegossen[27]) und mit der Bibelexegese verknüpft. Das gleiche Verfahren wandten Clemens und Origenes an. Namentlich Origenes bildet eine Schlüsselfigur innerhalb dieser Entwicklung. Er ist es, der die Vergeistigung der Altersnamen als Mittel der allegorischen Bibelexegese und mit ihr zugleich das Ideal einer Überwindung der natürlichen Altersgrenzen am entschiedensten übernimmt und weiterentwickelt; er ist es aber auch, der durch Leben und Lehre aufs tiefste die asketische Bewegung des dritten und vierten Jahrhunderts beeinflußt — seit jeher sah man in Origenes einen der Begründer des Mönchtums[28]). Die Übernahme des Transzendenzgedankens in das Mönchtum wird daher fast schon allein durch die Person des großen Alexandriners motiviert. Doch entfaltet sich die ideale Vorstellung innerer Freiheit vom Zwang der altersbedingten Fehler und Schwächen bald zu immer größerer Breite und hat etwa seit der Mitte des vierten Jahrhunderts als Allgemeingut christlich-asketischer Paränese zu gelten.

Es ist daher gewiß kein Zufall, daß gerade im Bereich asketischen Lebens jener Ausdruck gefunden wurde, der das Ideal des altersreifen Knaben und Jünglings in einem einzigen Wort zusammenfaßt: *παιδαριογέρων*. So hieß nach Palladius und Sozomenos Makarios der Ägypter schon in jungen Jahren bei den Mönchen in der sketischen Wüste, und denselben Namen überträgt Kyrill v. Skythopolis, Verfasser mehrerer Mönchsbiographien, auf den hl. Sabas[29]). Zum zweiten Mal — wir erinnern uns an den *ἀνδρόπαις* der Tragiker — begegnen wir also hier einer Wortbildung, die für das Leitbild der Alterstran-

---

[26]) Stoa 1,433f., vgl. die dazugehörigen Anmerkungen 2,212f. Siehe ferner STELZENBERGER 269. 272/275.

[27]) Daß Philon auch hierin stoische Vorgänger hatte, ist aufgrund solcher Stellen wie Sen. dial. 6,23,3 (vgl. dazu oben S. 61f.) für wahrscheinlich zu halten.

[28]) Siehe etwa VÖLKER, Vollkommenheit 44/62. 219 u.ö.; AMAND 33/38; LOHSE 168/73. — Eine Vorform christlichen Mönchtums bietet auch die asketische Gnosis des Thomasevangeliums, von dem eben die Rede war (vgl. HAENCHEN 68f. 70).

[29]) Pallad. hist. Laus. 17 (43 BUTLER); Sozom. h.e. III 14,2 (GCS 50,118); Cyrill. vita Sab. 11 (TU 49/2,94). Alle drei Stellen finden sich schon bei FESTUGIÈRE (Lieux communs 137) und AUBINEAU, die erste auch bei CURTIUS. — Im übrigen verzichte ich jedoch darauf, sämtliche in diesen drei Arbeiten genannten Belege zu wiederholen.

szendenz einen eigenen Begriff schafft. Überhaupt verdienen die Erzeugnisse der hagiographischen Literatur neben den asketischen Traktaten der Kirchenväter[30]) und den Klosterordnungen, über die später noch ein Wort zu sagen sein wird, besondere Beachtung. E. R. CURTIUS hob mit Nachdruck das Vorkommen des *puer senex*-Gedankens in der Benediktvita Gregors d. Großen hervor[31]). In der Tat hat ja Gregors Werk über die wunderwirkenden Asketen Italiens, dessen zweites Buch Benedikt v. Nursia gewidmet ist, tiefen Einfluß auf das Mittelalter ausgeübt. Aber die Art, wie CURTIUS den Beleg auswertet[32]), mag bei manchem, der mit diesen Dingen weniger vertraut ist, leicht den falschen Eindruck erwecken, als stünde die Benediktvita erst am Anfang einer Entwicklung. In Wahrheit ist sie natürlich nur ein Glied, wenn auch ein wichtiges, innerhalb einer langen biographischen Tradition. Ebenfalls ins sechste Jahrhundert gehören die Heiligenviten des Venantius Fortunatus; darin wird von dem Idealbild des *puer senilis*, bzw. der *puella anilis*, ermüdender Gebrauch gemacht[33]). Dasselbe gilt von der Vita Epifanii des Ennodius[34]). Mit Gerontius, dem mutmaßlichen Verfasser der Vita Melaniae, überschreiten wir nach oben die Grenze zum fünften Jahrhundert[35]).

---

[30]) Ich erwähne hier nur einen interessanten Satz aus dem pseudoathanasianischen *Λόγος σωτηρίας πρὸς τὴν παρθένον* 11 (TU 29/2a, 44). Der Verfasser rät der jungen Asketin: *σὺ δέ, εἰ μὲν οὐ ποιεῖς τὰ νεωτερικὰ σχήματα* („Modetorheiten"), *οὐκ ἀκούεις νεωτέρα, ἀλλὰ καὶ πρεσβύτης* (*πρεσβῦτις*, v.l.) *ἀποκαλῇ καὶ τιμὴν ἔχεις ὡς πρεσβυτέρα* (vgl. VON DER GOLTZ z. St.: ebd. 77). Bezeichnend auch Eucher. herem. 3 (CSEL 31, 178).

[31]) Greg. M. dial. II praef. (71 MORICCA). Auch MOHRMANN, La Latinité de saint Benoît: Études 1, 407 nimmt auf diese Stelle Bezug, ohne jedoch gegenüber CURTIUS etwas Neues zu bringen. Weitere Belege aus Gregor sind oben S. 27[4] genannt.

[32]) Er schreibt (110) im Anschluß an das Zitat: „Das wird [!] hagiographisches Klischee, nachwirkend bis ins 13. Jahrhundert."

[33]) Vita Radeg. 2,5 (MGH a.a. 4/2, 38); vita Pat. 3,9; 4,12 (ebd. 34); vita Albin. 6,16 (ebd. 29); vita Hil. 3,7 (ebd. 2); Ps. Ven. Fort. vita Med. 3,8 (ebd. 68); vita Remed. 2,4 (ebd. 64).

[34]) Vita Epif. 10. 18. 38. 45 (MGH a.a. 7,85. 86. 89 bis) sowie carm. I 9,67 (ebd. 42). Vgl. auch epist. VII 13,2 (ebd. 236): durch *industria* und *sudor* (gemeint ist die ständige Lektüre!) wurde Boethius in jungen Jahren 'alt'.

[35]) Vgl. vita Mel. 12 (SC 90, 148/50): Serena stellt der etwa zwanzigjährigen Heiligen vor den Leuten ihres Hofs folgendes Zeugnis aus: *δεῦτε ἴδετε ἣν πρὸ τεσσάρων ἐτῶν ἐθεασάμεθα σφριγῶσαν ἐν τῷ κοσμικῷ ἀξιώματι, νῦν δὲ γεγηρακυῖαν ἐν τῷ οὐρανίῳ φρονήματι*. Die Aussage: 'eben noch in weltlicher Pracht, jetzt alt an himmlischer Weisheit' enthält im zweiten Glied beinahe so etwas wie ein *ἀπροσδόκητον*. Der Gegensatz zu *κοσμικὸν ἀξίωμα* ist verschlüsselt wiedergegeben, ein Verfahren, das den Gedanken als allgemein bekannt voraussetzt.

Auch die Lebensbeschreibungen berühmter Asketen in der Historia Lausiaca des Palladius enthalten außer der schon erwähnten Nachricht über Makarios d. Äg. noch manches andere, was hier zu nennen wäre[36]). Paulinus v. Nola gebraucht das Ideal geistiger Vorwegnahme des Alters zum Lob Johannes' d. Täufers[37]). Dem hagiographischen Genos verwandt ist die christliche Panegyrik, besonders die Grabrede. Sie steht gewissermaßen zwischen Totenlob und Biographie. Durch sie sind uns Zeugnisse des Ideals für das vierte Jahrhundert überliefert: Basilius verwendet es im Lobpreis des verstorbenen Bischofs Musonius v. Neocäsarea[38]), Gregor v. Nazianz in den Leichenreden auf seine Schwester Gorgonia und auf Basilius[39]). Daß im übrigen Äußerungen solcher Art durchaus von tiefer Empfindung getragen sein können, beweist der Nachruf Augustins auf seinen Sohn Adeodatus[40]). Den frühesten Beleg für das Vorkommen des Transzendenzideals in der christlichen Biographie bietet die Cyprianvita, deren Verfasser nach Hieronymus (vir. ill. 68) Cyprians Diakon Pontius ist. Der junge Cyprian, so berichtet sein Biograph, übertraf an christlicher Haltung im Glauben ergraute Greise[41]). Damit haben wir diesen Gedanken von der Benediktvita Gregors d. Großen aus bis ins dritte Jahrhundert zurückverfolgt. Weniger dem Worte als der Sache nach hierher gehört,

---

36) Siehe z.B. hist.Laus. 61 (155 BUTLER), wieder über Melania d. Jüngere.

37) Paul. Nol. carm. 6 (*Laus Ioannis*), 220: *nam mens plena deo tardos praevenerat annos.* Das ist die uns schon wohlbekannte Motivik des 'Vorauseilens'. Vgl. darüber hinaus die typische Kindheitsgeschichte des Täufers insgesamt: ebd. 205/23 (CSEL 30, 14).

38) Basil. epist. 28, 1 (1, 67, Zeile 31/33 COURTONNE): Musonius führte den Vorsitz im Konvent der Amtsbrüder nicht etwa ob seines Alters — er wurde gar nicht sehr alt (vgl. ebd. 2: 67, Z. 1f. COURT.) —, sondern weil er alle überragte *τῷ τῆς σοφίας ἀρχαίῳ*.

39) Greg. Naz. or. 8, 21 (PG 35, 813B): Gorgonia starb erfüllt nicht an 'menschlichen' Tagen, wohl aber an 'göttlichen', so daß der Grad ihrer Vollendung selbst von einem Bejahrten kaum je dürfte erreicht worden sein! Das Lob auf Basilius (or. 43, 23) ist schon oben S. 94[14] zitiert, wo auch weitere Belege aus dem Bereich des literarischen Totenlobs genannt werden. Vgl. aber auch den Lebensabriß (des Papstes Liberius?) in der langen Inschrift ILCV 967: von dem jugendlichen Lector heißt es dort (14f.): *adque item simplex aduliscens mente fuisti | maturusque animo* . . . eqs.

40) Conf. IX 6, 14: *annorum erat ferme quindecim et ingenio praeveniebat multos graves et doctos viros . . . horrori mihi erat illud ingenium: et quis praeter te* (sc. *deum*) *talium miraculorum opifex*? Adeodatus lebte also in der Vorstellung des Vaters als 'Wunderknabe'.

41) Vita Cypr. 2, 8 (100 PELLEGRINO). — Die Zuverlässigkeit der Angabe des Hieronymus zu bezweifeln, sieht HARNACK, Leben Cyprians 2f. keinen Grund.

was Sulpicius Severus über die Kindheit des Martin v. Tours, Gregor v. Nyssa über die Jugend Gregors des Wundertäters[42]), Athanasius über den jungen Antonius[43]) und der Verfasser des Clemensromans über den jugendlichen Clemens v. Rom zu erzählen wissen[44]): ihnen allen eignete so gar nichts Kindlich-Unvollkommenes oder Jugendlich-Ausgelassenes! Ja, um vollständig zu sein, müßte man noch tiefer schürfen. Denn wie das Material zeigt, das BIELER beigebracht hat, pflegte auch die pagane Antike die Jugendgeschichten ihrer großen Männer ähnlich darzustellen[45]). Etliche Belege führen nun hier bis an die Schwelle des ersten nachchristlichen Jahrhunderts[46]) und noch weit darüber hinaus: die Verwendung entsprechender Züge in der Mosesvita Philons[47]), in der Augustusvita des Nikolaos v. Damas-

---

[42]) Sulp. Sev. vita Mart. 2,2/4 (SC 133,254); Greg. Nyss. vita Greg. Thaum. PG 46,900 B/D; 901 D. Auffällig die Ähnlichkeit der Formulierungen: *meditabatur adhuc in aetate puerili, quod postea devotus inplevit* (vita Mart. 2,4) — *ἔδειξεν εὐθὺς παρὰ τὴν πρώτην, οἷος ἐν τῷ τελείῳ τῆς ἡλικίας γενήσεται* (vita Greg.: 900B).

[43]) Athanas. vita Anton. 1 (PG 26,841 A): Antonius hielt sich von der Gemeinschaft mit anderen Kindern fern, wollte auch nicht die Schule besuchen — was positiv bewertet wird (vgl. zu diesem Punkt die Übersetzung des Evagrius [PG 26,839f. unten]: *non ineptis se infantium iungi passus est fabulis*).

[44]) Vgl. Ps.Clem. hom. I 1,1/3 (GCS 42,23) = recogn. I 1,1/3 (GCS 51,6).

[45]) BIELER 1,34/40. Hier ist der richtige Ort, unsere Betrachtungsweise von derjenigen BIELERS abzusetzen: für BIELER besitzt das Ideal geistiger, bzw. sittlicher Frühreife nur insofern Interesse, als es zum Bilde des *θεῖος ἀνήρ*, d.h. vor allem: des gottähnlichen Weisen, gehört. Eine Folge dieser Betrachtungsweise ist es, daß die weite Verbreitung des Ideals gerade im Christentum nicht klar genug hervortritt, zumal sich BIELER bei der Benutzung der christlichen Quellen von vorneherein eine starke Beschränkung auferlegt (s. 1,8f.). So bleiben auch die besonderen Voraussetzungen, auf denen die Beliebtheit des Gedankens im Christentum beruht, dunkel: man vermißt hier die konkrete Anwendung jener allgemeinen Erkenntnis, die BIELER selbst (1,3) im Hinblick auf den *θεῖος ἀνήρ* des Christentums treffend formuliert: „Ein neuer, in seinen formalen Grundzügen ähnlicher, in seinem Wesen doch sehr verschiedener Persönlichkeitstypus.“ Die Behandlung einzelner Gestalten des Alten Testaments und ihres Fortlebens bei späteren jüdischen Schriftstellern (2, 1/39) vermag diese Lücke nicht zu schließen.

[46]) So etwa Plut. Them. 2 (von BIELER nicht berücksichtigt): Themistokles war als Kind verständig und nicht zu Scherzen aufgelegt „wie die meisten Kinder“, sondern ernsten Beschäftigungen zugetan, die auf seine künftige Rolle als Staatsmann vorausdeuteten.

[47]) Die Vita ist bewußt nach hellenistischem Vorbild konzipiert (s. H. LEISEGANG: PW 20/1 [1941] 31); die 'Veraltung' des Helden wird darin mehrfach sichtbar: so soll auch er Scherzen abgeneigt, dafür aber klüger als seine Lehrer gewesen sein (vita Mosis I 20f.). Mehr darüber unten S. 230.

kos[48]) sowie bestimmte Fragmente aus hellenistischen Philosophen-Bioi, die uns Diogenes Laertios bewahrt hat[49]), berechtigen zu der Annahme, daß solche Darstellung zumindest in Ansätzen auch der hellenistischen Biographie schon eigen war. Aber damit entfernen wir uns zu weit vom Ziel unserer Untersuchung.

Blicken wir zurück! Die Transzendenz der Altersstufen ist ein der Form nach spezifizierter, aber dem Inhalt nach umfassender Ausdruck für das christliche Ziel einer Überwindung der menschlichen Natur, sprich: ihrer Schwächen und Fehler. Wer die Transzendenz verwirklicht, erfüllt wichtige Forderungen christlicher Askese. Denn als Kind weise und fromm wie ein reifer Mann, als Jüngling beherrscht wie ein abgeklärter Greis, als Greis demütig und unschuldig wie ein kleines Kind — mehr konnte kaum erbracht werden. Das Transzendenzideal darf also mit Fug und Recht als Leitbild christlicher Askese gelten, deren Forderungen nahezu in ihm aufgehen. Die Altersgrenzen bilden übrigens nicht die einzigen von der Natur vorgezeichneten Trennlinien, die der Christ im Bereich des Geistigen überwinden soll: auch den Geschlechtsunterschied will die Askese tilgen. Allerdings konnte dieses Ziel schon deswegen keine allgemeine Gültigkeit erlangen, weil sich das darin enthaltene Postulat eigentlich nur an die Frau richtet, also im Grunde eine einseitige Leistung des weiblichen Geschlechts verlangt[50]). Vergleichbar sind die beiden Vorstellungen nur insofern, als

[48]) FGrHist II Nr. 90 frg. 127,4.6. Vgl. auch Augustus über sich selbst bei Plut. an seni 784 D (= 207E) und G. Misch, Geschichte der Autobiographie 1/1 (Frankfurt 1949³) 274. 340.

[49]) Vgl. Herakleides Lembos über Platon (FHG III 171 = Diog. Laert. III 26): *νέος ὢν οὕτως ἦν αἰδήμων καὶ κόσμιος ὥστε μηδέποτε ὀφθῆναι γελῶν ὑπεράγαν*. Nach Ariston v. Keos (frg. 32 Wehrli = Diog. Laert. X 14) begann Epikur das Studium der Philosophie mit zwölf Jahren (bei Bieler 1,34 ist die Notiz nicht als Ariston-Fragment kenntlich gemacht). Ob freilich diese Angabe nur auf 'typisierende' Tendenz zurückgeführt werden darf, bleibe dahingestellt: allgemein über dieses Problem Radermacher 232f.

[50]) Darauf hat Haenchen 69 (zum 114. Logion des Thomasevangeliums) hingewiesen. Für die christliche Askese gilt dasselbe wie für die gnostische: der theoretische Ansatz ('Geschlechtslosigkeit' des geistigen Menschen, vgl. Gal. 3,28) entwertet zwar beide Geschlechter, in Praxi jedoch ist es die Frau, von der erwartet wird, daß sie sich zum Niveau des Mannes emporarbeitet. Bezeichnend für diese Einstellung ist Aug. serm. 280,1 (*in natali martyrum Perpetuae et Felicitatis* [PL 38,1281]): ... *secundum interiorem hominem nec masculus nec femina inveniuntur, ut etiam in his, quae sunt feminae corpore, virtus mentis sexum carnis abscondat* ... eqs. Hier. epist. 7,6,1 (CSEL 54,30) preist Frauen, *quae sexum vicere cum saeculo*, Aug. conf. IX 4,8 lobt die *fides virilis* seiner Mutter usw. Vgl. auch Völker, Vollkommenheit 46 sowie K. Thraede, Art. Frau: RAC 8,239/243; 254/260 mit der dort genannten Literatur.

jede von ihnen letztlich auf ein stetes Gleichmaß an Vollkommenheit abzielt, das man bald auf diese, bald auf jene Weise durch die menschliche Natur gefährdet sah[51]).

Doch wir dürfen dieses Kapitel nicht abschließen, ohne wiederum der Gefahr einseitiger Blickrichtung vorzubeugen: Wir haben das Transzendenzideal als Leitbild asketischen Strebens kennengelernt. Es wäre aber ganz falsch, wollte man daraus die Folgerung ableiten, die alte Kirche habe die Erfüllung des Ideals ausschließlich der persönlichen Leistung des Einzelnen zugeschrieben! Die Wirksamkeit der göttlichen Gnade wird von den Vätern auch in diesem Zusammenhang durchaus nicht etwa geringer veranschlagt als sonst[52]), und es geht nicht an, hier irgendeine Scheidung von Wille und Charisma in der Weise anzunehmen, als sei bei der Verwirklichung der Alterstranszendenz bewußt nur der erstere Faktor in Rechnung gestellt worden. Im Gegenteil: ein Mann wie Ambrosius kann das Erlangen geistiger *longaevitas* fast in einem Atemzuge sowohl durch die Gnade Gottes als auch durch den Gehorsam gegenüber Gottes Wort motivieren[53]), wie denn überhaupt in der Zeit vor dem Gnadenstreit gegen Pelagius beide Größen — göttliche Gnade und freie persönliche Leistung — noch recht unproblematisch nebeneinanderstehen[54]). Daß andrerseits der Transzendenzgedanke später in diesem Streit eine Rolle gespielt hätte, ist nicht ersichtlich.

---

[51]) Gregor d. Große stellt einmal beiderlei nebeneinander: *ibi* (sc. *in paradiso*) *fideles viri . . ., ibi sanctae mulieres, quae cum saeculo et sexum vicerunt, ibi pueri, qui hic annos suos moribus transcenderunt, ibi senes, quos hic et aetas debiles reddidit et virtus operis non reliquit* (in evang. hom. 14,5: PL 76, 1130B). Auch die Feststellung über die Greise gehört in gewisser Weise zur Transzendenz-Thematik: vgl. etwa Chrysostomus über Abraham (oben S. 141) oder Ambrosius über Jakob (unten S. 226). Der Satz über die Frauen enthält übrigens einen deutlichen Anklang an Hier. epist. 7,6,1: s. die vorige Anmerkung.

[52]) Hier nur zwei Belege, die das eindrucksvoll bestätigen: nach Origenes (in Jerem. hom. 1,13: GCS 6,11) verdankte der junge Jeremias sein inneres 'Mannesalter' der Gnade Gottes, und übereinstimmend bemerkt Ambrosius (in ps. 118,13,13: CSEL 62,289): *nec hoc quidem difficile, ut is, quem dominus docuerit, super seniores intellegat, siquidem dei gratia ad doctrinam maturitatemque aetatis progrediatur senilis* — er kombiniert ps. 118,100 mit Jer. 1,6f.

[53]) Ambros. in ps. 118,2,17, bzw. 18 (CSEL 62,30, bzw. 31): *Danihel cum puer esset, accepit spiritum quo dignus senectutis primitiis haberetur, ut redargueret senes, ipse non senior longaevitate, sed gratia . . . liquet igitur ex his, quod non senectutis longaevitas eligatur, sed custodia verborum dei.*

[54]) Vgl. dazu die Darstellung bei R. SEEBERG, Lehrbuch der Dogmengeschichte 2 (Leipzig 1923[3] [letzter Nachdruck: Darmstadt 1965[6]]) 372/78, bes. 376: „Genau so wie es eine Zeit gab, wo man Christus als Gott bezeichnete und doch nur den Vater als den einen Gott dachte . . ., hat man in unserer Zeit (d.h.

IV. DIE JENSEITSERWARTUNG

Wenn das asketische Christentum die geistige Überwindung der natürlichen Altersstufen als Ziel sittlichen Strebens proklamierte, so geschah das in der Überzeugung, daß es auch einst nach der Auferstehung keine Altersunterschiede mehr geben werde: weder solche des Körpers noch solche des Geistes. Bereits die Charakteristik des Weisen bei Gregor v. Nazianz, aus der wir eingangs ein Stück zitierten, ließ uns darauf aufmerksam werden, daß bei Behandlung des Transzendenzideals auch der eschatologische Gesichtspunkt bedacht sein will. Die innere Überlegenheit des Weisen gegenüber dem Zwang der altersbedingten Entwicklung des Menschen erscheint bei Gregor als Vorwegnahme der künftigen Situation nach dem Tode. Lehrreich ist auch die Formulierung des Gedankens. Der Weise, sagt Gregor, wird, nachdem er sich als Jüngling 'alt' und als Greis 'jung' erwiesen hat, gerne ins Jenseits hinübergehen, *ἔνθα οὐκ ἔστιν ἄωρος οὐδὲ πρεσβύτης, ἀλλὰ πάντες τὴν πνευματικὴν ἡλικίαν τέλειοι.* Das ist eine freie Kombination zweier Schriftstellen, denen für unser Thema insofern besondere Bedeutung zukommt, als durch sie die Vorstellung einer Gleichaltrigkeit aller Auferstandenen entscheidend gefördert wurde. Der erste Teil des Satzes stammt aus Is. 65, 20: *οὐδ' οὐ μὴ γένηται ἔτι ἐκεῖ* (sc. *ἐν Ἱερουσαλήμ*) *ἄωρος καὶ πρεσβύτης, ὃς οὐκ ἐμπλήσει τὸν χρόνον αὐτοῦ· ἔσται γὰρ ὁ νέος ἑκατὸν ἐτῶν, ὁ δὲ ἀποθνήσκων ἁμαρτωλὸς ἑκατὸν ἐτῶν, καὶ ἐπικατάρατος ἔσται.* Der zweite Teil enthält einen entfernten, aber doch noch vernehmbaren Anklang an Eph. 4, 13: *μέχρι καταντήσωμεν οἱ πάντες . . . εἰς ἄνδρα τέλειον, εἰς μέτρον ἡλικίας τοῦ πληρώματος τοῦ Χριστοῦ.* Zur Erklärung der Gregorstelle sei noch folgendes hinzugefügt: der Nazianzener geht hier offenbar nicht primär von der Frage aus, welches tatsächliche Lebensalter die leiblich Auferstandenen haben werden — eine Frage, die, wie wir gleich sehen werden, in solchem Zusammenhang ebenfalls aufgeworfen wurde —, sondern hat eher die geistige Vollkommenheit der Seligen im Auge. Das Wort *τέλειος* ist ja an sich doppeldeutig. Es kann „erwachsen“ und „vollkommen“ heißen. Die Ambivalenz des Worts spielt auch in der Auslegungsgeschichte von Eph. 4, 13 eine gewisse Rolle, wie WASZINK gezeigt hat[1]). Aber eine klare Scheidung der beiden exegetischen Traditionen bereitet Schwierigkeiten; denn gerade in der Sprache der Kirchenväter gehen die Begriffe leicht ineinander über, was sich aus dem ständigen Um-

vor der Auseinandersetzung Augustins mit dem Pelagianismus) sowohl sagen können, daß der Mensch durch die Gnade Gottes allein erlöst werde, wie ihn zu freien Taten auffordern können.“

[1]) WASZINK 572 zu Tert. an. 56, 7.

gang mit den vergeistigten Altersnamen erklärt[2]). Ebendies läßt sich anhand des Gregorzitats beobachten: neben den Begriffen *ἄωρος* und *πρεσβύτης* kann auch *τέλειοι* zunächst ohne weiteres als Altersangabe verstanden werden, nur ist eben das geistige Alter (*ἡλικία πνευματική*) der Auferstandenen gemeint, also doch wiederum in erster Linie ihre geistige Vollkommenheit. Das Problem der leiblichen Auferstehung wird daher nicht eigentlich berührt: wie die Überwindung der Altersunterschiede im irdischen Leben ein geistiger Vorgang ist, so beruht die Vollkommenheit der Seligen auf einem geistigen Vollalter. Wir legen auf diese Tatsache schon jetzt besonderen Wert, weil auf den folgenden Seiten beide Anschauungen zu Wort kommen werden. Es finden sich Äußerungen, die von der Gleichaltrigkeit der Seligen nur im geistigen Sinne sprechen, daneben aber auch andere, die damit einen realen Zustand der leiblich Auferstandenen meinen. Die beiden Vorstellungen sind nicht unbedingt als konträr zu verstehen, doch empfiehlt es sich schon im Interesse der Klarheit, den Gehalt solcher Aussagen jeweils genau abzuwägen. Für das Thema unserer Untersuchung sind letztlich beide relevant.

Der Zusammenhang zwischen Transzendenzideal und christlicher Jenseitserwartung wird durch die Gregorstelle deutlich bestätigt. Aber auch wenn uns direkte Zeugnisse dafür mangelten, müßten wir einen derartigen Zusammenhang doch aufgrund allgemeiner Überlegungen erschließen. Der Blick des Christen, namentlich des asketisch gesinnten, war jenseitsgerichtet. Durch Unterdrückung fleischlicher Begierden und Schwächen wollte man sich frei machen von den Fesseln der Natur und bereit für den Übergang zum ewigen Leben. Die Überwindung der natürlichen Altersgrenzen gehörte, wie wir sahen, zu den festen Zielen asketischen Lebens, ja kann geradezu als umfassende Formel für das ganze asketische Programm gelten. Ist es, so betrachtet, nicht selbstverständlich, daß die Erfüllung dieses Programms zugleich auch als Annäherung an den seligen Zustand nach der Auferstehung empfunden wurde? Daß man also die Beseitigung der altersmäßigen Gegensätze gerade deswegen als erstrebenswertes Ziel annahm, weil man dasselbe in vollkommenerer Weise von dem künftigen Leben erwartete? Es wäre doch wohl seltsam, wenn ein dermaßen verbreitetes Ideal wie das der Alterstranszendenz, das damals Allgemeingut christ-

---

[2]) Man bedenke nur, wie oft gerade der *ἀνὴρ τέλειος* nach Eph. 4, 13 in die Skala der *aetates spiritales*, die den inneren Fortschritt markieren, übernommen wird! *τέλειος* ist in solchen Fällen einerseits 'Altersbezeichnung', andrerseits Ausdruck eines geistigen Werts.

lichen Denkens geworden war, nicht auch einen eschatologischen Bezugspunkt aufzuweisen hätte.

Einen solchen Bezugspunkt allgemeinerer Art ergäbe schon das Zeitproblem: die Zeit, die der Asket während des irdischen Lebens durch die Alterstranszendenz überwinden soll, wird es ja in der Ewigkeit gar nicht mehr geben[3]). Auch unter diesem Blickwinkel könnte also das asketische Ideal als approximative Vorwegnahme der künftigen Vollkommenheit erscheinen. Aber der Zusammenhang zwischen Transzendenzideal und Eschatologie gestaltet sich noch enger, und zwar eben dadurch, daß nicht nur das Aufhören der Zeit im allgemeinen, sondern gerade auch die Beseitigung der Altersunterschiede zu den Gegenständen christlicher Jenseitserwartung gehörte.

Die Kirchenväter berühren dieses Thema gar nicht so selten. Tertullian kommt in der Schrift *De anima* (56) auf die landläufige Ansicht zu sprechen, die Seelen der vorzeitig Verstorbenen müßten so lange auf Erden verweilen, bis sie die ihnen bestimmte Lebenszeit erfüllt hätten. Er sucht diese Anschauung durch mehrere Argumente zu widerlegen. Davon sind für uns hier die folgenden drei interessant (56,5/7): Die Seele kann nicht altern ohne den Leib, *quia per corpora operantur aetates*[4]). Der Christ hat ferner zu bedenken, daß die Seelen sich einst bei der Auferstehung mit denselben Körpern vereinigen werden, die sie im Tode verließen; wenn aber die Seele eines Kindes nach dem Tode allein die restliche Zeit des ihr vorherbestimmten Lebens verbringen sollte, so würde das ja zu der absurden Annahme führen, daß sie als achtzigjährige im Leib eines kleinen Kindes auferstünde! Schließlich müßte man, alle anderen Bedenken beiseite gestellt, davon ausgehen, dem Menschen sei mit einer bestimmten Lebenszeit auch ein bestimmter Lebenslauf zugedacht worden; denn das menschliche Leben beruht ja nicht nur auf einem bloßen Zeitmaß, sondern auch auf der Erfüllung der wechselnden Aufgaben und Funktionen des menschlichen Daseins. Einen solchen Lebenslauf könnte aber die Seele ohne den Körper niemals durchmachen; ihre Existenz wäre „ein Leben ohne Leben". Im Anschluß an diese dreifache Argumentation gelangt Tertullian zu einer wichtigen Schlußfolgerung, die

---

[3]) Das ist ein häufig ausgesprochener Gedanke. Vgl. z.B. Augustin. in Joh. tract. 31,5 (CCL 36,296): hier altern wir von Moment zu Moment, in der Ewigkeit existiert die Zeit nicht mehr; wir müssen den Schöpfer der Zeit lieben, damit wir von der Zeit befreit werden.

[4]) Am Rande sei hier eine Parallele vermerkt, die in Waszinks Kommentar z.St. (570) fehlt: Athan. or. c. Ar. 3,52 (PG 26,433A) *τῶν σωμάτων εἰσὶν αἱ ἡλικίαι*. Vgl. auch die oben S. 118 übersetzte Cyprianstelle.

seine eigene Meinung zur Sache darlegt: *ita dicimus omnem animam quaque aetate decesserit, in ea stare ad eum diem, quo perfectum illud repromittitur ad angelicae plenitudinis mensuram temperatum.* Für unser Thema ist vor allem der letzte Teil der Aussage bedeutsam, der sich auf die Situation nach der Auferstehung bezieht: die Seele und, so dürfen wir ergänzen, mit ihr der Leib werden ein vollkommenes, engelgleiches Alter erhalten. Im Hintergrund dieser Äußerung steht wiederum Eph. 4, 13; der Vergleich mit den Engeln dürfte durch Mt. 22, 30 (Ehelosigkeit der Auferstandenen) angeregt sein. Die Formulierung Tertullians bleibt im übrigen recht unbestimmt. Der Ausdruck *perfectum illud* läßt strenggenommen die Möglichkeit offen, daß Tertullian nur die Vollkommenheit der Auferstandenen im allgemeinen bezeichnen wollte; der Kontext spricht jedoch dafür, daß damit die *aetas perfecta,* das Alter des erwachsenen Mannes, zumindest mitgemeint war[5]). Wie dem auch sei: Tertullian vertrat jedenfalls die Überzeugung, die Altersunterschiede, welche die Seelen nach dem Tode zunächst noch beibehielten, würden mit dem Tag der Auferstehung schwinden und sich in einen allgemeinen Zustand der Vollkommenheit auflösen.

Die Frage nach der altersmäßigen Verfassung der Auferstandenen verschwand auch in der Folgezeit nicht aus der dogmatischen Diskussion. Sie gewann eher noch an Interesse. Zum wesentlichen Teil erklärt sich das aus dem Kampf gegen den Origenismus. Auch Origenes war durchaus der Ansicht, daß es Altersunterschiede im Jenseits nicht mehr geben werde. Diese Auffassung folgte ja schon notwendig aus seiner Vergeistigung der Auferstehung. Er lehrte die Vergänglichkeit des Fleisches und die Auferstehung der Seele in einem ätherischen Körper, der weder durch Geschlecht noch durch Lebensalter bestimmbar sei[6]). Wie sich auch bei solcher Anschauung die irdische Alterstranszendenz als Annäherung an die jenseitige Situation darstellen kann, beweist Origenes' Erklärung zu Jos. 13, 1 (Josua „vorgerückt an Tagen"). Die Angabe wird nach bewährtem Verfahren auf die geistige Reife des Josua gedeutet, wobei aber die Erörterung

---

[5]) So urteilt auch WASZINK z.St., auf dessen eingehende Behandlung der ganzen Passage hier verwiesen sei.

[6]) Vgl. Orig. in Mt. XVII 33 (GCS 40, 689): aus dem Vorhandensein von Lebensaltern nach der Auferstehung ergäbe sich als sinnwidrige Konsequenz die Existenz der Sünde, die sich mit dem Fortschritt von der Kindheit zum vernünftigen Alter einstellt! Ebd. 30 (671) über die Aufhebung des Geschlechtsunterschieds. Siehe ferner KARPP, Anthropologie 198/200, wo auch weiterführende Literatur genannt ist.

sachte in den eschatologischen Bereich hinübergleitet[7]). In seiner Polemik gegen die Lehre von der Auferstehung des Fleisches hat nun aber Origenes Argumente gebraucht, die gerade bei der Lebensalterfrage ansetzten. Dadurch sahen sich wiederum seine Gegner veranlaßt, die entsprechenden Anschauungen vom Standpunkt der Orthodoxie aus zu präzisieren.

Wir kennen diese origenistischen Argumente am besten aus der Darstellung des Gregor v. Nyssa, und zwar aus seinem Dialog über die Seele und die Auferstehung. Der Dialog ist nach dem Vorbild des platonischen Phaidon konzipiert. Makrina, die Schwester Gregors, leitet vom Sterbebett aus das Gespräch, Gregor selbst spielt die Rolle des advocatus diaboli. Seine Einwände gegen die Auferstehung des Fleisches — sie bilden zusammen mit der Entgegnung Makrinas den letzten Wortwechsel des Gesprächs — lauten folgendermaßen[8]): 1. Wenn wir mit demselben Leib auferstehen, steht uns ein Unglück ohne Ende bevor; denn der Greis erhielte wieder seinen gebrechlichen Körper, der Kranke seinen entstellten Leib und auch die Säuglinge wären übel daran. Auferstehen wir aber nicht mit demselben Leib, dann kümmert uns die Auferstehung nicht, denn wenn statt eines Kindes ein Mann, statt eines Greises ein Jüngling aufersteht, so ist die Identität der Person nicht mehr gewahrt (137 B/141 A). 2. Der menschliche Körper befindet sich von Geburt an bis zum Tode in einem steten Veränderungsprozeß; er ist der Flamme vergleichbar, die man nicht zweimal an derselben Stelle berühren kann. Der einzelne wäre mithin nach der Auferstehung ein ganzes Volk von Menschen. Denn alle Altersstufen müßten vertreten sein: *τὸ βρέφος, τὸ νήπιον, ὁ παῖς, τὸ μειράκιον, ὁ ἀνήρ, ὁ πατήρ, ὁ πρεσβύτης κτλ.* (141 A/D). 3. Die ersten beiden Einwände lassen sich noch durch Zusatzargumente stützen, unter anderem durch folgende Überlegung: Der Leib wird nach der Auferstehung bestraft. Aber welcher? Der zusammengeschrumpfte Leib des Greises. Das ist ein anderer als derjenige, der

---

[7]) Ruf. Orig. in Jos. hom. 16, 1 (GCS 30, 395 f.): der Ausdruck *provectus dierum* meint zugleich auch die Entfernung *ab istis paucis et malis diebus ... ad illos dies aeternos et bonos, aeterni solis luce signatos* (letzteres mit Anspielung auf die Sonne der Gerechtigkeit nach Malach. 4, 2). Auch in der oben S. 89 auszugsweise wiedergegebenen Passage aus den Lukashomilien (GCS 49, 124) eröffnet sich die eschatologische Perspektive: die Verheißung an Abraham gen. 15, 15 gilt für den Christen, der durch die *senectus bona* (*spiritalis*) zur Erfüllung in Christus gelangt.

[8]) Greg. Nyss. dial. de resurr.: PG 46, 137 B/160 C. Vgl. dazu Daniélou passim. — Origenes' eigenes Werk über die Auferstehung ist verloren.

sündigte! Der sündige (d.h. jugendliche) Leib? Doch wo bleibt dann der Greis? (141 D/144 B). 4. Die Zweckgebundenheit der Körperteile stellt uns vor die Frage, welche sinnvolle Funktion sich für sie im Jenseits überhaupt noch denken ließe (144 B/145 A)[9]).

Drei der hier vorgebrachten Argumente stützen sich auf die menschlichen Altersstufen. Beim ersten liegt das Schwergewicht auf der Hinfälligkeit des frühen sowie des späten Lebensalters, beim zweiten und dritten auf der Wechselhaftigkeit der körperlichen Entwicklung. Schon hieraus wird klar, welche Bedeutung das Lebensalterthema für die christliche Auferstehungslehre gewinnen mußte; denn den orthodoxen Gegnern des Origenes fiel ja eben die Aufgabe zu, seine Einwände zu widerlegen. Daß es sich tatsächlich um origenistische Argumente handelt, wird durch andere Zeugnisse bestätigt. Das erste Argument kehrt bei Hieronymus innerhalb einer Auseinandersetzung mit dem des Origenismus verdächtigten Johannes v. Jerusalem wieder; darauf werden wir gleich noch eingehen müssen. Mit dem zweiten und dritten beschäftigt sich Methodios in seinem Dialog *Ἀγλαοφῶν ἢ περὶ ἀναστάσεως*, der ebenfalls den Origenismus bekämpft. Besonders die Widerlegung der Ansicht vom 'Fließen' der Leiber nimmt bei Methodios breiten Raum ein. Auch in seiner Darstellung tritt der heraklitische Einschlag des Gedankens deutlich hervor[10]). Origenes, so erfahren wir bei Methodios, lehrte die Vergänglichkeit des Fleisches und die Konstanz des *εἶδος*: dem Menschen eigne von Kindheit an bis zum Alter ein bestimmtes individuelles Aussehen, und dieses Aussehen werde er auch nach der Auferstehung beibehalten[11]). Methodios' Gegenbeweis kehrt den Sachverhalt genau um: die Substanz bleibt, die Form ändert sich — was ebenfalls aus der Beobachtung der Lebensalter gefolgert wird[12]).

---

[9]) Dazu vgl. Augustin serm. 243 (serm. in dieb. paschal. 14), 4: PL 38, 1145: die Schönheit des Leibes tritt nach der Auferstehung an die Stelle der Zweckmäßigkeit.

[10]) Vgl. Method. resurr. I 9, 2f. (GCS 27, 230) und I 22, 3 (244f.): *διόπερ οὐ κακῶς ποταμὸς ὠνόμασται τὸ σῶμα ... κτλ.* (innerhalb eines Resumé der Ansichten des Origenes).

[11]) Resurr. I 22, 3f. (245f.) = III 4, 4f. (393).

[12]) Resurr. III 3, 7/9 (392). Ganz dieselbe Ansicht äußert Gregor v. Nyssa *de mortuis*: PG 46, 533 B. Wenn Daniélou (170) behauptet, Gregor mache sich hier die Argumentation des Origenes zu eigen, so irrt er: Gregor bekämpft die Lehre vom Bestand des *εἶδος*, geht also durchaus mit Methodios gegen Origenes. Der vorausgehende Passus 521 B/C, auf den sich Daniélou ebenfalls beruft, steht in anderem Kontext: hier geht es um den alten *locus de morte* (der Tod als letzte natürliche Mutation), der aus der hellenistischen Philosophie stammt.

Doch zurück zu Gregors Gespräch mit Makrina! Nachdem Gregor die genannten Einwände vorgebracht hat, hält Makrina ihre Gegenrede (145B/160C). Sie beginnt mit einer allgemeineren Überlegung über das Wesen göttlicher Wahrheit, um dann zu den gegnerischen Argumenten Stellung zu nehmen. Im ersten Teil dieser Beweisführung (148A/149D) tritt das Thema der Altersstufen deutlich in den Vordergrund: die Auferstehung ist die Wiederherstellung der menschlichen Natur in ihren ursprünglichen Zustand, wie er einst von Gott geschaffen wurde[13]). Damals gab es Greisenalter und Kindheit ebensowenig wie Krankheiten und Gebrechen; denn alles Elend ist erst eine Folge der Sünde. Bei der Auferstehung werden wir das Fell der unvernünftigen Leidenschaft (*τὸ δέρμα ἄλογον*) ablegen wie ein schmutziges Gewand, und dazu gehören auch *ἡ κατ' ὀλίγον ἐπὶ τὸ τέλειον αὔξησις, ἡ ἀκμή, τὸ γῆρας, ... ὁ θάνατος*. Die Altersunterschiede fallen also bei der Auferstehung fort[14]). Sie sind ausschließlich für die Beurteilung des Menschen durch den göttlichen Richter relevant, der unter anderem auch nach dem Lebensalter des einzelnen sein Urteil fällen wird.

Die ganze Darstellung hält sich streng im Dogmatischen. Sie zählt zu jenen Erörterungen des Lebensalterthemas, in denen die Beseitigung der Altersunterschiede als Element der leiblichen Wiederherstellung der Auferstandenen behandelt wird. Die Altersstufen des irdischen Menschenlebens werden demzufolge primär im Hinblick auf die körperlichen Schwachheiten, die mit ihnen verbunden sind, betrachtet und insofern neben Krankheit und andere körperliche Unzulänglichkeit gestellt. In solchem Kontext ist ein ausdrücklicher Bezug zwischen Eschatologie und Ethik — d. h. für unser Thema: zwischen der Lehre von der Aufhebung der Altersunterschiede im Jenseits und dem Ideal einer geistigen Alterstranszendenz im Diesseits — kaum zu erwarten. Und doch beweist gerade die eben besprochene Passage aus Gregor v. Nyssa, daß wir sehr wohl berechtigt sind, einen solchen Bezug der Sache nach anzunehmen. Denn wenn wir belehrt werden, die Altersunterschiede seien nicht gottgewollt, sondern Folgen der Sünde und würden einst bei der Auferstehung wieder getilgt werden, so fällt von hier aus tieferes Licht auf die oft erhobene Forderung christlicher Moral, der Mensch solle die nachteiligen Wirkungen der Lebensalter so weit wie möglich, vor allem im

---

[13]) Hierin erweist sich Gregor in der Tat als Schüler des Origenes, dessen Lehre von der *ἀποκατάστασις* er übernimmt.

[14]) Vgl. ebd. 156A: zu den Eigenschaften, welche die menschliche Natur im Tode aufgibt, zählt *ἡ κατὰ τῆς ἡλικίας διαφορά*.

Bereich des Geistigen, überwinden. Mag auch das Transzendenzideal ein Leitbild geistigen Strebens sein, so ist es doch nur sinnvoll aufgrund der Existenz natürlicher Altersstufen, die typische geistige Fehler und typische geistige Mängel hervorbringen. Die Abfolge der Lebensalter wird von Gregor in der eschatologischen Diskussion als körperliches Übel behandelt, dem Moralisten erscheint sie als sittliche Gefahr. Beides hängt offenbar aber doch sachlich zusammen: das Werden und Vergehen bedingt die körperliche Entwicklung und mit ihr bis zu einem gewissen Grade auch die altersbedingte Fluktuation in der sittlichen Haltung.

Der Einwand, bei einer leiblichen Auferstehung müßten auch hilflose Säuglinge und gebrechliche Greise auferstehen, kehrt bei Hieronymus wieder, und zwar abermals innerhalb der Wiedergabe des *dogma Origenis de resurrectione*[15]). Wir erfahren von Hieronymus weiterhin, daß dasselbe Argument nicht nur von den Origenisten, sondern auch von den Heiden benutzt wurde[16]). Es galt wohl als besonders einleuchtend und überzeugend. Hieronymus begegnet ihm mit der Frage: *miraris si de infantibus et senibus in perfecti viri aetatem resurrectio fiat, cum de limo terrae absque ullis aetatum incrementis consummatus homo factus sit?*[17]) Alle Auferstandenen werden also seiner Ansicht nach das Alter des erwachsenen Mannes haben (nach Eph. 4,13), ganz gleich, ob sie als Kinder oder als Greise verstorben sind. Interessant ist der argumentierende Hinweis auf die Erschaffung Adams. Er erinnert in gewisser Weise an den Beweisgang bei Gregor v. Nyssa; denn auch Gregor berief sich ja darauf, daß Altersstufen in der Schöpfung Gottes nicht enthalten waren.

Hieronymus ist noch einmal ausführlicher auf das Lebensalterproblem eingegangen. Im Isaiaskommentar setzt er sich mit der chiliastischen Deutung von Is. 65,20 — wir haben die Stelle oben S. 148 zitiert — auseinander und legt dar, daß das Prophetenwort über das Alter der Menschen im neuen Jerusalem nur dann sinnvoll sei, wenn es sich auf die Situation nach der Auferstehung, also auf das himmlische Jerusalem beziehe. In diesem Zusammenhang sagt er[18]):

---

[15]) Hier. c. Joh. 26 (PL 23,395B): *resurgent etiam infantuli, resurgent et senes: illi nutriendi, hi baculis sustentandi.* — Kindheit und Greisenalter sind nach allgemein verbreiteter Vorstellung die *ἡλικίαι ἐλεειναί* (vgl. Greg. Naz. or. 2,59; 16,13 [PG 35,469A. 952C]; RB 37 u. ö.).

[16]) Ebd. 32 (400B/C): *argumenta vero illa puerorum et infantium et senum, et ciborum et stercorum* (vgl. 395C), *quibus adversum ecclesias uteris, non sunt tua: de gentilium fonte manarunt. eadem enim opponunt nobis ethnici.*

[17]) Ebd. 32 (401A).

[18]) Hier. in Is. XVIII 65,20 (CCL 73A,762).

in tali urbe diversae aetates non erunt: infans et senex, parvus et magnus ..., sed quasi filii resurrectionis omnes pervenient in virum perfectum, in mensuram aetatis plenitudinis Christi, ut nec desint alicui annorum spatia nec supersint et alio necdum solidas habente vires alius desinat esse quod fuerit et decrepita aetate marcescat; pervenientque omnes ad centenarium numerum, qualis fuit Abraham, qui promissionem filii Isaac hac aetate suscepit[19]). Es folgt eine Erörterung über die Vollkommenheit der Hundertzahl, die als Symbol der *firmitas* gedeutet wird. Hierauf erklärt der Exeget, daß in der Gleichaltrigkeit aller Auferstandenen (*aetas una cunctorum*), nicht nur der Gerechten, sondern auch der Sünder, ein tiefer Sinn liege, insofern die Verdammten gezwungen seien, ihre Strafe unversehrten Leibes zu erdulden[20]). Aus apc. 20,12 („ich sah die Toten, groß und klein, vor dem Throne stehen") dürfe kein gegenteiliger Schluß gezogen werden: *illud non aetatum, sed meritorum significat differentias.*

Was an dieser Darstellung besonders auffällt, ist die eigentümliche Kombination der beiden Kernstellen Is. 65,20 und Eph. 4,13. Das ideale Alter der Auferstandenen wird einerseits als Mannesalter vorgestellt, das zwischen den Extremen der Kindheit und des Greisentums liegt. Andrerseits wird aber unter dem Einfluß der Isaiasstelle das Alter des *vir perfectus* mit hundert Jahren angegeben, ohne daß etwa dieses Alter als Greisenalter aufzufassen wäre; denn es gibt ja gar keine Altersstufen mehr. Deutlicher als sonst zeigt sich hier, wie die altchristlichen Theologen tastend versuchen, mit Hilfe der natürlichen Altersbegriffe einen Zustand zu beschreiben, der sich eigentlich

---

[19]) Auch von Epiphanius wird einmal die Vaterschaft des greisen Abraham mit der Auferstehungslehre in Zusammenhang gebracht (ancor. 94,5: GCS 25, 115): Gott habe ihm trotz seines Alters einen Sohn gegeben, um ihm Hoffnung auf die leibliche Auferstehung einzuflößen. Bei Iren. haer. V 5,1. 2 (SC 153,60. 70) soll das schier unglaublich hohe Alter mancher Patriarchen den Glauben an die Auferstehung des Leibes stärken.

[20]) Aus naheliegenden Gründen wird man nicht erwarten dürfen, daß die Lehre von der Aufhebung der Altersklassen in der christlichen Kunst Anklang fand: man denke nur etwa an die alten Männer und Würdenträger auf den Darstellungen des Jüngsten Gerichts! Vgl. z.B. A. Grabar, La Peinture byzantine (Genf 1953) 120: ein Mosaik in der Basilika von Torcello (12. Jh.) zeigt alte Männer, die von kleinen Dämonen am langen weißen Bart gezupft werden. Auch schon in der Paulusapokalypse 34f. (58f. Tischendorf) erscheinen unter den Verdammten Greise: ein Bischof und ein Presbyter. Daß sich diese Schilderung eigentlich noch auf die Situation vor der Auferstehung bezieht, dürfte kaum ins Gewicht fallen: jedwede lebendige Darstellung solcher Szenen braucht eben die menschlichen Kontraste.

mit solchen Begriffen gar nicht mehr ausreichend definieren läßt[21]). So kommt es, daß Hieronymus das Vollmaß des Alters Christi (nach Eph. 4, 13) gleichsetzt mit dem Alter Abrahams (nach gen. 17, 17) und der tief symbolischen Hundertzahl. Von einem puren Materialismus hielt er sich jedenfalls ebenso fern wie von dem Spiritualismus des Origenes.

Eine in mancher Hinsicht vergleichbare Exegese zu Is. 65, 20 bot schon Eusebius. Auch er verflocht das Prophetenwort mit der Stelle aus dem Epheserbrief und bezog beide Angaben auf die Verhältnisse nach der Auferstehung[22]). Wie Hieronymus nahm er an, es werde unter den Auferstandenen weder unvollkommene Kinder noch überalterte Greise geben, vielmehr würden alle im vollen Mannesalter stehen. Allerdings verstand er unter dieser idealen Gleichaltrigkeit offenbar einen geistigen Zustand (*καὶ πάντες ἔσονται ἀκμαῖοι τὰς ψυχὰς ..., πάντες δὲ ὁμήλικες ... κτλ.*). In diesem Punkte berührt sich seine Exegese mit der Bemerkung Gregors v. Nazianz, von der wir oben ausgingen. Etwa auf derselben Ebene liegt eine Äußerung des Theophilos v. Alexandrien. In einem Osterfestbrief, der uns lateinisch in der Korrespondenz des Hieronymus (epist. 100, 4) erhalten ist, schreibt er: *omnes sunt ibi* (sc. *in caelo*) *senescentis ac provectae plenaeque aetatis; nullusque ibi iuxta prophetam inmaturae sapientiae repperietur: 'erit enim', inquit* (Is. 65, 20), *'iuvenis centum annorum', magnitudine numeri perfectionem eruditionis ostendens.* Daß das Vollalter hier unter dem Eindruck der von Isaias genannten Zahl der hundert Jahre als *aetas senescens*, nicht etwa als *aetas perfecta* (*ἀκμή*), bezeichnet wird, tut eigentlich nichts zur Sache: es soll ja ohnehin nur der Grad der geistigen Vollkommenheit ausgedrückt werden. Aber es ist doch interessant zu beobachten, wie die Gleichung *senectus* = *sapientia*, die wir ja aus dem Themenkreis der Alterstranszendenz zur Genüge kennen, hier gewissermaßen ins Jenseits projiziert wird. Theophilos deutet die Isaiasstelle im Sinne des *puer senex*-Ideals. Die restlose Erfüllung dieses Ideals sieht er durch die Auferstehung gewährleistet: wir alle werden dann in der Weisheit vollkommen sein, auch der junge Mensch wird im geistigen Greisen-

---

[21]) In dem hundertjährigen Paul v. Concordia sieht Hieronymus (epist. 10, 2, 3: CSEL 54, 37) ein Bild der künftigen Auferstehung, und zwar deshalb, weil an ihm ein Paradoxon der irdischen Welt Wirklichkeit geworden ist: *futurae resurrectionis virorem in te nobis dominus ostendit, ut peccati sciamus esse, quod ceteri adhuc viventes praemoriuntur in carne, iustitiae, quod tu adulescentiam in aliena aetate mentiris.*

[22]) Euseb. in Is. 65, 18/20 (PG 24, 513 A/B).

alter stehen. Wieder einmal zeigt sich, daß der umfassende Komplex der Transzendenz-Vorstellung seine Ausläufer bis in den Bereich der Eschatologie entsendet.

Die gleiche Beobachtung können wir anhand einer Passage aus dem Briefwerk des Ambrosius machen. In dem Schreiben an die Gemeinde von Vercellae[23]) mahnt der Kirchenvater zur täglichen Bemühung um das Heil; er tadelt in diesem Zusammenhang das törichte Wunschdenken der Menschen, die ein anderes Alter herbeisehnen, als sie tatsächlich haben. Manche junge Leute wollen rasch alt werden, um nicht mehr dem Urteil der Älteren zu unterstehen, und umgekehrt gibt es Greise, die, wenn sie könnten, gerne zur Jugend zurückkehren würden: *quorum studium neutrum probo, quia iuvenes fastidiosi praesentium quasi ingrati mutationem vivendi requirunt, senes dilationem, cum possit et iuventus senescere moribus et senectus virere operibus. neque enim emendationem morum magis aetas affert quam disciplina. quanto ergo magis nos oportet spem attollere ad regnum dei, ubi vitae novitas, ubi gratiae erit, non aetatis commutatio.* Der Gedankengang schreitet hier über drei Stufen vorwärts. Ambrosius will sagen: der Wunsch, das jeweilige Lebensalter zu wechseln, ist Gott gegenüber undankbar (1); außerdem ist er überflüssig, denn ein lobenswerter Ausgleich der Vorzüge von Jugend und Alter, auf den allein es ankommt, kann erreicht werden, ohne daß man die äußere Altersklasse wechseln müßte: er ist Ergebnis moralischer Zucht (2); um so mehr müssen wir auf das Reich Gottes hoffen: dort erwartet uns nicht ein Wechsel der Altersstufe, sondern ein neues Leben in der Gnade Gottes (3). Der gedankliche Zusammenhalt dieses letzten folgernden Satzes mit dem Voraufgehenden ist nicht ganz leicht nachzuvollziehen. Inwiefern sind wir zu größerer Hoffnung auf das Jenseits berechtigt? Zunächst wohl deshalb, weil dem Menschen mehr verheißen ist als eine bloße *commutatio aetatis*, wie sie törichterweise von vielen ersehnt wird; die Aussicht auf ein neues, anderes Leben läßt solche falschen Wunschvorstellungen verblassen[24]). Es mag aber auch mitgemeint sein, daß durch den ganz neuen Gnadenzustand das asketische Streben nach geistiger Alterstranszendenz, von dem unmittelbar vorher die Rede war, endgültig zur Ruhe kommt.

---

[23]) Ambros. epist. 63,98 (PL 16,1215f.).

[24]) Dazu vgl. Chrys. perf. car. 6 (PG 56,286): die Auferstehung bedeutet für den Menschen mehr als für einen armen Greis die Rückkehr der Jugend, Reichtum und eine tausendjährige Herrschaft, *οὐ γὰρ ὅσον γήρως καὶ νεότητος τὸ μέσον, τοσοῦτον φθορᾶς καὶ ἀφθαρσίας τὸ διάφορον.*

Auch noch zwei weitere Stellen in den ambrosianischen Briefen verdienen, hier kurz erwähnt zu werden. An der einen preist Ambrosius das über alle Altersstufen hinweg vollkommene Leben des makedonischen Bischofs Acholius. Dem greisen Acholius wird das Zeugnis ausgestellt, er habe sich — wie könnte es auch anders sein? — durch den Besitz des wahren Greisenalters der Seele ausgezeichnet. Ähnlich wie in der oben genannten Josuahomilie des Origenes geht dabei die Vorstellung geistiger *senectus* (*diuturnitas, longaevitas*) kaum merklich in den Gedanken an das ewige Leben über[25]). Ein andermal behandelt Ambrosius die Bedeutung der Sieben- und Achtzahl. Dabei kommt er auch auf die altersmäßige Einteilung des Menschenlebens zu sprechen: die Sieben, die Solon und Hippokrates ihren Altersschemata zugrundelegten, habe ihren Sinn im Bereich des irdischen Daseins, die Acht dagegen bringe „das eine, ewige Alter", d. h. das Aufhören des Alterswechsels, das Vollalter des *vir perfectus*[26]).

Auf besondere Weise hat Augustinus Alterstranszendenz und Jenseitserwartung miteinander verknüpft. Es handelt sich um jene Passage aus *De vera religione*, die wir bereits an früherer Stelle besprochen haben (S. 101ff.). Über sechs *aetates spiritales* arbeitet sich der neue Mensch zur Vollkommenheit empor. Die sechste bildet schon die Vorstufe zum ewigen Leben. Dieses selbst kommt darauf als siebentes Alter hinzu: *septima enim* (sc. *aetas*) *quies aeterna est et nullis aetatibus distinguenda beatitudo perpetua*. Die 'Alterslosigkeit' der Seligen ist hier zunächst in dem Sinne aufzufassen, daß der geistige Fortschritt im Jenseits zum Abschluß gelangt ist. Allerdings dürfte zumindest im Hintergrund auch der Gedanke an die Gleichaltrigkeit der leiblich Auferstandenen erkennbar sein. Der neue Mensch befreit sich ja — so stellt es Augustinus dar — durch seine geistige Kraft vom Zwang der natürlichen Entwicklung, deren Anfänge er mit dem alten, äußeren Menschen gemeinsam hat. Die *partes* des körperlichen Lebens werden also durchaus in diese Spekulation mit einbezogen, und so liegt es nahe, den Begriff der *beatitudo nullis* (!) *aetatibus distinguenda* auf den ganzen Menschen anzuwenden.

Augustinus hat sich aber auch direkt mit dem Lebensalterproblem der christlichen Auferstehungslehre auseinandergesetzt, am ausführlichsten im 22. Buch des Gottesstaats (civ. 22,15). Er geht hier

---

[25]) Ambros. epist. 16,5 (PL 16,960): ... *quae est enim vere aetas senectutis nisi vita immaculata, quae non diebus aut mensibus, sed saeculis propagatur, cuius sine fine est diuturnitas, sine debilitate longaevitas? quo enim diuturnior, eo fortior: et quo diutius eam vitam vixerit, eo fortius in virum perfectum excrescit.*

[26]) Ambros. epist. 31,14 (CSEL 82,223).

von dem locus classicus des Epheserbriefs aus. Diese Stelle, erklärt Augustin, beziehe sich entweder auf die Vollkommenheit der Kirche als des Leibes Christi oder auf die körperliche Auferstehung: *si hoc de resurrectione corporum dictum est, sic accipiamus dictum, ut nec infra nec ultra iuvenalem formam resurgant corpora mortuorum, sed in eius aetate et robore, usque ad quam Christum hic pervenisse cognovimus (circa triginta quippe annos definierunt esse etiam saeculi huius doctissimi homines iuventutem . . .), et ideo non esse dictum in mensuram corporis vel mensuram staturae, sed 'in mensuram aetatis plenitudinis Christi'*. Kaum jemals dürfte die Angabe in Eph. 4,13 so konkret aufgefaßt worden sein. Allerdings hat Augustin, wie seine anschließende Bemerkung beweist, aus seiner Auffassung kein Dogma machen wollen. Er stellt es jedermann frei, ob er an die jugendliche Gestalt aller Auferstandenen glauben oder lieber annehmen wolle, daß der Leib bei der Auferstehung dasselbe Aussehen zurückerhalten werde, das er beim Tode hatte, also auch zum Beispiel das eines Greises oder Kindes. Entscheidend sei, daß es im Jenseits keinerlei geistige oder körperliche Schwäche geben werde — man spürt hinter diesen Worten die Frontstellung gegen das alte Lebensalterargument der Origenisten. Dieselbe elastische Haltung wie hier nimmt Augustin auch in einer seiner Osterpredigten ein[27]). Er gibt dort offen zu, die Frage, in welchem Alter wir auferstehen würden, sei in der Schrift nicht entschieden. Man möge daher an die Wiederherstellung auch des Kindesalters glauben, wofern man damit nur nicht den Eindruck der kindlichen Schwäche verbinde. Im übrigen macht er aber aus seiner eigenen Meinung keinen Hehl: *credibilius tamen accipitur et probabilius et rationabilius plenas aetates resurrecturas, ut reddatur munere, quod accessurum erat tempore. non enim credituri sumus etiam senectam resurrecturam anhelam et curvam*[28]). *postremo corruptionem tolle et quod vis adde.*

[27]) Aug. serm. 242 (= serm. in dieb. paschal. 13), 4: PL 38,1140. Zu vergleichen ist ferner Ps.Aug. symb. 286 Caspari: *non in altera carne resurgent, sed in ea ipsa, quam habuerunt. sed tamen resurgent homines iuvenes quasi XXX annorum, licet senes aut infantes transierint* . . . eqs. Die drei Stellen erwähnt bereits Waszink zu Tert. an. 56,7. Waszink macht auch auf apc. Joh. 10 (78 Tischendorf) aufmerksam: *πᾶσα φύσις ἀνθρωπίνη τριακονταετὴς ἀναστήσεται*. In diesem Text, der wohl dem 5. Jh. entstammt (vgl. Hennecke-Schneemelcher 2, 535), heißt es weiterhin, die Auferstandenen würden alle *μιᾶς εἰδέας καὶ μιᾶς ἡλικίας* sein, gerade so wie die Bienen, die sich ebenfalls weder durch Aussehen noch durch Alter voneinander unterscheiden. Zur Sache s. auch Dinkler 215/16.

[28]) Augustin meint: wir nehmen doch auch nicht an, daß das häßliche Greisenalter wiederhergestellt wird; also ist es nur konsequent, wenn wir auch an kindliche Gestalt der Auferstandenen nicht recht glauben wollen. In

Die Aussagen der Kirchenväter, die wir in diesem Kapitel vorüberziehen ließen, stehen zum Teil in recht verschiedenem Zusammenhang und sind auch inhaltlich durchaus nicht immer deckungsgleich. Wir haben dieser Verschiedenheit durch Berücksichtigung des jeweiligen Kontextes Rechnung getragen, im übrigen aber die Stellen nur in loser Reihenfolge angeordnet. Denn es wäre, wie schon einleitend betont wurde, von unserem Standpunkt aus gewiß falsch, wollte man eine scharfe Trennlinie ziehen und etwa Äußerungen, die sich auf die leibliche Auferstehung beziehen, von solchen scheiden, welche auf die geistige Gleichaltrigkeit der Auferstandenen abzielen. Eine derartige Trennung wäre kaum zweckmäßig, denn dazwischen liegen Texte, die eigentlich in beide Kategorien hineingehören, und überhaupt müßte ein solches Verfahren allzu schematisch wirken. Ebensowenig sinnvoll wäre es, wenn man im Hinblick auf das Thema unserer Untersuchung nur jene wenigen Stellen gelten ließe, an denen der Wortlaut einen ausdrücklichen Bezug zwischen Transzendenzideal und Jenseitserwartung an die Hand gibt. Denn uns kommt es ja auch darauf an, Einblick in die weitere geistige Landschaft zu gewinnen, in der das Ideal der Alterstranszendenz so üppig gedieh. Zu ihr gehört nun zweifelsohne die Jenseitsgerichtetheit christlichen Denkens im allgemeinen und die Erwartung einer künftigen Aufhebung der Altersunterschiede im besonderen. Die Frage, wie oft der eschatologische Bezug der Alterstranszendenz zu bewußtem und direktem Ausdruck gelangt, muß dabei nicht unbedingt erstrangige Bedeutung haben. Denn so viel dürfte schon aufgrund der vorausgehenden Kapitel einigermaßen deutlich geworden sein: wir haben es bei Behandlung unseres Themas nicht nur mit rein literarischen Phänomenen zu tun und auch nicht nur mit solchen, die sich durch Interpretation einzelner Textstücke ausreichend erfassen ließen. Das gilt etwa für das Zeitproblem, ganz besonders aber für die Jenseitserwartung. Die Vorstellung unterschiedsloser Gleichaltrigkeit der Auferstandenen dürfte kaum nur in der eschatologischen Diskussion der Dogmatiker eine Rolle gespielt haben[29]). Wir müssen damit rechnen, daß solche

---

solchen Äußerungen zeigt sich, wie tief auch im Christen die alte und wohl überhaupt allgemein menschliche Vorstellung wurzelte, daß zu einem Paradies gerade das Greisenalter nicht passe: vgl. etwa Pind. Pyth. 10,41f.; Prud. cath. 10,101ff.

[29]) Bemerkungen wie die in den ambrosianischen Briefen oder dem Osterfestbrief des Theophilos lassen erkennen, daß der Gedanke auch sonst geläufig und gewissermaßen jederzeit präsent war. Auch an die Gnosis sei hier nochmals erinnert. Ausgehend vom koptischen Thomasevangelium (log. 4 und 22) inter-

Momente stärker wirkten, als sich das im einzelnen belegen läßt. Freilich geraten wir damit auch zugleich an die Grenze des wissenschaftlich Nachweisbaren.

---

pretiert H. Ch. PUECH: Annuaire du Collège de France 59 (1959) 262 die Aufhebung der Altersunterschiede als Kennzeichen des „renversement eschatologique". Er schreibt: „Non seulement le vieillard deviendra enfant et l'enfant vieillard . . ., mais encore vieillesse et jeunesse se confondront: il y aura fusion entre elles dans l'unité d'un même être (ici, sans doute, l' 'Homme Parfait', le *τέλειος ἄνθρωπος*, l'Homme Nouveau, qui n'est autre que l'homme dans sa réalité primordiale, originelle, ontologique, tel qu'il existe et se retrouve dans l'Être, au delà du Temps)". Von hier aus mag sich ein Übergang ergeben zu der Vorstellung der Polymorphie übernatürlicher Wesen, die sich ebenfalls in gnostischen Texten ausgedrückt findet (vgl. oben S. 45).

D. PRAKTISCHE KONSEQUENZEN

I. PÄDAGOGISCHE 'VERALTUNG'

Hat man sich einmal daran gewöhnt, die Alterstranszendenz nicht bloß als literarisches Motiv, sondern darüber hinaus auch als Ausdruck christlichen Lebensgefühls zu betrachten, dann ist damit zugleich auch der Blick frei für die praktischen Wirkungen, die sich mit diesem Ideal verbanden. Unter dem Begriff des Praktischen ließe sich nun freilich allerlei subsumieren. Denn es liegt auf der Hand, daß ein Ideal wie das der Alterstranszendenz, das eben auf mehrfache Weise in der Weltsicht des alten Christentums begründet ist, auch auf mannigfaltige Art mit den Tatsachen des äußeren Lebens in Zusammenhang gebracht werden könnte — es sei hier nur an die mächtige asketische und monastische Bewegung erinnert, die einerseits doch zweifellos das Leben vieler Christen nachhaltig beeinflußte, andrerseits im Transzendenzideal einen beliebten Ausdruck fand. Man könnte also manches von dem, was die asketische Lebensform an 'praktischen' Folgen zeitigte, auch irgendwie zu dem Transzendenzgedanken in Beziehung setzen. Eigentlich sinnvoll erscheint eine derartige Betrachtungsweise aber wohl nur dann, wenn sie sich auf solche Bereiche des Lebens richtet, innerhalb derer gerade den menschlichen Altersstufen eine hervorstechende Bedeutung zukommt, auf Gebiete also, wo das Ziel einer geistigen Überwindung der natürlichen Altersgrenzen in direkter Weise bedeutsam wird für die Beurteilung der tatsächlichen Altersklassen[1]).

Zu diesen Bereichen darf man mit gewissem Recht das Erziehungswesen rechnen; denn der *puer senilis* ist ein Kindheits- und Jugendideal. Eignet schon jedem Idealbild sozusagen per definitionem ein allgemein erzieherisches Moment, insofern es dem einzelnen ein Muster zur Nachahmung und Erfüllung vorstellt, so kommt dieses pädagogische Moment dem Transzendenzideal in besonderer — man möchte sagen: ursprünglicher — Weise zu, weil es sich eben mit seiner beliebtesten Ausdrucksform an jene Altersklassen wendet, die zu allen

[1]) Man kann sich den Sachverhalt auch so klar machen: alle sog. Wirkungen des Transzendenzideals sind letztlich Wirkungen jener allgemeinen, umfassenden Anschauungen, auf denen das Transzendenzideal seinerseits beruht: vor allem der Zeitverachtung und der asketischen Moral. Das Transzendenzideal überhaupt als eine praktisch wirksame Ursache anzusehen, sind wir nur insofern berechtigt, als es auf gewissen Gebieten, und zwar solchen, wo Wert und Aufgaben der verschiedenen Altersstufen in den Mittelpunkt des Interesses rücken, ein von der Sache her passendes Medium darstellt, jenen allgemeinen Ansichten Geltung zu verschaffen.

Zeiten bevorzugter Gegenstand erzieherischer Bemühungen waren. Es müßte ermüdend wirken, wollten wir hier noch einmal die vielen Stellen vorüberziehen lassen, an denen die Kirchenväter bald in lobender, bald in mahnender Weise das Ziel einer geistigen und sittlichen Frühreife vor Augen halten: die meisten könnte man ebensogut unter pädagogischem Aspekt betrachten wie etwa unter dem der exegetischen Tradition, der Zeitentwertung oder der Askese (vgl. z.B. S. 94. 106. 122f. 139f.). Besonders sinnfällig macht sich die erzieherische Funktion des *puer senex*-Ideals durch die Vielzahl der biblischen Beispiele bemerkbar, die man für dieses Leitbild fand. Denn der Hinweis auf solcherlei Exempla ist ja nichts anderes als eine eigene Erziehungsmethode, die in der ganzen Antike gepflegt und von den Christen eifrig übernommen wurde [2]. So sind auch die Paradigmen des greisenhaften Knaben und Jünglings nicht als unverbindliche Illustrationen eines theoretischen Lehrstücks gemeint, vielmehr sollte von ihnen eine mahnende, werbende Wirkung ausgehen. Um freilich heute den Wert solcher biblischer Vorbilder als Mittel christlicher Erziehung recht zu ermessen, muß man sich vergegenwärtigen, wie intensiv das alte Christentum in der Welt der Schrift lebte. Schon den Kindern suchte man diese Welt nahezubringen, von klein auf sollten sie mit den biblischen Gestalten vertraut sein. Bezeichnend dafür ist der Rat, den Hieronymus in dem Brief an Laeta für die Erziehung der kleinen Paula erteilt. Er empfiehlt, die Namen der Patriarchen, Propheten und Apostel zur Grundlage der elementaren Schreibübungen des Mädchens zu machen [3]. Auch Chrysostomus fordert des öfteren, die Kinder sollten vom frühesten Alter an in der himmlischen Lehre unterwiesen werden [4], und welche pädagogische Bedeutung er gerade den Exempla beimaß, zeigt seine Schrift über die Kindererziehung, in der er einmal gleich sechs vorbildhafte Knaben hintereinander nennt (s. unten S. 223).

Seltsamerweise ist jene innere 'Verfrühung', 'Veraltung' — oder wie immer man das erzieherische Ziel geistiger Altersreife des jungen Menschen bezeichnen mag — in den zahlreichen modernen Darstellungen der altchristlichen Pädagogik nicht berücksichtigt worden [5].

---

[2]) Vgl. Blomenkamp 545f.; Lumpe 1242f.; Danassis 157f.

[3]) Hier. epist. 107,4,4 (CSEL 55,294).

[4]) Vgl. z.B. Chrys. de Anna serm. 3,4 (PG 54,658 unten): Vergleich mit der Leiturgiepflicht kaum entwöhnter Kinder im staatlichen Leben: *τοῦτο καὶ ἡμεῖς ἐργασώμεθα . . . κτλ.* S. auch Danassis 148.

[5]) Diesen Gesichtspunkt vermisse ich, um ein Beispiel herauszugreifen, in der Arbeit von Seidlmayer, aber auch in jüngeren Darstellungen, etwa in der von Danassis (s. dazu unten S. 167 [10]). — Der Begriff 'Verfrühung' hat

Aber das dürfte sich eben daraus erklären, daß man überhaupt den *puer senilis* als geistesgeschichtliche Erscheinung kaum je ernst nahm. Was steht nun sachlich hinter diesem pädagogischen Leitbild? Einmal die starke Ausrichtung christlicher Erziehung auf das Moralische und Religiöse[6]); denn die Greisenhaftigkeit des jungen Menschen drückt ja immer geistige, vorzugsweise moralische und religiöse Werte aus. Allerdings konnte man sich, wie eine Bemerkung des Chrysostomus beweist, von der auf Veraltung ausgerichteten Erziehungsmethode nicht nur sittliche Reife allein, sondern auch eine — dadurch bedingte — bessere Eignung zum Staatsdienst versprechen[7]). Zugleich liegt aber in solcher erzieherischer Haltung eine entschiedene Abkehr von dem im eigentlichen Sinne Kindlichen oder Jugendlichen.

Wer die Kirchenväter liest, wird vielleicht erstaunt sein, wie wenig sie den Eigenarten kindlichen Wesens Rechnung tragen. Hin und wieder begegnen zwar Äußerungen, aus denen freundliches Verständnis für Kindesart spricht, aber sie tragen ihrerseits eher dazu bei, den Kontrast zur üblichen Vorstellungswelt deutlicher fühlen zu lassen. So wird bisweilen das reizvolle Plaudern und Stammeln kleiner Kinder erwähnt[8]), und wenn Hieronymus rät, die kleine Pacatula solle mit Blumen, Edelsteinen und Puppen spielen, dann zeigt sich auch der asketisch gesinnte Pädagoge einmal von seiner milderen Seite[9]). Derlei Töne vernimmt man aber eben nicht allzu oft[10]).

---

sich in der modernen Pädagogik fest eingebürgert, wird jedoch in unterschiedlichem Sinne verwandt, vgl. z.B. W. KRAMP, Art. Verfrühung, Vorwegnahme: Pädagog. Lexikon (Stuttgart 1961) 990f.

[6]) Siehe dazu etwa MARROU, Erziehung 455/57.

[7]) Chrys. in Joh. hom. 3,1 (PG 59,38): die Erziehung zum Guten müsse im frühesten Alter erfolgen, *οὕτως ἡμῖν τῶν γεγηρακότων αἰδεσιμώτεροι γενήσονται* (sc. *οἱ νέοι*) *καὶ τοῖς πολιτικοῖς χρησιμώτεροι πράγμασιν, ἐν νεότητι τὰ τῶν πρεσβυτέρων ἐπιδεικνύμενοι*. Hier wäre auch daran zu erinnern, daß der heidnische Rhetor Libanios sich seine Schüler ebenfalls als *pueri senes* wünschte (s. oben S. 38[13]).

[8]) Min. Fel. 2,1; dazu HERTER 160 und W. SPEYER: JbAC 7 (1964) 46[7]. Ferner: Hier. epist. 79,6,2 (CSEL 55,94). Die *garrula loquella* der Kleinen bildet ein bekanntes Motiv der Grabinschriften: ILCV 4748,7; 3463,5; vgl. 2919,2.

[9]) Hier. epist. 128,1,3 (CSEL 56,157).

[10]) Vergleichbares aus Chrysostomus' Schrift über die Kindererziehung bringt BLOMENKAMP 555 oben. Gewiß tritt gerade bei einem Manne wie Chrysostomus das Prinzip der „Kindgemäßheit" des Unterrichts in mancherlei Einzelanweisungen deutlich hervor (DANASSIS 172f.), aber die andere Seite der Sache darf nicht außer acht bleiben: vor allem dort, wo es um das Erziehungsziel im ganzen geht (vgl. DANASSIS 55/61), verdient das Leitbild der 'Veraltung' unbedingt unsere Aufmerksamkeit — ich verweise hier nur auf die unten S. 170[20] zitierte Passage aus Chrysostomus, der sich jedoch noch andere beigesellen ließen.

Wieviel härter fallen vergleichsweise die Regeln aus, die Hieronymus ungefähr ein Jahrzehnt früher bei der Erziehung der kleinen Paula befolgt wissen wollte[11])! Gewiß, man wird an die erzieherischen Anweisungen der christlichen Schriftsteller nicht einfach moderne Maßstäbe anlegen dürfen. Eine Pädagogik vom Kinde aus hat es in der gesamten Antike nicht gegeben und konnte sich auch in Jesu Namen nicht entwickeln[12]). Immerhin begegnete man in hellenistischer Zeit zumindest gewissen Zügen kindlichen Wesens, seiner Niedlichkeit etwa und Verspieltheit, sehr viel einfühlender als in der christlichen Spätantike. Jene liebevolle Hinwendung zum Kindlichen, die Kunst und Literatur des Hellenismus auszeichnet[13]), findet bei den Kirchenvätern keine ebenbürtige Fortsetzung mehr. Das hervorzuheben ist vielleicht nicht ganz überflüssig, da es auf den ersten Blick so scheinen könnte, als müßten Jesu Worte über die Kinder auch ein erhöhtes Interesse an der kindlichen Eigenart erzeugt haben. Daß das nicht der Fall ist, haben wir schon oben (S. 106f.) kurz angedeutet. Die Herrenworte wurden von den christlichen Exegeten stets nach ihrem ethischen Gehalt befragt, ohne daß dadurch etwa Kind und Kindlichkeit im ganzen eine Aufwertung erfahren hätten. Im Gegenteil: die zunehmende Ausbreitung des *puer senex*-Ideals ließ es erst recht nicht zu, daß man sich liebevoll in die eigentümlichen Wesenszüge des Kindes versenkte, das Kindsein als einen in sich geschlossenen Lebensabschnitt eigenen Werts würdigte. Alles Trachten richtete sich ja auf die frühzeitige Transzendenz des Kindlichen. Sehe ich recht, so begegnet in der gesamten patristischen Literatur nur ein einziges Mal eine Äußerung, in der Altklugheit bei Kindern als unschön abgelehnt wird. Sie steht bezeichnenderweise bei Theophilos v. Antiochien, gehört also einer Zeit an, in der das christliche Ideal des greisenhaften Knaben noch längst nicht zur vollen Blüte gediehen war: *ἄσχημόν ἐστιν τὰ παιδία τὰ νήπια ὑπὲρ ἡλικίαν φρονεῖν*[14]). Im vierten Jahrhundert

---

[11]) In dem schon genannten Brief (epist. 107): das Kind wird von der Außenwelt völlig getrennt, darf nicht mit ausgelassenen Jungen spielen, muß Psalmen singen usw. Vgl. dazu Brunner 18/20. Brunner betont, es handele sich bei Paula um ein gottgeweihtes Mädchen, für dessen Erziehung strengere Maßstäbe gelten müßten. Aber derlei Anweisungen sind gewiß auch als Modelle idealer Kindererziehung überhaupt zu verstehen, denn die Askese wollte ja ein allgemeingültiges Richtmaß christlichen Lebens sein.

[12]) Marrou, Erziehung 323; Jentsch 213.

[13]) H. Herter: BJb 132 (1927) 250/58; A. Oepke, Art. παῖς: TheolWb 6, 639f.

[14]) Ad Autol. II 25 (SC 20,160).

wäre eine solche Feststellung kaum noch möglich gewesen: *πρὸ ὥρας σωφρονεῖν* hieß damals die Devise[15]).

Kindes- und Jugenderziehung lassen sich bei solcher Betrachtungsweise nicht trennen. Hier wie dort ist die 'Veraltung' erklärtes Ziel der erzieherischen Bemühung. Allerdings tritt in den Vorschriften, die das Alter der Heranwachsenden betreffen, der asketische Gesichtspunkt noch schärfer hervor, was ja die allgemeine Einschätzung der Jugend bei den Vätern erwarten läßt. Wie eng Erziehung und Askese damals verbunden waren, beweist zum Beispiel die von Chrysostomus erhobene Forderung, christliche Eltern sollten ihre Söhne vorübergehend ins Kloster schicken. Auf diese Weise, hoffte er, würden sie den Gefahren der Jugend am leichtesten entgehen[16]). In den Augen der Kirchenväter ist die Jugend eine Zeit, die der Christ nicht ohne Furcht durchlebt, auf die er später noch besorgt zurückblickt[17]). Kurzum: man ist froh, wenn man sie hinter sich hat. Kein Wunder also, daß man dieses Ziel möglichst vorwegzunehmen strebt, und zwar eben durch ein geistiges Greisentum. Darauf richtete sich das erzieherische Interesse. Es ist nun allerdings beileibe nicht so, als hätten die Kirchenväter für die in der Antike so oft gepriesenen Vorzüge der Jugend, für ihre Kraft und Schönheit beispielsweise, gar keinen Sinn gehabt[18]). Aber das sittliche Anliegen überwog hier wie auch bei der

---

[15]) Greg. Naz. carm. I/2,33,227/28 (PG 37,945): *ὁμῶς ὁ μὲν* (sc. *γέρων*) *καθ' ὥραν ἔστω πάνσοφος· | τὸν δὲ* (sc. *νέον*) *κράτιστον καὶ πρὸ ὥρας σωφρονεῖν*. — Die moderne Pädagogik rechnet altkluges Wesen unter die Schäden künstlicher Frühreife, s. A. Fischer, Art. Verfrühung: Lexikon der Pädagogik der Gegenwart 2 (Freiburg i. Br. 1932) 1185f.

[16]) Chrys. adv. opp. vitae monast. III 17f. (PG 47,378ff.). Zu dieser bedeutsamen Passage s. Festugière, Antioche 181/210; Seidlmayer 68f.; Blomenkamp 540f. Ambrosius preist den verstorbenen Bischof Acholius, weil er seine Jugend im Kloster verbrachte (epist. 16,3: PL 16,960 A). Über die Rolle der Mönche als Erzieher vgl. auch die Texte, die Haidacher in seine „Blumenlese über Jugenderziehung" eingelegt hat: S. Haidacher, Des hl. Joh. Chrys. Büchlein über Hoffart und Kindererziehung (Freiburg i. Br. 1907) 123/134.

[17]) Siehe oben S. 104. Hier. epist. 7,4,1 (CSEL 54,29): *scitis ipsi lubricum adulescentiae iter, in quo et ego lapsus sum et vos non sine timore transistis.*

[18]) Derlei gehört zum Totenlob und zur Darstellung jugendlicher Märtyrer (einiges aus dem letzteren Bereich enthält Bielers Stellensammlung 1,52f.). Besonders empfänglich für jugendliche Schönheit scheint Gregor v. Nyssa gewesen zu sein: er rühmt sie in der Vita Macrinae an seiner Schwester (374 Jaeger: kein Maler hätte ihre Schönheit adäquat wiedergeben können!), an seinem Bruder Naukratios (378 J.), an der Vertrauten der Makrina (401f. J.); vgl. auch opif. hom. 25: PG 44,220 B (der Jüngling von Naim!). Dagegen glaubt Ennodius, sich dafür entschuldigen zu müssen, daß er die Jugendschönheit des Epifanius lobt (vita Epif. 13ff.: MGH a.a. 7,86).

Beurteilung des Kindesalters alles andere. Man könnte vielleicht sogar, wenn es gestattet ist, einen modernen Terminus in abgewandeltem Sinne zu gebrauchen, von einer 'Verfremdung' des Jugendlichen bei den Vätern sprechen — 'Verfremdung' hier im Sinne einer bewußten Negation der natürlichen Eigenart: den Heiligen wird nachgerühmt, sie hätten sich von der Gesellschaft ihrer jugendlichen Altersgenossen ferngehalten und die Lieblingsbeschäftigungen der Jugend verachtet[19]), und durch gezielte Vorschriften suchte man ähnliches in der erzieherischen Praxis zu verwirklichen[20]). Für den jungen Menschen galt es also in vielerlei Hinsicht als Vorzug, gerade nicht 'jung' zu sein.

Wir wollen hier abbrechen. Die wenigen abrißhaften Bemerkungen zum christlichen Erziehungswesen sollten andeuten, daß wir das Leitbild des *puer senilis* auch als pädagogisches Ideal aufzufassen haben, dem eine Wirksamkeit in der erzieherischen Praxis somit nicht abzusprechen ist. Freilich läßt sich die Art dieser Wirksamkeit nur recht allgemein umschreiben. Unmittelbarer und daher für uns faßlicher ist der Zusammenhang zwischen Ideal und Leben auf einem anderen Gebiet, dem wir uns nunmehr zuwenden wollen.

II. DIE KIRCHLICHEN MINDESTALTER

Ob das fortschreitende Alter stets auch einen gleichmäßigen Zuwachs an echter Lebenserfahrung und innerer Reife und somit eine erhöhte Tauglichkeit für die Übernahme großer Aufgaben bedinge, das ist eine Frage, die sich in irgendeiner Form wohl zu allen Zeiten gestellt hat und die ihre Bedeutung kaum jemals verlieren dürfte. Denn so sicher es ist, daß sich diese Frage in wirklich allgemeingültiger Weise, die jedem einzelnen gerecht wird, weder mit einem klaren Ja noch mit einem klaren Nein beantworten läßt, so gewiß ist es andrerseits, daß die praktischen Erfordernisse menschlichen Zu-

[19]) Die Angaben dazu s. oben S. 143 ff. und in den dazugehörigen Anmerkungen. Besonders lehrreich Greg. Nyss.: PG 46, 900 C: Gregor d. Wundertäter fand in seiner Jugend kein Gefallen an dem, was sonst junge Leute besonders lieben (wie Reiten, Jagen usw.): sein Interesse galt ausschließlich den Tugenden und der Weisheit! Ferner: Euseb. mart. Palaest. 4, 3 (GCS 9/2, 912).

[20]) Außer der oben S. 168[11] paraphrasierten Stelle in Hieronymus' Brief an Laeta vgl. etwa noch Chrys. de Anna serm. 1, 6 (PG 54, 642). Derselbe Kirchenvater wünscht, nur solche jungen Leute sollten ein hohes Alter erreichen, die das Wunder (*τὸ θαυμαστόν, τὸ παράδοξον*) fertiggebracht hätten, schon in der Jugend 'alt' zu sein: *τοὺς δὲ καὶ ἐν νεότητι γεγηρακότας εὔχομαι καὶ εἰς πολιὰν βαθυτάτην ἐλθεῖν* (Chrys. in Mt. hom. 49, 6: PG 58, 504).

sammenlebens eine allgemeinverbindliche Regelung oftmals notwendig machen. Für das Christentum der ersten Jahrhunderte gewann die Frage nach dem Wert von Zeit und Lebensalter besondere Dringlichkeit; denn einer fast schwärmerischen Verehrung des reiferen und hohen Alters stand eine ebenso radikale Geringschätzung der Zeit gegenüber. Wir haben diese Verhältnisse schon an früherer Stelle unserer Untersuchung gekennzeichnet (s. oben S. 133). Die starke Spannung zwischen den gegensätzlichen Standpunkten mußte sich besonders dort bemerkbar machen, wo ein praktisches Problem eine generelle Entscheidung für oder wider das Zeitprinzip notwendig machte. Ein solches Problem entstand durch das Bedürfnis, die kirchliche Ämterlaufbahn durch bestimmte Mindestalter zu regulieren[1]).

Das Neue Testament bot für eine altersmäßige Ordnung der Kirchenämter nur unzureichende Handhaben. Die Apostel stellte man sich gerne als gereifte oder alte Männer vor, aber man wußte auch, daß Johannes in jungen Jahren vom Herrn berufen wurde. Die paulinischen Briefe enthalten keine exakten Vorschriften. Die Mahnung: *χεῖρας ταχέως μηδενὶ ἐπιτίθει* (1 Tim. 5,22) konnte angeführt werden, wenn es darum ging, verfrühtes Aufsteigen zum Priestertum als ungut abzulehnen[2]). Auch der bloße Titel *πρεσβύτερος* mochte für ein höheres Alter der kirchlichen Amtsträger sprechen. Denn die Doppelbedeutung des Worts, die schon in den Pastoralbriefen fühlbar wird[3]), geriet auch später niemals ganz in Vergessenheit. Selbst die Lateiner werden recht gut gewußt haben, daß das griechische Wort sowohl Amt als auch Alter bezeichnet[4]). Aber es gab auch eine berühmte, vielzitierte

---

[1]) Zum folgenden vgl. vor allem die Arbeiten von BLOKSCHA 31 ff., LAFONTAINE 121/153 und GAUDEMET 124/127.

[2]) So schreibt Papst Leo d. Große: *quid est cito manus imponere nisi ante aetatem maturitatis ... sacerdotalem honorem tribuere non probatis?* (epist. 12,2: PL 54,647 B). Vgl. BLOKSCHA 58 und LAFONTAINE 121.

[3]) Vgl. etwa DIBELIUS-CONZELMANN, Die Pastoralbriefe = HNT 13 (1966[4]) 60f. zu 1 Tim. 5,17.

[4]) Cyprians Biograph Pontius setzte dieses Wissen bei seinen Lesern voraus, als er schrieb (4,1: 108 PELLEGRINO): *Caecilianus et aetate tunc et honore presbyter* (vgl. HARNACK, Leben Cyprians 10 z. St.). Der gelehrte Hieronymus spielt verschiedentlich auf die Ambivalenz des Worts an. Seines Erachtens bezeichneten *presbyter* und *episcopus* in der Urkirche dasselbe Amt: *aliud aetatis, aliud dignitatis est nomen* (epist. 146,2,2: CSEL 56,311; vgl. epist. 69,3,4: 54,683). Einmal fragt er (epist. 82,8,3: 55,115), ob nur die Bischöfe jung sein dürften, die *presbyteri* aber nicht, *ne per antifrasim a suo nomine discrepare videantur* — eine Frage, die gewiß ironisch aufzufassen ist. Aber Papst Zosimus war es ernst, als er anordnete: *iam vero ad presbyterii fastigium talis accedat, ut ... nomen aetas impleat* (epist. 9,2: PL 20,671 A/B).

Ausnahme: Timotheos, Beispiel eines jungen Bischofs[5]) aus apostolischer Zeit! Die Art, wie Paulus den jungen Timotheos vor Mißachtung zu bewahren sucht, wird man wohl gerade als Anzeichen dafür werten dürfen, daß seine Jugendlichkeit damals etwas Auffallendes hatte, daß er also eine Ausnahme darstellte[6]), aber solche historisch-kritische Betrachtungsweise des Tatbestands lag eben den Kirchenvätern im allgemeinen fern. Sie hielten sich an die klar ausgesprochene Mahnung (1 Tim. 4, 12; vgl. 1 Cor. 16, 10f.), die Jugend des Timotheos sei nicht zu verachten. Der Apostelschüler galt ihnen somit als bewährtes Exempel eines jungen Klerikers. Übrigens erfahren wir durch den Brief des Ignatius an die Gemeinde von Magnesia, daß auch der dortige Bischof jung war[7]).

Eine elastische Haltung in der Altersfrage bietet naheliegende Vorteile, aber auch ebenso deutliche Nachteile. Der Paulus der Pastoralbriefe und Ignatius mußten ihre eigene Autorität in die Waagschale werfen, um die jugendlichen Amtsbrüder vor Nichtachtung zu schützen. Man braucht nicht viel Phantasie aufzuwenden, um sich weitere Gefahren auszumalen. Es sind die gleichen, die sich überall da einstellen, wo eine nicht genau festgelegte, gewohnheitsmäßige Regelung von Ausnahmen, die ihrerseits nicht wieder klar bestimmt sind, durchbrochen wird: der zeitweilige Verzicht auf objektive Maßstäbe erhöht die Gefahr eines Fehlurteils, schafft Präzedenzfälle, die Unwürdigen zum Vorwand dienen können, verursacht vielleicht auch Neid bei den Übergangenen[8]) usw. Je größer eine Gemeinschaft ist,

---

[5]) Daß die Kirchenväter dort, wo sie von diesem Exempel Gebrauch machen, durchaus nicht etwa stets eine geschichtliche Entwicklung des Amts berücksichtigen, beweist z. B. der Timotheus *episcopus* in dem zuletzt genannten Hieronymusbrief (epist. 82, 8, 3: s. die vorige Anmerkung), versteht sich aber auch fast von selbst. Auf die Fragen, welche Stellung den Adressaten der Pastoralbriefe vom historischen Standpunkt aus zuzuweisen ist, wie sich Ältestenverfassung und Episkopat damals zueinander verhielten, gehe ich hier bewußt nicht ein. Vgl. dazu CAMPENHAUSEN 117f. Weiterhin betrachte ich die Verfasserschaft der Pastoralbriefe hier wie auch sonst vom Standpunkt der Kirchenväter aus, denen die moderne Problematik der Sache im ganzen fernlag; s. die Hinweise bei SPEYER 279. 285f.

[6]) Vgl. BLOKSCHA 37. Der Bischof sollte ja auch (nach 1 Tim. 3, 4) ein guter Haus- und Familienvater sein, was wohl ebenfalls gewisse Rückschlüsse auf sein normales Alter zuläßt.

[7]) Ign. ad Magn. 3, 1 (SC 10, 96).

[8]) Nach Hier. adv. Jov. I 26 (PL 23, 258f.) hat Christus selbst derlei Schwierigkeiten vermeiden wollen, als er Petrus und nicht dem Lieblingsjünger Johannes die Schlüsselgewalt erteilte: *aetati delatum est, quia Petrus senior erat, ne adhuc adolescens ac paene puer progressae aetatis hominibus praeferretur et*

desto ernster wird sie durch diese Gefahren bedroht. Es liegt auf der Hand, daß die Bedürfnisse der werdenden Großkirche zur Schaffung fester Gesetze sowohl für das Alter als auch für andere Qualitäten ihrer Weihekandidaten[9]) drängen mußten. Wir können denn auch verfolgen, wie sich nach sparsamen Anfängen im dritten Jahrhundert im Verlauf des vierten und fünften allmählich ein festes Reglement der klerikalen Mindestalter herauszubilden beginnt, sozusagen ein kirchlicher *cursus honorum*[10]). Einschlägige Vorschriften sind uns in Kirchenordnungen, Synodalbeschlüssen, päpstlichen Erlassen und auch in Staatsgesetzen erhalten. Diese Entwicklung im einzelnen nachzuzeichnen, kann hier nicht unsere Aufgabe sein. Sie gelangt im Orient schon verhältnismäßig früh durch die Trullanische Synode von 692 zum Abschluß, im Westen dauert sie noch das ganze Mittelalter über fort.

Die Frage, die uns vor allem beschäftigen muß, lautet: wie verhält sich die Vorstellung einer idealen Zeitüberlegenheit des Menschen, die in der christlichen Literatur gerade des vierten und fünften Jahrhunderts allenthalben unübersehbare Spuren hinterlassen hat, zu dem gleichzeitigen Bestreben, die kirchliche Ämterfolge durch feste Mindestalter und Weiheinterstizien zu regeln? Daß hier zwei gegenläufige Strömungen wirksam sind, versteht sich gewissermaßen von selbst. Es wäre verfehlt anzunehmen, beide hätten sich, ohne einander zu berühren, konfliktlos entfalten können. Eine solche Annahme verbietet sich schon durch die fast uneingeschränkte Verbreitung des Transzendenzideals, die wir in dem vorausgehenden Teil unserer Untersuchung kennengelernt haben. Außerdem bedenke man folgendes: die Irrelevanz des Lebensalters war damals nicht irgendeine Tagesmeinung; sie galt vielmehr als göttlich sanktioniertes Axiom. Das ergibt sich schon zwingend aus den allgemeinen Grund-

---

magister bonus ... in adolescentem, quem dilexerat, causam praebere videretur invidiae.

[9]) Die Bestimmungen über das Weihealter sind nur ein Teil jener Verordnungen, die man seit dem 12. Jh. unter dem Begriff der *irregularitates* zusammenfaßte: vgl. Blokscha 31f. (ebd. auch über die heute gültige Terminologie).

[10]) Auf die Parallele zu den Altersgrenzen im römischen Staatsdienst — über sie vgl. Th. Mommsen, Röm. Staatsrecht 1 (Leipzig 1887[3]) 563/77 — hat Blokscha 51[1] aufmerksam gemacht. Durch die gesetzgeberische Tätigkeit Justinians stand die kirchliche Altersordnung im Osten zumindest vorübergehend unter direktem staatlichen Einfluß: Blokscha 45. Lehrreich ist die Tabelle bei Lafontaine 151, die eine Übersicht über den '*cursus honorum*' der großen Kirchenväter bietet.

sätzen der allegorischen Bibelexegese. Ebenso wie Philon waren die christlichen Exegeten überzeugt, durch Entdeckung des geistigen Sinnes der biblischen Altersangaben den gottgewollten inneren Gehalt der Schrift bloßzulegen. Mit der Vergeistigung der Altersnamen war aber stets die Entwertung der äußeren Lebenszeit mitgegeben. Erinnert sei hier nur noch einmal an die traditionelle Exegese von num. 11, 16. Die siebzig Ältesten hatten zwar keine sakralen Funktionen, aber immerhin sollte auf sie mittelbar über Moses der Geist Gottes übergehen. Wie mußte es also wirken, daß Gott bei ihrer Auswahl gerade nicht das tatsächliche Lebensalter berücksichtigt wissen wollte! War dadurch nicht unmißverständlich zum Ausdruck gebracht, daß es bei der Übernahme hoher Aufgaben nach Gottes eigenem Willen auf das natürliche Alter der Kandidaten ganz und gar nicht ankomme[11]? Wem eine altersgraue Klugheit eignet, der gilt *definitione divina* nicht als jung, sagt einmal Ambrosius[12], und bei Ps. Hilarius steht der bezeichnende Satz: *considerandum iuvenibus, ut ... apud interiorem hominem iuvenes inter senes deo iudice collocentur*[13]. Wie oft begegnen in den Texten der großen Väter des vierten Jahrhunderts gerade jene 'Ausnahmeerscheinungen': der knabenhafte Richter Daniel, der frühberufene Prophet Jeremias, der jugendliche Bischof Timotheos usw.!

Von hier aus ergibt sich die Berechtigung unseres Gesichtspunkts. Die kirchliche Gesetzgebung der ersten Jahrhunderte war, wie gesagt, von einer einheitlichen Regelung der Altersgrenzen noch weit entfernt.

---

[11]) Diese Sicht der Dinge mochte indirekt auch dadurch begünstigt werden, daß bestimmte Altersvorschriften für den höheren Klerus ebenso wie im Neuen auch im Alten Testament fehlen. Nur für die Leviten wird ja ein Mindestalter von dreißig (num. 4, 2 f. u. ö.), bzw. fünfundzwanzig Jahren (LXX a. O.) oder von zwanzig Jahren (1 chron. 23, 24 u. ö.) vorgeschrieben, nicht jedoch für das Priestertum und das Amt des Hohen Priesters (vgl. Blokscha 34). Allerdings hat Hieronymus (epist. 82, 8, 2: CSEL 55, 115) gerade die Altersvorschrift für die Leviten angeführt (aber bezeichnenderweise nur die über 25, bzw. 30 Jahre lautende!), um ein entsprechendes Mindestalter der christlichen Priester biblisch zu rechtfertigen. Das Levitenamt nennt er in diesem Zusammenhang *sacerdotium* (vgl. ferner: in Ez. 1, 1: CCL 75, 5). Der Kirchenvater durfte auch vom historischen Standpunkt aus mit gewissem Recht so verfahren, da schon im Pentateuch die Bezeichnung 'Leviten' manchmal die Priester mit einschließt und im Deuteronomium beide Begriffe geradezu Synonyma werden: s. R. de Vaux, Les Institutions de l'Ancien Testament 2 (Paris 1960) 217/24, bes. 219.

[12]) Vgl. unten S. 236.

[13]) Ps. Hilar. libell. 13 (PL 10, 745 B/C). Instruktiv ferner das Ambrosiuszitat unten S. 232, besonders dessen Schlußworte: ... *et deus praetulit* (sc. *Iesum Nave et Caleph iuvenes*).

Die entsprechenden Nachrichten ergeben ein ziemlich unterschiedliches Bild wechselnder Bestimmungen, die überdies in der Praxis des öfteren mißachtet wurden[14]). Man kann diese zögernde Entwicklung in ihren einzelnen Zügen rein beschreibend darstellen, man kann sie aber auch in ihrer Gesamtheit als geistesgeschichtliches Phänomen fassen. So gesehen erscheint sie als Ergebnis der gegenstrebigen Wirkung zweier Prinzipien der Bewertung von Zeit und Alter, eines realistischen (oder praktischen), das den Wert der Zeit und damit auch den Nutzen einer altersmäßigen Begrenzung verantwortlicher Ämter anerkennt, und eines idealistischen, das den Wert der Zeit verneint: letzteres bedient sich mit Vorliebe des in dieser Epoche verbreiteten Transzendenzideals zum Ausdruck der Zeitverneinung und ist geprägt von einem gewissen ethischen Rigorismus, insofern es das heiligmäßige Leben eines Bewerbers als einzigen Tauglichkeitsbeweis anerkennt oder jedenfalls diese Qualität weit über alle anderen stellt, z.B. über Lebenserfahrung und Verwaltungsgeschick.

Das rivalisierende Nebeneinander der beiden Prinzipien zeichnet sich deutlich in einem der Briefe Cyprians ab. Es geht dort um die Beurteilung des Bekenners Aurelius. Er ist noch jung, und so hält es Cyprian als erfahrener Praktiker für geraten, ihn vorerst nur mit dem Lektorenamt zu betrauen[15]). Andrerseits läßt aber Cyprian keinen Zweifel daran, daß das Lebensalter im Grunde kein geeignetes Kriterium bilde und Aurelius eines höheren Rangs würdig sei. Er schreibt: *Aurelius frater noster inlustris adulescens . . . in annis adhuc novellus, sed in virtutis ac fidei laude provectus, minor in aetatis suae indole, sed maior in honore . . . merebatur talis clericae ordinationis ulteriores gradus et incrementa maiora, non de annis suis, sed de meritis aestimandus. Sed interim placuit, ut ab officio lectionis incipiat . . .* eqs. An anderer Stelle[16]) wird sowohl dem Aurelius als auch einem

---

[14]) Vgl. GAUDEMET 124: „On ne doit donc pas s'attendre à trouver une réglementation uniforme. D'autre part, et cela est plus grave, cette législation restera souvent théorique. La prêtrise et peut-être plus encore l'épiscopat furent souvent confiés à la suite de manifestations d'enthousiasme populaire, qui ne se laissaient pas arrêter par la rigueur des textes.“

[15]) Cypr. epist. 38,1f. (CSEL 3/2,580). Zur Sache s. E. PETERSON, Das jugendliche Alter der Lektoren: EL 48 (1934) 437/442. Rasches Aufsteigen zum Priestertum scheint unter Cyprian, wenn überhaupt, dann nur selten vorgekommen zu sein. Sonst hätte der ganz aus seinem Geiste schreibende Pontius (vgl. HARNACK, Leben Cyprians 82f.) die schnelle Priesterweihe Cyprians selbst kaum als etwas so Besonderes hingestellt (vita Cypr. 3,1/3: 102/104 PELLEGRINO).

[16]) Cypr. epist. 39,5 (585).

anderen jugendlichen Bekenner namens Celerinus das Priestertum für die Zukunft in Aussicht gestellt. Lehrreich wieder die Formulierung: (*Celerinus et Aurelius*) *sessuri nobiscum provectis et corroboratis annis suis, quamvis in nullo minor possit videri aetatis indole, qui consummavit aetatem gloriae dignitate*. Hier stoßen die beiden Auffassungen unmittelbar aufeinander, der Konzessivsatz hebt gleichsam die vorangegangene Aussage wieder auf: von einem zeitbedingten Fortschritt kann bei einem Menschen, der schon in jungen Jahren „das Alter vollendet hat", eigentlich gar keine Rede sein! Wir kennen solche Formulierungen zur Genüge aus dem Bereich der Transzendenz-Thematik, wie denn Cyprian selbst auch sonst dem Ideal früher Vollendung Ausdruck verleiht[17]).

Die eben zitierten Äußerungen Cyprians sind noch in anderer Hinsicht aufschlußreich; sie zeigen nämlich, daß das Gegeneinander des praktischen und des idealistischen Prinzips nicht immer auch einen Meinungsstreit verschiedener einzelner Personen voraussetzt, die sich etwa den einen oder anderen Standpunkt völlig zu eigen gemacht hätten. Die beiden Ansichten sind vielmehr stets gegenwärtig, können je nach Anliegen und Zusammenhang wechseln und daher auch im Werk ein und desselben Mannes nebeneinanderstehen. So verhält es sich etwa bei Hieronymus. Er gehörte einerseits durchaus zu denen, die frühzeitige Weihen streng verurteilten[18]), vermochte sich aber andrerseits nicht der Logik der zeitentwertenden Bibelexegese zu entziehen, jener Exegese, die er selbst durch seine Kommentare förderte und die im vierten Jahrhundert überhaupt allenthalben stark aufblühte. Im Isaiaskommentar beschäftigt er sich ausführlich mit der Drohung, Gott werde den „Ältesten" (*senem* vulg., *πρεσβύτερον* LXX) von Juda fortnehmen (Is. 3,2). Das sei nur für den verständlich, der wisse, daß „in den heiligen Schriften die *presbyteri* nach Verdienst und Weisheit gewählt würden, nicht nach dem Lebensalter" — denn alte Männer habe es ja bei den Juden immer gegeben. Er fährt dann fort: *nam et Moysi praecipitur, ut eligat presbyteros, quos scit esse presbyteros* (num. 11,16), *et apostolus Paulus, qualis presbyter eligi debeat, plenissime scribit ad Timotheum* (1Tim. 5,17/20). Die ganze Passage dient zur Darstellung des beliebten Gedankens geistiger Altersreife: die auch sonst anzutreffende Kombination von

---

[17]) Vgl. oben S. 27[4].

[18]) Hier. epist. 69,9,6 (CSEL 54,698f.): *ignorat momentaneus sacerdos humilitatem ... incidunt in eam* (sc. *in superbiam*), *qui in puncto horae necdum discipuli iam magistri sunt*. Vgl. auch die unten S. 182[33] genannten Stellen im Zusammenhang.

prov. 20,29 mit sap. Sal. 4,8f. und der Hinweis auf den *Abraham presbyter* beweisen das zur Genüge[19]). Alttestamentliche und paulinische Vorschrift über die 'Ältestenwahl' werden also hier bewußt parallelisiert, und zwar zu dem Zweck, um aus beiden den gemeinsamen Grundsatz abzuleiten, daß nach dem Willen der Schrift, d. h. eben nach göttlichem Willen, der *presbyter* als Amtsträger nicht alt zu sein brauche. Die Parallele zwischen dem israelitischen und dem christlichen Presbyterium mochte im übrigen bis zu gewissem Grade historisch berechtigt sein, solange sie die urchristlichen Verhältnisse zugrunde legte. Denn die christliche Ältestenverfassung entwickelte sich ja wohl in der Tat zunächst im Anschluß an die jüdische[20]). Aber Hieronymus wird so gar nicht gedacht haben. Jedenfalls trug er keine Bedenken, die Parallele bis in die eigene Zeit auszuziehen. Das beweist die Art, wie er in einem seiner Briefe die Priesterweihe des jungen Nepotian zu rechtfertigen sucht. Er schreibt[21]): *vidimus Timotheum nostri temporis et canos in Sapientia electumque a Moysi presbyterum, quem ipse sciret esse presbyterum.* Hier werden auf engstem Raum gleich drei Schriftbeweise zusammengedrängt. Mit dem Hinweis auf das berühmte Beispiel des Timotheos verbinden sich Anspielungen auf das geistige Greisenalter nach sap. Sal. 4,8 und die Wahl der siebzig 'Ältesten' nach num. 11,16. Die Mehrdeutigkeit des Wortes *presbyter* erlaubt es Hieronymus, die durch die exegetische Tradition gesicherte vergeistigende Deutung der alttestamentlichen 'Ältesten'-wahl wiederum direkt auf die christliche 'Priester'wahl und -weihe anzuwenden. Die schillernde Vieldeutigkeit von *πρεσβύτερος* verdient im vorliegenden Zusammenhang überhaupt einige Beachtung. Wir haben schon oben (S. 174) kurz darauf aufmerksam gemacht, welche Bedeutung die Paradestelle im Buche Numeri innerhalb der Auseinandersetzung um die kirchlichen Altersgrenzen erhalten mußte. Daß die Ältesten der Israeliten nicht nach dem 'äußeren' Lebensalter gewählt wurden, sondern nach dem 'inneren', war eine Erkenntnis, die mittels der allegorischen Exegese des biblischen Wortlauts gewonnen wurde, für die Kirchenväter war das aber zugleich eine Tatsache, die als klar und unbestritten galt. Sie wird, wie wir sahen, im

---

[19]) Hier. in Is. II 3,2 (CCL 73,43: der Editor hat übrigens statt num. 11,16 fälschlich exod. 18,13/26 unter dem Text angegeben).

[20]) Freilich im Anschluß an den Ältestenrat als Vorstand der jüdischen Gemeinden: der direkte Zusammenhang mit den Ältesten des Hohen Rats und so mit der biblischen Linie des Ältestenamts ist gerade nicht gegeben: vgl. Michaelis 17; Campenhausen 83f.

[21]) Hier. epist. 60,10,4 (CSEL 54,560).

Tone der Selbstverständlichkeit erwähnt. Dabei konnte man sich übrigens nicht nur auf num. 11,16 stützen, sondern auch auf die Episode 'Daniel und die Ältesten' im Buch Susanna. Denn daß der jugendliche Daniel im Kreise der Ältesten Platz nehmen durfte und die beiden bösen Alten überführte, lief letztlich auf das Gleiche hinaus. Da nun die Begriffe 'älterer Mann' — 'Ältester' (im institutionellen Sinne) — 'Priester' alle durch dasselbe Wort ausgedrückt werden konnten, war es möglich, durch leichte Sinnverschiebungen gewisse alttestamentliche Aussagen direkt auf kirchliche Verhältnisse zu beziehen und so den Grundsätzen der zeitentwertenden Lebensalterallegorese auch im christlichen Bereich praktische Geltung zu verschaffen. Bisweilen — wie z.B. an der zuletzt erwähnten Hieronymusstelle oder einmal auch bei Cyprian[22]) — mochte die Gleichsetzung der verschiedenen Gehalte mehr in der Art eines kurzen pointierten Wortspiels geschehen. Die Sache reicht aber tiefer.

Die Erklärung des Hieronymus zu Is. 3,2 besitzt ein griechisches Seitenstück, das für unsere Zwecke womöglich noch ergiebiger ist. Es handelt sich um eine Passage aus einem Isaiaskommentar, der unter Basilius' Namen läuft, aber wahrscheinlich unecht ist[23]). Die Erörterung knüpft sich wieder an Is. 3,2. Im wesentlichen stoßen wir auf das gleiche Zitatennest wie bei Hieronymus: die Ältestenwahl nach num. 11,16, das Sprichwort (prov. 20,29) vom grauen Haar als Zierde der Greise (*πρεσβυτέρων*), ergänzt wiederum durch die den Begriff des 'Grauhaars' vergeistigende Äußerung in sap. Sal. 4,8f., der Hinweis auf den Knabengreis Daniel, der mit dem Charisma *τοῦ πρεσβυτερίου* ausgezeichnet war (nach Sus. 50), und schließlich die in solchem Zusammenhang fast unvermeidliche Berufung auf Abraham, der, obgleich kurzlebiger als viele Menschen vor ihm, dennoch in der Schrift zuerst *πρεσβύτερος* genannt wird — wir haben diese alte philo-

---

[22]) Der Doppelsinn 'Ältester' - 'Priester' liegt einer Bemerkung Cyprians zugrunde (epist. 43,4 fin.: CSEL 3/2,593), in der er unter Anspielung auf die beiden Ältesten der Susannageschichte vor schlechten *presbyteri*, d. h. Priestern warnt: *nec aetas vos eorum nec auctoritas fallat, qui ad duorum presbyterorum veterem nequitiam respondentes* ... eqs. Vgl. dazu MOHRMANN, Wordplay in the Letters of Cyprian: Études 1,293.

[23]) Ps.Basilius in Is. 103f. (PG 30,285A/288B). Gegen HUMBERTCLAUDE 4/27, der für die Authentizität des Kommentars eintritt, lehnt AMAND 30[1] die Echtheit rundweg ab. Vgl. auch ALTANER-STUIBER 293: „Wahrscheinlich unecht". Zu den Befürwortern der Echtheit gehört der Editor P. TREVISAN, San Basilio, Commento al profeta Isaia (Turin 1939). Als von Basilius stammend wird der Kommentar immerhin schon von Maximus Confessor u. a. erwähnt: vgl. PG 29, praef. p. CCXVI sqq.

nische Exegese schon des öfteren angetroffen. Das ganze Stück gibt also eine Belegsammlung zum Thema der *senectus spiritalis*. Bedeutsam wird es aber dadurch, daß darin dieses Thema mit der kirchenrechtlichen Frage verbunden wird, d. h. mit der Frage, ob höheres Alter für den Presbyter als kirchlichen Amtsträger notwendig sei. Denn mitten hinein in dieses Zitatenkonglomerat über Alte und Älteste des Alten Bundes werden solche Vorschriften gestellt, die nur dem christlichen Priesteramt gelten können[24]). Als sachliches Resultat ergibt sich folgende Ansicht des Verfassers: die Priester sollen in der Regel ältere Männer sein, erfahren und charakterlich gefestigt; aber wenn an einem Jüngeren ein *πρεσβυτικὸν φρόνημα* gefunden wird, dann darf man dieses (göttliche) Geschenk keinesfalls verachten[25])! Der Text verteidigt also sehr nachdrücklich die Altersdispens bei der Priesterweihe, ohne daß freilich für Regel und Ausnahme bestimmte Zeitangaben gemacht würden. Lehrreich ist aber eben, daß der Verfasser in seiner Einstellung zur kirchlichen Altersfrage sichtlich durch die spiritualisierende Bibelexegese beeinflußt wird — oder jedenfalls deren Ergebnisse als Stützen seiner Ansicht gebraucht.

Schließlich sei hier noch ein Passus aus dem Psalmenwerk des Ambrosius erwähnt. Innerhalb einer breit angelegten Ausführung geistigen Greisenalters kommt wieder einmal die Rede auf den Ältestenrat der Israeliten. Dabei verurteilt der Kirchenvater das Kriterium äußeren Alters unerhört scharf und zudem in einer Weise, die darauf schließen läßt, er wolle so ein auch für die eigene Zeit

---

[24]) Angespielt wird u. a. auf die Vorschrift Tit. 1,6/9, und am Schluß wendet sich der Verfasser ausdrücklich an die Kirche: *ἡ δὲ ἐκκλησία εὐχέσθω μὴ ἀφαιρεθῆναι αὐτῆς πρεσβυτέριον . . . κτλ.* Der Bezug auf die eigene Gegenwart und die zeitgenössischen kirchlichen Verhältnisse ist also deutlich gegeben.

[25]) Ps.Basil. a.O. 285C: *τούτους δὲ* (sc. *τοὺς πρεσβυτέρους*) *χρὴ εἶναι προήκοντας καθ' ἡλικίαν, πολλῶν μὲν πεπειραμένους διὰ τὸν χρόνον καὶ τὸ εὐσταθὲς τῶν ἠθῶν ἐκ τῆς ἐπανθούσης αὐτοῖς πολιᾶς ὑποφαίνοντας . . .* (prov. 20,29). *εἰ δέ που καὶ ἐν ἡλικίᾳ νέᾳ πρεσβυτικὸν εὑρεθείη φρόνημα, οὐκ ἀτιμαστέον τὸ δῶρον, ἀλλὰ πιστευτέον τῷ λέγοντι . . .* (sap. Sal. 4,9). *πλεῖον γὰρ τῷ ὄντι εἰς πρεσβυτέρου σύστασιν τῆς ἐν θριξὶ λευκότητος τὸ ἐν φρονήσει πρεσβυτικόν.* Diese Altersvorschrift entspricht derjenigen in der Apostolischen Kirchenordnung, wo gefordert wird (62 Funk), die Priester sollten *κεχρονικότες ἐπὶ τῷ κόσμῳ* sein. Lampe s. v. *πρεσβύτερος* II B 3 stellt beide Belege nebeneinander („advanced age specified as qualification for priesterhood"). Dagegen nennt Blokscha 40[1] den Text des Ps.Basilius im Zusammenhang mit der Didaskalie (s. unten S. 180), versteht also wohl *πρεσβύτερος* im weiteren Sinne auch als Bezeichnung des Bischofs. In der Tat bereitet die terminologische Festlegung des Worts oft Schwierigkeiten; vgl. Lampe s.v. II B 4 und 5. Nicht besser steht es mit dem Ausdruck *προεδρία*, der zu Beginn des Stücks (285A) fällt.

gültiges Prinzip herausstreichen. Allerdings wird nicht ganz klar, welche realen Verhältnisse er im Auge hat, da er nur allgemein von der Wahl der *seniores* spricht, also keine kirchliche Amtsbezeichnung gebraucht[26]).

Das Gesagte mag genügen um zu zeigen, in welcher Weise wir mit einer Einflußnahme der Transzendenz-Vorstellung auf die kirchliche Altersfrage rechnen dürfen. Die Unabhängigkeit des Menschen gegenüber der Zeit, die Möglichkeit seiner frühen Vollendung galten als biblisch gesichert. Hierin lag ein bedeutendes Gegengewicht gegen das Streben nach einem dauerhaften, differenzierten Reglement der klerikalen Mindestalter. Wo immer es geboten schien, konnte man sich auf das 'geistige' Alter eines Kandidaten berufen, ohne sich dem Vorwurf aussetzen zu müssen, man handele wider den göttlichen Willen. Die syrische Didaskalie und die Apostolischen Konstitutionen schreiben vor, der Bischof solle mindestens fünfzig Jahre alt sein; doch könne Altersdispens erteilt werden. Bedingung hierfür sei die geistige *senectus*, die der Bewerber nach dem Zeugnis aller besitzen müsse[27]). Bischof Alexander v. Konstantinopel — selbst ein fast hundertjähriger Greis — empfahl vor seinem Tode (i. J. 340) nicht den alten Makedonios, den Favoriten der arianischen Partei, als seinen Nachfolger, sondern den jugendlichen Paulus: *ἄνδρα νέον μὲν τὴν ἡλικίαν, προβεβηκότα δὲ ταῖς φρεσίν*[28]). In seinem Dialog *De sacerdotio* sucht Chrysostomus zu begründen, warum er sich der Bischofsweihe durch die Flucht entzog. Er habe dadurch denjenigen, die ihm die

[26]) Ambros. in ps. 118,2,18 (CSEL 62,30/31), zu v. 9: *ad custodiendum autem verba dei, quia custodivit ea, Moyses quasi senior eligitur, et nunc, quibus hoc spiritu dei committitur officii, ut eligant seniores viros, eligunt sine dubio inter seniores iuvenem corrigentem viam suam in custodiendo verba dei. et si senioris aetatis virum elegerint, non quasi longaevum utique elegerunt, sed quasi custodientem verba dei; quod si repperitur in iuniore, utique et ipse est eligendus. liquet igitur ex his, quod non senectutis longaevitas eligatur, sed custodia verborum dei.* Zu Beginn des Stücks macht sich eine Textunsicherheit störend bemerkbar. Die Hss. schwanken zwischen den Lesarten: *Moyses ... senior eligitur* (a), die Petschenig bevorzugt, und: *Moyses ... seniorem elegit* (b), welche die Mauriner abdruckten (vgl. dazu die Anmerkung: PL 15,1281[43]). Im Falle von b) mag man an exod. 18,25 oder wieder an num. 11,16 denken, im Falle von a) kommt wohl nur exod. 4,29/31 in Betracht, obgleich Moses selbst dort nicht *senior* heißt. Petschenig gibt hierzu gar keine Bibelstelle an.

[27]) Didascal. 4 (29/31 Connolly) = Const. apost. II 1,3/5 (1,33 Funk). Über die biblischen Paradigmen, die der Verfasser zur Stütze der Altersdispens anführt, s. den Exkurs S. 235.

[28]) So steht es bei Socr. h. e. II 6 (PG 67,193A). Darauf, ob Alexander selbst diese Worte gebraucht haben mag, kommt nicht viel an. Sie sind in jedem Fall ein Zeugnis der Zeit.

Würde antrugen, den gehässigen Vorwurf ersparen wollen, sie hätten so große und wunderbare Dinge *παισὶν ἀνοήτοις* anvertraut. Dem Gesprächspartner — einem sonst nicht bekannten Basilius, den Chrysostomus zur Annahme des Bischofsamts bewogen hatte — rät er, seinerseits etwaige Vorwürfe dieser Art zu entkräften, indem er sich als *iuvenis senex* erweise: „... schnell wirst du sie durch deine Taten lehren, daß man Klugheit nicht nach dem Lebensalter beurteilen und einen Alten nicht nach seinen grauen Haaren einschätzen darf und daß man nicht einen Jüngling (*τὸν νέον*) gänzlich von einem solchen Amt fernhalten soll, sondern einen Neuling (*τὸν νεόφυτον*). Zwischen beidem besteht ein großer Unterschied“[29]). Ambrosius preist den Acholius v. Thessalonike, weil er als *iuvenis* zum Bischof gewählt wurde *maturo iam probatus virtutum stipendio*[30]). Ennodius motiviert die ungewöhnlich rasche klerikale Laufbahn des Epiphanius v. Pavia, indem er mehrmals innerhalb seiner Vita Bemerkungen über das geistige Greisenalter des jungen Diakons, Priesters und Bischofs einflicht[31]). Derlei Beispiele ließen sich noch mehren. Gewiß, alle diese Fälle, in denen die christlichen Autoren das Ideal greisenhafter Jugend bemühen, um eine vorzeitige Priester- oder Bischofsweihe zu legitimieren, mochten als wohlbegründet und durchaus gerechtfertigt erscheinen. Aber es wäre zweifellos recht weltfremd, wollte man annehmen, es hätten sich stets nur heiligmäßige und ausgezeichnete Kandidaten auf dieses Ideal stützen können. Es stand als wohlfeiles Argument jedermann zur Verfügung, und insofern enthielt das Transzendenzideal, bzw. die ihm zugrunde liegende Geringschätzung des Lebensalters und des Erfahrungswerts, eine für die kirchliche Ordnung destruktive Kraft. Daß dem tatsächlich so war, ist uns vor allem durch eine eindrucksvolle Passage bei Gregor v. Nazianz bezeugt. Sie steht in einer Rede, die Gregor zum Epiphaniefest des Jahres 381 gehalten hat[32]). Da dieses wichtige Textstück, soweit ich sehe, noch

---

[29]) Chrys. sacerd. II 8 fin. (PG 48,640).

[30]) Ambros. epist. 16,3 (PL 16,960A). BLOKSCHA 44 macht zu Recht darauf aufmerksam, daß die *iuventus* hier nicht mit der *adulescentia* gleichzusetzen sei (über die Notwendigkeit dieser Unterscheidung s. auch oben S. 104[41]); denn drei Altersstufen werden im Text hintereinander genannt: *adulescentia, iuventus, senectus*.

[31]) S. oben S. 143[34]; vgl. bes. vita Epif. 45 (MGH a.a. 89): hier ist es der frischgeweihte Priester selbst, der seinen Amtsbrüdern vorhält: *conversatio, non anni, aut adulescentiam aperit aut senectam*. Zur Sache s. GAUDEMET 127 und LAFONTAINE 149f.

[32]) Greg. Naz. or. 39 (*in sancta lumina*), 14: PG 36,349C/352B. Den Mittelteil der Predigt (Kapitel 11 und 12) hat unlängst H. DÖRRIE in seiner Be-

nie im Zusammenhang mit der Entwicklung der kirchlichen Altersvorschriften berücksichtigt wurde, wollen wir uns mit ihm etwas ausführlicher beschäftigen.

Gregor bespricht darin die Vorbildlichkeit der Taufe Jesu. Dreierlei könne man aus ihr lernen, wofern man beachte, in welcher Verfassung Jesus die Taufe empfing, von wem er getauft wurde und wann. Er war rein, und so sollen auch wir uns (vorher) reinigen. Er ließ sich von Johannes taufen und hat uns damit ein Beispiel der Demut gegeben. Er empfing die Taufe zu der Zeit, als er anfing, Wunder zu wirken; daraus sollen wir unsrerseits lernen *κηρύσσειν ἐν τελειότητι καὶ τῆς πνευματικῆς καὶ τῆς σωματικῆς ἡλικίας*. Die letzte Folgerung steht weniger mit dem Gedanken an Jesu Taufe in Zusammenhang als vielmehr mit der Tatsache, daß er damals, d. h. als erwachsener Mann von dreißig Jahren, zugleich auch sein öffentliches Wirken begann. Gregor fährt fort:

τὸ τρίτον πρὸς τοὺς θαρροῦντας νεότητι καὶ πάντα καιρὸν οἰομένους εἶναι διδασκαλίας ἢ προεδρίας. Ἰησοῦς καθαίρεται· καὶ σὺ καταφρονεῖς τῆς καθάρσεως; ὑπὸ Ἰωάννου· καὶ σὺ κατεξανίστασαι τοῦ σοῦ κήρυκος; τριακονταέτης ὤν· καὶ σὺ πρὸ τῆς γενειάδος διδάσκεις τοὺς γέροντας ἢ τὸ διδάσκειν πιστεύεις οὔτε παρὰ τῆς ἡλικίας οὔτε παρὰ τοῦ τρόπου τυχὸν ἔχων τὸ αἰδέσιμον; εἶτα ὁ Δανιὴλ ἐνταῦθα καὶ ὁ δεῖνα, νέοι κριταί, καὶ τὰ παραδείγματα ἐπὶ γλώσσης. πᾶς γὰρ ἀδικῶν εἰς ἀπολογίαν ἕτοιμος, ἀλλ' οὐ νόμος ἐκκλησίας τὸ σπάνιον· εἴπερ μηδὲ μία χελιδὼν ἔαρ ποιεῖ, μηδὲ γραμμὴ μία τὸν γεωμέτρην ἢ πλοῦς εἷς τὸν θαλάττιον.

Was diese Passage für uns so interessant macht, ist nicht in erster Linie die Warnung vor allzu raschem Aufstieg zu kirchlichen Würden. Derlei Warnungen vernehmen wir gerade in dieser Zeit recht oft[33]). Aber hier wird einmal expressis verbis das ausgesprochen, was uns das mächtige Anschwellen der Transzendenz-Thematik bereits ver-

---

deutung für Kirchenpolitik und Dogmatik gewürdigt: Kyriakon. Festschrift J. Quasten 1 (Münster 1970) 409/23.

[33]) So rät Gregor etwa selbst an anderer Stelle (or. 2,72: PG 35,480C), man solle das Priesteramt erst nach gründlicher Selbstprüfung antreten, auch wenn man darüber steinalt werde. In der Grabrede auf Basilius (or. 43,26f.: PG 36, 532f.) klagt er über vorschnelle Weihen—dazu oft noch Unwürdiger—und preist den Verstorbenen als Beispiel für rechte Ordnung und Reihenfolge. Die Stelle ähnelt von der Sache her stark der oben mitgeteilten Äußerung über die falschen *pueri senes*. 'Knaben' geweiht zu haben, ist in dieser Zeit ein häufiger Vorwurf, mit dem sich persönliche Gegner zu treffen suchten. Das zeigt auch die unerfreuliche Auseinandersetzung, die Hieronymus mit Johannes v. Jerusalem über die Priesterweihe des noch jungen Paulinianus führen mußte (Hier. epist. 82,8: CSEL 55,114f.; c. Joh. 44: PL 23,412B).

muten ließ: die biblischen Paradigmen tugendhafter Jugend waren zu abgegriffenen Münzen geworden, das Ideal geistiger Altersreife diente Unwürdigen zum Vorwand. Gregor sieht sich veranlaßt, demgegenüber den Ausnahmecharakter solcher Erscheinungen wie des jugendlichen Daniel und anderer *νέοι κριταί* — man wird vor allem an Samuel denken müssen — scharf hervorzuheben. Von Jesus sei zu lernen, sagt er, daß man im geistigen und körperlichen Vollalter als Lehrer auftreten solle. Dem zwölfjährigen Knaben Daniel wird also der dreißigjährige Jesus entgegengestellt. Der eine repräsentiert die seltene Ausnahme, der andere die Regel, oder mit Gregors Worten: das Gesetz der Kirche. Auch Chrysostomus betont einmal, wenn auch in anderem Kontext, das 'Unnormale' jugendlicher Frühreife (s. oben S. 35), und noch Gregor d. Große findet Grund zu einer ganz ähnlichen Mahnung, wie sie der Nazianzener an der eben zitierten Stelle ausspricht: Jeremias und Daniel hätten zwar schon als *pueri* den Prophetengeist erhalten, aber das widerspreche nicht der allgemeinen, durch das Beispiel des Ezechiel gefestigten Regel, daß niemand als Jüngling predigen solle, *quoniam miracula in exemplum operationis non sunt trahenda*[34]).

Man mag sich fragen, ob Gregor v. Nazianz ein bestimmtes kirchliches Amt meint und welches dieses Amt sein könnte. Die Ausdrücke *κηρύσσειν, διδάσκειν, διδασκαλία* sind recht allgemein[35]). *Προεδρία* bezeichnet gewöhnlich das Bischofsamt[36]). Aber es ist nicht sehr wahrscheinlich, daß Gregor Anlaß hatte, ein Mindestalter von nur dreißig Jahren für den Bischof einzuschärfen, unwahrscheinlich andrerseits, daß er für die Diakone ein solches Alter verlangt haben sollte[37]); mit

[34]) Greg. M. hom. in Ez. I 2,4 (PL 76,797B). Zuvor (796B/C) ist vom zwölfjährigen Jesus die Rede: dadurch daß er im Tempel nur Fragen stellte, nicht jedoch lehrte, gab er ein Beispiel, nach dem sich jeder junge Mensch richten soll — s. dazu auch unten S. 240. Die ganze Erörterung knüpft sich an Ez. 1,1!

[35]) Daß *κηρύσσειν* eine Hauptfunktion des Diakons bezeichnen kann — nämlich das laute Ansagen beim Gottesdienst (s. Th. Klauser, Art. Diakon: RAC 3[1957]901) —, will im vorliegenden Zusammenhang nichts bedeuten. Denn in so eng begrenztem, 'technischen' Sinne hat Gregor das Wort hier zweifellos nicht gebraucht: *κηρύσσειν* bezeichnet schlechthin die Verkündigung des Evangeliums, wie es eben Mc. 1,14 im Anschluß an den Taufbericht heißt: *ἦλθεν ὁ Ἰησοῦς εἰς τὴν Γαλιλαίαν κηρύσσων τὸ εὐαγγέλιον τοῦ θεοῦ . . . κτλ.* Dasselbe dürfte für *διδάσκειν* gelten.

[36]) So z.B. an der Parallelstelle or. 43,26f. (s. oben S. 182[33]), wo *προεδρία* und *ὑφεδρία* unterschieden werden. *Πρόεδροι τῆς ἐκκλησίας* werden aber auch die Kleriker allgemein genannt: s. Lampe s. v. *προεδρία* und *πρόεδροι*.

[37]) Obgleich das nichts Unerhörtes wäre: Papst Siricius (epist. 1,9: PL 56, 560B) scheint i. J. 385 dieses Alter für den Diakon gefordert zu haben! Vgl. Blokscha 51 und die bei Lafontaine 137 genannten Gelehrten. Lafontaine selbst äußert sich allerdings zurückhaltender.

dem Wort *προεδρία* wäre im übrigen das Amt des Diakons gewiß unzutreffend bezeichnet. Gregor wird also wohl in erster Linie das Priesteramt vor Augen haben, obschon es nicht auszuschließen ist, daß er einfach nur in unbestimmter Weise eine führende Position im Gemeindeleben umschreiben wollte. Für den Priester hatte jedenfalls bereits die Synode von Neocäsarea, die zwischen 314 und 325 tagte, das Alter von dreißig Jahren gefordert, und zwar ebenfalls unter Berufung auf das Alter Jesu bei Empfang der Taufe und Beginn seiner Lehrtätigkeit[38]). Dieser Synodalbeschluß verdient hier auch deswegen besondere Beachtung, weil er mit überraschender Entschiedenheit jegliche Altersdispens ablehnt. Der Kandidat, der das vorgeschriebene Alter noch nicht erreicht habe, solle warten, ,,auch wenn er durchaus würdig ist". Bereits BLOKSCHA (43) hat den zweifellos richtigen Schluß gezogen, daß mit dieser Verfügung vorhandene Mißstände abgestellt werden sollten. Er mutmaßt, jüngere Priester hätten vielleicht in den Verfolgungen — die diokletianische war eben erst vorbei — eine weniger glaubenstreue Haltung gezeigt als ältere. Man könnte aber auch noch eine andere Vermutung anstellen, die im übrigen der Überlegung von BLOKSCHA nicht widerspricht. Die Konzilsväter von Neocäsarea lassen eine Ausnahme selbst dann nicht zu, wenn die Würdigkeit des Kandidaten anerkanntermaßen gegeben ist, und gerade darin liegt ja das Auffällige der Bestimmung. Daß es auf den inneren Wert des Menschen, seine geistige Reife, nicht auf sein Alter ankomme, das ist aber gerade jene weitverbreitete 'idealistische' Anschauung, der wir im Verlauf unserer Untersuchung so oft begegnet sind. Die Entscheidung der Synode von Neocäsarea klingt wie eine Kampfansage gegen diese Anschauung. Sollte schon damals unter dem zunehmenden Einfluß des Transzendenzideals das Gefühl für den Ausnahmecharakter geistiger Frühreife verlorengegangen sein? Sollten immer mehr auch Unwürdige unter Berufung auf die Bedeutungslosigkeit irdischer Lebenszeit vorschnell zum Priesterstand gelangt sein? Für den Konzilsbeschluß von Neocäsarea bleibt das, wie gesagt, bloße Vermutung.

---

[38]) Synode v. Neocäsarea, Kanon 11 (1,72 BRUNS = 37 JONKERS): *πρεσβύτερος πρὸ τῶν τριάκοντα ἐτῶν μὴ χειροτονείσθω, ἐὰν καὶ πάνυ ᾖ ὁ ἄνθρωπος ἄξιος, ἀλλὰ ἀποτηρείσθω. ὁ γὰρ κύριος Ἰησοῦς Χριστὸς ἐν τῷ τριακοστῷ ἔτει ἐφωτίσθη καὶ ἤρξατο διδάσκειν.* Die enge Parallele in der Predigt des Nazianzeners ist meines Wissens bisher noch nicht gesehen worden. — Auch Hieronymus epist. 82,8 beruft sich, um die Weihe Paulinians zu rechtfertigen, auf das Alter Jesu (sowie auf das Alter der Leviten — s. oben S. 174[11] — und den Fall des Timotheos). Die Zahl 30 repräsentiert für Hieronymus die *aetas perfecta*, was er u. a. wieder durch das Lebensalter Jesu beim Empfang der Taufe bestätigt findet: in Ez. 1,1; 46,19/24 (CCL 75,5. 705).

Aber Gregor v. Nazianz bestätigt etwa ein halbes Jahrhundert später, daß der *puer senex*-Gedanke für die kirchliche Ordnung eine Gefahr zu werden drohte[39]). Wie stark sich das Ideal damals ausbreitete, wie gerne man es zugunsten junger Kleriker anführte, mag noch einmal der folgende Vergleich verdeutlichen: Ignatius v. Antiochien hatte in seinem Brief an die Magnesier die Gläubigen nur schlicht zur Ehrfurcht gegenüber dem noch jungen Amtsbruder aufgefordert, aber der spätere Bearbeiter der Ignatiusbriefe, der etwa zur Zeit der Abfassung von Gregors Epiphaniepredigt schrieb, führte die Vorstellung tugendhafter Jugend nicht nur viel breiter aus, sondern stützte sie auch durch eine sechsgliedrige Beispielreihe vorbildlicher Knaben und Jünglinge aus der Schrift[40]). Die Grenze zwischen Norm und Sonderfall konnte sich bei solcher Betrachtungsweise leicht verwischen, und Ps.Ignatius liefert somit ein interessantes Zeugnis für jenes Vordringen der biblischen Exempla, das Gregor so bedenklich findet. Wir können uns heute freilich immer nur aufgrund schriftlicher Überlieferung ein Bild von den wahren Verhältnissen machen. Doch wir haben uns vorzustellen, daß auch außerhalb der Texte, die uns die Beliebtheit der *puer senex*-Typen bestätigen, das Ideal des Knabengreises und seine biblischen Muster allenthalben 'en vogue' waren: *τὰ παραδείγματα ἐπὶ γλώσσης* sagt Gregor und bezeugt damit, wie wenig man der Sache gerecht würde, wollte man sie ausschließlich nur als literarische Erscheinung werten.

Die Notwendigkeit, feste Altersgrenzen zu schaffen, ergab sich nicht nur bei der Ordnung der Ämterfolge des höheren Klerus. Die kirchliche Gesetzgebung des vierten und fünften Jahrhunderts sah es als ihre Aufgabe an, auch den Eintritt in andere Kirchenstände durch bestimmte Mindestalter zu regeln. Mit besonderer Dringlichkeit scheint sich diese Aufgabe im Fall der Jungfrauenweihe gestellt zu haben[41]). Aus dem späten vierten Jahrhundert sind uns verschiedene Vorschrif-

---

[39]) Aus der Art, wie Gregor gegen Übertretungen des „kirchlichen Gesetzes" zu Felde zieht, darf man wohl schließen, daß die Bestimmung von Neocäsarea häufiger mißachtet wurde, als man gemeinhin annimmt (vgl. BLOKSCHA 44) — vorausgesetzt freilich, Gregor meint tatsächlich das Priesteramt. Auch Ps. Basilius, der doch das normale Alter des Priesters augenscheinlich sogar höher ansetzt als dreißig Jahre (ergrauendes Haar! s. oben S. 179[25]), betont andrerseits die Berechtigung der Altersdispens so energisch und so allgemein, daß die Möglichkeit einer Unterschreitung auch der Dreißigergrenze im Prinzip durchaus offen bleibt.

[40]) Vgl. unten S. 224.

[41]) Zum folgenden s. METZ 104/112 und GAUDEMET 206f. — Über die ebenfalls stark divergierenden Altersbestimmungen für die Diakonissen s. GAUDEMET 123; LAFONTAINE 41/43.

ten über das Mindestalter der *virgines consecrandae* erhalten. Das Konzil von Saragossa (um 380) forderte vierzig Jahre, das Konzil von Hippo (393) sowie das dritte Konzil von Karthago (397) verlangten fünfundzwanzig. Die Altersvorschrift der beiden afrikanischen Konzilien, die durch das allgemeine Konzil von Karthago i. J. 418 im wesentlichen bestätigt wurde, setzte sich später im Kirchenrecht durch, doch ist auch das fünfte Jahrhundert von einer einheitlichen Regelung in diesem Punkte noch weit entfernt. Der Liber Pontificalis will sogar wissen, Leo d. Große habe für die *monacha* ein Weihealter von sechzig Jahren verlangt[42]; allerdings muß diese Angabe als höchst unsicher gelten. Wahrscheinlich war damals auch in der römischen Kirche das Alter von vierzig Jahren die Regel. Wir haben diese Verhältnisse hier nur kurz zu dem Zweck berührt, um deutlich zu machen, daß sich in diesem Bereich kirchlichen Lebens ein ähnliches Bild abzeichnet, wie man es bei Musterung der zeitgenössischen Altersvorschriften für den Klerus kennenlernen kann: auf der einen Seite steht das allenthalben sichtbare Bedürfnis, solche Vorschriften überhaupt zu schaffen, auf der anderen eine beträchtliche Uneinheitlichkeit der einschlägigen Maßnahmen. Daß nun die gegensätzlichen Anschauungen vom Wert der Zeit auch in der Auseinandersetzung um das Mindestalter der Novizinnen eine gewisse Rolle spielten, braucht nach alledem, was bisher über das Gegeneinander des 'idealistischen' und des 'praktischen' Prinzips gesagt wurde, nicht mehr zu überraschen. Sehr aufschlußreich ist in dieser Hinsicht eine Äußerung des Ambrosius. Der Kirchenvater bezieht in dem Meinungsstreit eine recht extreme Position. Er schreibt[43]:

> *aiunt etiam plerique maturioris aetatis virgines esse velandas. neque ego abnuo sacerdotalis cautionis esse debere, ut non temere puella veletur. spectet plane, spectet aetatem sacerdos, sed fidei vel pudoris. spectet maturitatem verecundiae, examinet gravitatis canitiem, morum senectam, pudicitiae annos, animos castitatis: tum deinde si matris tuta custodia, comitum sobria sedulitas. si haec praesto sunt, non deest virgini longaeva canities: si haec desunt, differatur puella moribus quam annis adolescentior. non ergo aetas reicitur florentior, sed animus examinatur. at certe Theclam non senectus, sed virtus probavit. et hinc quid plura contexam, cum omnis aetas habilis deo, perfecta sit Christo? denique non virtutem aetatis appendicem dicimus, sed virtutis aetatem.*

Mit Entschiedenheit, ja Heftigkeit wendet sich hier Ambrosius gegen die verbreitete Ansicht, die Jungfrauen dürften erst im reiferen Alter den Schleier nehmen, nachdrücklich beharrt er, den Vorrang

[42]) Lib. pontif. 1,239 DUCHESNE. Vgl. die Behandlung dieser problematischen Nachricht bei METZ 109f.

[43]) Ambros. virginit. 39f. (18 CAZZANIGA).

geistigen 'Greisenalters' einprägend und einhämmernd, auf dem entgegengesetzten Standpunkt. Als Vorbild, gewissermaßen als 'biblisches' Exemplum, fungiert diesmal Thecla, die legendäre Schülerin Pauli. Wie aus den anschließenden Bemerkungen, die wir nicht mehr ausgeschrieben haben, hervorgeht, hielt er es für ausreichend, wenn die Mädchen das heiratsfähige Alter erlangt hätten. Da nun nach römischem Recht ein Mädchen schon mit vollendetem zwölften Lebensjahr heiratsfähig war und das durchschnittliche Heiratsalter zwischen dreizehn und sechzehn Jahren lag[44]), ergibt sich für die feierliche *velatio* — denn um diese handelt es sich in unserem Text, nicht etwa um das einfache *propositum virginitatis*[45]) — ein sehr niedriges Mindestalter, und es kann keine Frage sein, daß sich Ambrosius damit in Gegensatz zur communis opinio stellte (vgl. oben: *aiunt etiam plerique* ... eqs.). Der Kirchenvater, dem man sonst so viel Sinn für das Praktische nachsagt, erscheint hier als geradezu radikaler Wortführer des 'idealistischen' Prinzips. Der Grundsatz der *aequalitas divina*, der Gleichheit aller Lebensalter vor Gott, wird scharf formuliert und konsequent auf das vorliegende Problem angewandt: da jede Altersstufe für Gott vollendet ist, da das Alter ein Anhängsel der Tugend ist und nicht umgekehrt, wäre es falsch, einer Novizin in noch blühendem Alter die Weihe zu verweigern; es kommt ausschließlich nur auf die Würdigkeit der Kandidatin an.

Nicht bloß hier, auch sonst zeigt sich Ambrosius als entschiedener Verfechter des 'Gleichheitsprinzips'. In seinen exegetischen Werken übernimmt er gerne die spiritualisierenden Erklärungen Philons, wobei er die Belanglosigkeit äußeren Alters zuweilen stark hervorhebt. Wie wir anhand der oben erwähnten Erörterung über die Ältestenwahl beobachten konnten, vermitteln seine diesbezüglichen Äußerungen mitunter den Eindruck, als sei er durchaus geneigt, das Prinzip auch für Fragen der kirchlichen Praxis gelten zu lassen[46]). Beachtung verdient

---

[44]) Vgl. L. Friedlaender, Darstellungen aus der Sittengeschichte Roms 1 (Leipzig 1922[10]) 273.

[45]) Die bei Migne: PL 16,276 (unter dem Text) geäußerte Vermutung, Ambrosius könne vielleicht nur das private Keuschheitsgelöbnis meinen, ist irrig. Es geht hier um die Entscheidung des Priesters, also um die offizielle Konsekration. Das muß auch Metz 106 zugeben, obgleich er den Wert der vorliegenden Aussage auf andere Weise einzuschränken sucht. Es sei anzunehmen, meint er, daß Ambrosius in der Praxis ein höheres Alter für die Jungfrauenweihe verlangt habe.

[46]) In auffälliger Weise bestätigt würde dieser Eindruck durch die Bischofsweihe des Gaudentius v. Brescia, falls feststünde, daß Gaudentius wirklich, wie Blokscha 54 voraussetzt, erst rund 27 Jahre alt war, als er sich auf

in diesem Zusammenhang auch Ambrosius' Ansicht über das für Witwen erforderliche Alter. Das kirchliche Witweninstitut konnte sich auf eine konkrete Altersvorschrift des Apostels Paulus stützen, die einzige übrigens, die es im Neuen Testament überhaupt gibt; sechzig Jahre sollte nach dem Willen des Apostels (1 Tim. 5, 9) das Mindestalter der Witwen betragen. Trotzdem wagt es Ambrosius, selbst diese ausdrückliche Angabe ins Geistige zu transponieren[47])! Die ausgeprägte Vorliebe für den Gedanken geistiger Greisenhaftigkeit, die gerade dieser Kirchenvater an den Tag legt, sein deutliches Hinneigen zur Geringschätzung des bloß äußeren Lebensalters, die bemerkenswerte Offenheit, mit der er alle anderen Erwägungen diesem Grundsatz unterordnet, all das rückt erst dann ins rechte Licht, wenn man Ambrosius' enge Beziehung zur philonischen Bibelexegese voll berücksichtigt. Die spiritualisierende Schriftauslegung bildet zweifellos ein wesentliches Fundament seiner Einstellung zur Altersfrage. Ambrosius hat wie kaum ein anderer mit dem in der Lebensalterallegorese enthaltenen Prinzip der Zeitentwertung ernst gemacht. Gerade heute wird wohl so mancher die allgemeine Anwendbarkeit dieses Prinzips skeptisch beurteilen. Doch kann man solchen Äußerungen wie der des Ambrosius über das Alter der *virgines consecrandae* gewiß nur dann gerecht werden, wenn man sie in den weiteren geistesgeschichtlichen Zusammenhang einordnet, in den sie tatsächlich hineingehören[48]). So betrachtet erscheint Ambrosius als exponierter Ver-

Ambrosius' Drängen zum Bischof weihen ließ. Aber über den Zeitpunkt seiner Weihe besteht keine Sicherheit: s. O. Bardenhewer, Gesch. d. altkirchl. Lit. 3 (Freiburg i. B. 1923²) 486 und Jülicher, Art. Gaudentius: PW 7/1 (1910) 860.

[47]) Ambros. vid. 9 (PL 16, 237): ... *non quo senectus sola viduam faciat, sed quo viduitatis merita stipendia sint senectutis* ... eqs. (vgl. dazu die Anmerkung *d* bei Migne a. O. 237/38). Chrysostomus betont dagegen (ad viduam iun. 2: PG 48, 600), Paulus habe nirgendwo ein Alter für Bischöfe festgesetzt, wohl aber für Witwen! Freilich ist die Bestimmung des Apostels in der Praxis durchaus auch schon früher vernachlässigt worden — Tertullian virg. vel. 9, 2 (CCL 2, 1219) berichtet von einem aufsehenerregenden Fall. Bemerkenswert bleibt jedoch, daß sich Ambrosius mit seiner vergeistigenden Deutung an den paulinischen Text selbst heranwagt. Über das recht komplizierte Verhältnis von Viduat und (weiblichem) Diakonat vgl. A. Kalsbach, Art. Diakonisse: RAC 3 (1957) 917/28; über das Witweninstitut s. auch Harnack, Mission 596f.

[48]) Zu dieser Einsicht ist Metz bei Behandlung der Ambrosiusstelle (114) nicht gelangt. Aber auch in der Arbeit von Ph. Oppenheim, die den vielversprechenden Titel führt: „Die *consecratio virginum* als geistesgeschichtliches Problem" (Rom 1943), steht nichts davon. Er findet die Lösung der Altersfrage, die Ambrosius in *De virginitate* vertritt, lediglich „am sympathischsten" (56) und glaubt sogar, sie habe der allgemeinen Ansicht der alten Kirche entsprochen!

treter einer zwar keineswegs unangefochtenen, aber nichtsdestoweniger weitverbreiteten Anschauung des alten Christentums.

Fassen wir zusammen! Wir haben eingangs von den 'praktischen Konsequenzen' des Transzendenzideals gesprochen. Welches sind nun diese Konsequenzen im Hinblick auf die kirchlichen Altersvorschriften? Man kann die Sache von zwei Seiten sehen. Einmal darf man sagen, daß die zögernde Ausbildung fester Altersgrenzen im Kirchenrecht, die nicht seltene Mißachtung bestehender Gesetze, einen ihrer Gründe hat — wenn auch durchaus nicht etwa den einzigen[49]) — in der weitverbreiteten Anschauung von der Belanglosigkeit äußeren Lebensalters und in dem Ideal einer geistigen Freiheit des Menschen gegenüber der natürlichen Entwicklung. Das Transzendenzideal und die ihm zugrunde liegende Geringschätzung der Zeit wirkten also, wie schon gesagt wurde, als Gegengewicht gegen das Streben nach altersmäßigem Reglement. Aber die Medaille hat auch eine Kehrseite: war es nicht gerade jene teils recht radikale Verachtung von Zeit und Alter, die in gewisser Weise mit dazu beitrug, eine feste Ordnung der Mindestalter notwendig erscheinen zu lassen? Das Ideal greisenhafter Frühreife, durch die Schrift vielfach sanktioniert, war zu stark verallgemeinert worden: ganz klar erhellt das aus der bedeutsamen Passage bei Gregor v. Nazianz. Man könnte daher das im vierten und fünften Jahrhundert deutlich hervortretende Bemühen, feste Altersgesetze für die Weihen zu schaffen, unter anderem auch als Reaktion auf die weithin verbreitete Nichtachtung des Lebensalters zu verstehen suchen.

III. DIE REGULA BENEDICTI

Mit den vorstehenden Bemerkungen über das Alter der *virgines consecrandae* haben wir uns wieder dem Bereich asketischen und klösterlichen Lebens genähert. Hier ist der rechte Ort, die Regel Benedikts unter unserem Gesichtspunkt zu mustern. Die Texte, die wir im vorigen Kapitel herangezogen haben, stammen größtenteils aus der zweiten Hälfte des vierten Jahrhunderts. Sie bezeugen eine recht lebhafte Auseinandersetzung um das Problem der kirchlichen Altersgrenzen, innerhalb derer zwei verschiedene Ansichten über den Wert der Zeit, eine 'idealistische' und eine 'praktische', einander widerstreiten. Die Regel Benedikts ist von diesen Texten durch anderthalb Jahrhunderte

---

[49]) Über die verschiedenen Motive vorzeitiger Weihen vgl. LAFONTAINE 244/263. Am nächsten kommt dem von uns herausgearbeiteten Sachverhalt das, was LAFONTAINE 263/67 über „die Rolle des Hl. Geistes" sagt.

getrennt, aber manche Anzeichen sprechen dafür, daß die alte Streitfrage in der Zwischenzeit durchaus nicht alles Interesse eingebüßt hatte. Macht sich in der kirchlichen Gesetzgebung eine zunehmende Tendenz zur Schaffung fester Altersvorschriften bemerkbar, so behauptet sich namentlich in der asketischen Literatur zäh die ideale Anschauung von der Bedeutungslosigkeit äußeren Lebensalters und der wunderbaren Frühreife der Heiligen[1]). Benedikt v. Nursia zeigt sich uns — um das Ergebnis hier vorwegzunehmen — ähnlich wie Ambrosius als entschiedener Verfechter des 'idealistischen' Prinzips. Von einer Überwindung des natürlichen Lebensalters, von geistigen Altersstufen u. dgl. hat er zwar nirgends direkt gesprochen[2]), aber die Sache, die hinter den Ausdrucksformen des Transzendenzideals steht, nämlich die Irrelevanz des Lebensalters für die innere Vollkommenheit, vertritt er dafür um so deutlicher.

Beginnen wir mit Benedikts Ordnung der klösterlichen Rangfolge unter den Brüdern. Über sie handelt das 63. Kapitel. Der *ordo monasterii* bestimmt u. a. die Reihenfolge, in der die Mönche zum Friedenskuß und zur Kommunion schreiten, in der sie den Psalm anstimmen und im Chor stehen. Zwei Grundsätze werden genannt, nach denen sich dieser Ordo richten soll: einmal die Anciennität, das 'Dienstalter' des Mönchs (*conversationis tempus*), zum anderen das persönliche Verdienst (*vitae meritum*) des einzelnen. Über ersteres entscheidet der Zeitpunkt des Eintritts ins Kloster (vgl. 63, 8), über letzteres das Urteil des Abts[3]). Beide Prinzipien, und das ist das Wesentliche, fußen nicht auf dem Lebensalter. Für den Gesichtspunkt des persönlichen Verdienstes versteht sich das gewissermaßen von selbst. Aber auch die Ordnung nach dem Eintrittstermin soll, wenn auch eine chronologische, so doch keine altersmäßige sein! Auf diesen Tatbestand legt Benedikt selbst größten Wert. Er befiehlt ausdrücklich: *et in omnibus omnino locis aetas non discernat ordines nec praeiudicet, quia Samuhel et Danihel pueri presbyteros iudicaverunt* (63, 6/7). Er erläutert diese Vorschrift durch ein praktisches Beispiel: wer zur zweiten Stunde eines Tages

[1]) Vgl. hierzu das, was oben S. 143 ff. zur Hagiographie gesagt wurde.

[2]) Die Bezeichnung *senior spiritalis* wird man nicht damit in Verbindung bringen wollen: s. unten S. 194[15].

[3]) Vgl. RB 63, 1: *ordines suos in monasteriis ita conservent, ut conversationis tempus, ut vitae meritum discernit, utque abbas constituerit.* Was hier so aussieht wie eine dreifache Teilung, ist in Wahrheit nur eine zweifache: *ergo excepto hos quos, ut diximus, altiori consilio abbas praetulerit vel degradaverit certis ex causis, reliqui omnes, ut convertuntur, ita sint* (63, 7). — In der Wiedergabe des Textes der RB folge ich mit einer Ausnahme (s. dazu unten S. 198 f.) der Ausgabe von R. Hanslik: CSEL 75 (1960).

ins Kloster kommt, ist 'jünger' (*iunior*) als derjenige, der zur ersten kam: *cuiuslibet aetatis aut dignitatis sit* (63,8). Will man diese für uns Moderne höchst auffällige Verordnung[4]) in den rechten geistesgeschichtlichen Zusammenhang bringen, hat man zweifellos zunächst die entsprechenden Maßnahmen der Vorgänger Benedikts zu berücksichtigen. Schon Pachomius, der Begründer des koinobitischen Mönchtums, setzte das Lebensalter in der klösterlichen Rangordnung entschieden hintan: *nec aetas inter eos quaeritur, sed professio*, berichtet Hieronymus[5]). Cassians Darstellung der Verhältnisse in den ägyptischen Klöstern[6]) stimmt damit vollkommen überein: der Neueintretende müsse gemäß dem Herrenwort (Mt. 18,3) zur Kindheit zurückkehren, dürfe nicht auf die *numerositas annorum* pochen, sondern habe seine frühere Lebenszeit als verloren, sich selbst als Rekrut im Kriegsdienst Christi zu betrachten, weshalb er sich sogar Jüngeren unverzüglich unterordnen müsse. Cassian selbst billigt diese Praxis der ägyptischen Klöster und glaubt, daß Abweichungen von ihr zu Mißständen führen würden. In seinen eigenen Klöstern wird er darum fraglos denselben Richtlinien gefolgt sein. Übrigens weiß schon Philon ganz Ähnliches von den Therapeuten zu erzählen. Auch bei ihnen war nach Philon die Reihenfolge der Aufnahme in die Gemeinschaft rangentscheidend, bloße Bejahrtheit galt ihnen nichts[7]). Die frappante Ähnlichkeit zur Klosterordnung des Pachomius bleibt bestehen, auch wenn man heute längst nicht mehr dem Eusebius recht geben wird, der die Therapeuten für christliche Mönche hielt[8]). Benedikt seinerseits kannte gerade die Schriften Cassians besonders gut, und es kann kein Zweifel sein, daß seine Regel auch in diesem Punkte, d.h. in der

---

[4]) Das bemerkt treffend BACCETTI 460: „È davvero una sorpresa per noi moderni il vedere in coro, a refettorio, all'amplesso di pace, alla Communione, ovunque, fanciulli, giovani, uomini maturi e vecchi in un ordine che non tiene conto dell'età." Man hat sich klar zu machen, daß die Differenz zwischen *ordo* und *aetas* beträchtlich sein konnte, solange es die Oblation von Kindern gab. Denn nach 63,18 sollten auch die *pueri parvi vel adulescentes* die ihnen gebührenden *ordines* einnehmen. War so ein *puer oblatus* (vgl. 59) herangewachsen, dann mochte er im Range über manchem älteren Bruder stehen, der erst als reifer Mann ins Kloster gefunden hatte!

[5]) Hier. praef. reg. Pachom. 3 (6 BOON).

[6]) Cassian. inst. II 3,2 (CSEL 17,19).

[7]) Philon contempl. 67: *μετὰ δὲ τὰς εὐχὰς οἱ πρεσβύτεροι κατακλίνονται ταῖς εἰσκρίσεσιν ἀκολουθοῦντες· πρεσβυτέρους δὲ οὐ τοὺς πολυετεῖς καὶ πολιοὺς νομίζουσιν, ἐὰν ὀψὲ τῆς προαιρέσεως ἐρασθῶσιν, ἀλλὰ τοὺς ἐκ πρώτης ἡλικίας ἐνηβήσαντας καὶ ἐνακμάσαντας τῷ θεωρητικῷ μέρει φιλοσοφίας . . . κτλ.* Zu den Therapeuten im allgemeinen s. LOHSE 95ff.

[8]) Euseb. h. e. II 17 (GCS 9/1,142/52).

Negation des Altersprinzips, fest in der Tradition des vorbenediktinischen Mönchtums wurzelt. Auch der andere Gesichtspunkt, den Benedikt für die klösterliche Rangfolge gelten läßt, nämlich die Einstufung nach Verdienst und Wert, findet seine Parallele im östlichen Klosterwesen: die Regeln des Basilius geben zu erkennen, daß neben der *ἀρχαιότης* auch die Würdigkeit des einzelnen über seine Stellung in der Gemeinschaft entscheiden sollte. Man hat angenommen, Basilius trete hierin in Gegensatz zu Pachomius[9]), aber mindestens die spätere hagiographische Überlieferung schreibt auch dem ägyptischen Mönchsvater eine ähnlich elastische Handhabung des Prinzips der Anciennität zu. Bezeichnenderweise jedoch wird es in den entsprechenden Berichten nie zugunsten höheren Alters durchbrochen, was ja an sich denkbar wäre, sondern stets zugunsten der Jugend[10]).

Die Begründer des Mönchtums haben den Gesichtspunkt des Lebensalters vor allem deswegen zurückgestellt, weil sie den Eintritt ins Kloster als Neubeginn des Lebens verstanden, vor dem alle Altersunterschiede schwinden mußten. Das zeigt deutlich die oben paraphrasierte Äußerung Cassians über die ägyptischen Klöster. Ob schon die Mönchsväter des Orients in ihrer Haltung zur Altersfrage außerdem vielleicht auch durch die im Christentum allgemein verbreitete Ansicht von der Belanglosigkeit des Lebensalters und durch das Transzendenzideal, das sich gerade im asketischen Leben seit dem dritten Jahrhundert immer stärker durchsetzte, beeinflußt waren, das ist eine Frage, die vielleicht berechtigt erscheinen mag, die wir aber hier unerörtert lassen wollen, weil sie uns zu weit abführen würde. Benedikt jedenfalls kann von dieser breiten Strömung kaum unberührt geblieben sein. Das läßt schon sein Platz in der Geistesgeschichte vermuten. Die Regel Benedikts steht in gewisser Weise am Ende einer Entwicklung und hat verschiedene Anregungen verarbeitet. So wird heute ihrem Verfasser gemeinhin eine recht beachtliche Belesenheit in

---

[9]) Vgl. Humbertclaude 155. Er geht von reg. brev. 169 (PG 31,1193) aus: Belehrung eines *πρεσβύτερος καθ' ἡλικίαν* durch einen Jüngeren! S. ferner ebd. 171 (1193f.).

[10]) Die erste der griechischen Pachomiusviten erzählt, der Heilige habe dem Knaben Silvanus vor den anderen Mönchen folgendes Zeugnis ausgestellt: *κατὰ μὲν τὸν χρόνον καὶ τὴν ἄσκησιν καὶ τὴν γνῶσιν πατέρες αὐτοῦ ἐστε· κατὰ δὲ τὴν βαθεῖαν αὐτοῦ ταπεινοφροσύνην καὶ τὸ καθαρὸν τοῦ συνειδότος μέγας ἐστίν* (105: 69 Halkin). Dasselbe Problem taucht schon einmal vorher in der Vita auf: Mönche empören sich, weil der junge Theodorus die Sonntagspredigt hält, aber Pachomius rechtfertigt ihn mit dem Hinweis auf Mt. 18,5! Lehrreich besonders die Wendung: *ἦν δὲ τῇ μὲν ἀνθρωπίνῃ ἡλικίᾳ νεώτερος ὁ στήκων* (77: 52 Halkin). Ein ähnlicher Passus aus der zweiten Vita ist übersetzt bei Steidle 94f.

der christlichen lateinischen Literatur zugetraut, u.a. soll er Hieronymus und Ambrosius wenigstens teilweise gekannt haben[11]). Beide Autoren reden des öfteren von der Wertlosigkeit der bloß äußeren Lebenszeit, bzw. der Vorzüglichkeit des inneren 'Greisenalters'. Daß also Benedikt mit dieser im übrigen ja denkbar weitverbreiteten Anschauung vertraut war, müßte schon von daher als wahrscheinlich gelten. Bestätigt wird das jedenfalls durch die Erwähnung der biblischen Musterknaben im 63. Kapitel: das Vorbild Daniels und Samuels, die als *pueri* die Alten richteten, soll den Grundsatz stützen, daß das Lebensalter über den Rang der Brüder nicht entscheiden dürfe. Daniel und Samuel: das sind ja gerade jene überaus beliebten Exempla, mit denen die Kirchenväter immer wieder die prinzipielle Gleichwertigkeit der Jugend gegenüber dem Alter zu belegen und den Vorrang geistiger *senectus* darzutun versuchen, das sind jene *νέοι κριταί*, deren Namen so sehr zu Schlagworten geworden waren, daß Gregor v. Nazianz darin eine Gefahr für die kirchliche Disziplin erblicken konnte[12])! Für die Zusammenstellung der beiden Beispiele Daniel und Samuel, die Benedikt vornimmt, läßt sich keine bestimmte Stelle als Vorlage namhaft machen[13]). Das ist jedoch auch gar nicht erforderlich. Es kommt einzig darauf an, daß beide Gestalten zu den beliebtesten Typen des *puer senex*-Ideals zählen.

Fahren wir fort! Das dritte Kapitel der Regel handelt über die klösterlichen Ratsversammlungen. Benedikt unterscheidet zwei Arten solcher Versammlungen[14]). Bei wichtigen Anlässen solle der Abt den gesamten Konvent (*omnem congregationem*) zum Rat einberufen (3,1), bei weniger wichtigen Angelegenheiten sei es ausreichend, wenn er sich nur auf den Rat der *seniores* stütze (3,12)[15]). Daß gerade bei wichtigen

[11]) Vgl. Butler 158f.; Herwegen 340; Steidle 35 sowie den Index Scriptorum in der Ausgabe von Hanslik (169/174).

[12]) Vgl. oben S. 182f.

[13]) Davon wird im Exkurs S. 232f. die Rede sein.

[14]) Über die geschichtliche Fortentwicklung von Kapitel und Seniorat s. Hegglin 189/204.

[15]) Der Sinn des Worts *senior* ist in der RB recht schillernd. Vgl. dazu den philologischen Kommentar von Linderbauer 270 zu 23,4. Er unterscheidet die Bedeutungen 'Vorgesetzter' und 'Älterer', wobei er unsere Stelle (3,12) der letzteren Gruppe zuordnet. Was man bei Linderbauer vermißt, ist eine stärkere Differenzierung des Begriffs 'Älterer' nach den Gesichtspunkten von *ordo* und *aetas*. Wie aus 63,5/8 hervorgeht, brauchen diese beiden Gesichtspunkte nicht unbedingt zusammenzufallen, und Linderbauers Verfahren, der *senior* (= *maior ordine, prior*) in 63,31 (= 63,16 Hanslik) einfach unter der Bezeichnung 'Älterer' führt und mit 22,14 (= 22,7 H.) zusammenstellt (*seniores*, opp. *adulescentiores fratres*!), ist zumindest unscharf. Der Begriff

Entscheidungen alle Brüder gehört werden sollen, wird folgendermaßen begründet: *ideo autem omnes ad consilium vocari diximus, quia sepe iuniori dominus revelat, quod melius est* (3, 3). Stünde diese Äußerung in der Regel für sich allein, würde man ihr unter dem Gesichtspunkt unserer Untersuchung weniger Gewicht beilegen dürfen. Denn die Erkenntnis, daß auch ein Jüngerer klüger sein könne als viele Alte, mag zunächst nur wie ein Stück popularer Lebensweisheit anmuten. Sie hat noch nichts Profiliertes. Immerhin geht die Annahme, Gott offenbare einem Jüngeren „oft" (*sepe*!) das Bessere, wohl schon über das Maß gewöhnlicher Lebenserfahrung hinaus[16]). Recht ins Auge fällt dieser Satz aber erst dann, wenn man ihn mit anderen Stellen in der Regel in Zusammenhang bringt, vor allem mit der eben erwähnten Bestimmung über die klösterliche Rangfolge. Wenn Benedikt dort darauf hinweist, die Knaben Daniel und Samuel hätten die Alten gerichtet, und wenn er hier feststellt, Gott verhelfe oft einem Jüngeren zu besserer Einsicht, so liegen beide Aussagen auf ein und derselben Ebene[17]). Sie entsprechen vollauf dem Grundsatz der Gleichheit von jung und alt, das die christlichen Exegeten immer wieder durch biblische Beispiele zu erhärten suchten. Nach alledem, was in den voraufgehenden Kapiteln dazu gesagt wurde, brauchen wir jetzt nicht mehr in die Breite zu gehen[18]). Auch von der anderen Seite her erfährt übrigens das Prinzip eine gewisse Bestätigung, und zwar durch die Strafordnung der Regel. Das sehr kurze 30. Kapitel beginnt mit dem Satz: *omnis aetas vel intellectus proprias debet habere mensuras* (sc. *correptionis*). Das

---

iunior verlangt eine ähnliche Scheidung (= *adulescentior*: 3,3; 66,5; = *minor ordine*: 63,8 u. ö.). Besondere Beachtung verdient der Ausdruck *senior spiritalis* (4,50; 46,5 H.): die Frage, ob darunter der Priester (Beichtvater) zu verstehen sei, läßt LINDERBAUER offen, eingehender erörtert wird sie bei HERWEGEN 98f., 277f.

[16]) Das Auffallende an *sepe* schwände, wenn man annähme, daß das Wort an der vorliegenden Stelle von jener inhaltlichen Entwertung erfaßt ist, die E. LÖFSTEDT für das Spätlatein nachgewiesen hat (Beiträge 43ff.; Peregr. 277). Seltsam übrigens, daß LINDERBAUER 195 bemerkt, der Positiv *saepe* finde sich im Gegensatz zum Komparativ *saepius* bei Benedikt nicht, obgleich das Wort *saepe* in seinem eigenen Text (3,6 = 3,3 HANSLIK und 62,15 = 62,9 H.) ebenso zu lesen steht wie in den anderen Ausgaben.

[17]) Vgl. CALMET 1,165: auch er verweist zu 3,3 auf das Beispiel Daniels und Samuels!

[18]) Wenn HERWEGEN 83 schreibt, „letzte Quelle" der Anschauung, wie sie sich bei Benedikt in 3,3 niederschlägt, sei das Evangelium (nämlich Mt. 11,25, Lc. 10,21), so macht er es sich und dem Leser ein wenig zu einfach: man muß, um der Sache gerecht zu werden, die ganze Ausdehnung und Variationsfülle der *puer senex*-Thematik vor Augen haben.

heißt: die Strafe soll dem Alter und dem Fassungsvermögen des einzelnen angepaßt sein. Durch körperliche Züchtigung, nämlich durch Fasten und Schläge, sollten bestraft werden *pueri vel adulescentiores aetate, aut qui minus intelligere possunt, quanta poena sit excommunicationis* (30,2). Daraus folgt, daß mangelhafte Einsicht nicht allein auf Kindheit und Jugend zu begrenzen sei, sondern sehr wohl auch bei Älteren vorkommen könne[19]).

Daß das Kriterium äußeren Lebensalters bei Benedikt durchweg dem jeweils zu prüfenden inneren Wert des einzelnen untergeordnet wird, ja daß man in dieser Unterordnung einen Grundzug der Regel zu erkennen hat, das tritt mit voller Schärfe hervor, sobald man sich klar macht, welche Qualitäten der Klostergründer von den Inhabern klösterlicher Ämter verlangt. Besondere Beachtung verdienen natürlich die Angaben über den Abt. Von ihm heißt es (64,2): *vitae autem merito et sapientiae doctrina elegatur, qui ordinandus est, etiam si ultimus fuerit in ordine congregationis.* Mit Nachdruck wird eingeschärft, der Abt solle nicht nach der Rangfolge der Brüder gewählt werden. Wenn aber nicht nach dem Rang, dann auch nicht nach dem Alter, und wenn der Abt der 'Letzte' im Kloster sein kann, dann auch der Jüngste[20])! Einzig auf die Würdigkeit des Kandidaten — dem Begriff des *vitae meritum* sind wir schon oben begegnet (S. 190) — und auf seine Weisheit[21]) soll es ankommen. Solche absolute Bevorzugung des inneren Werts gegenüber äußeren Eigenschaften, besonders dem Alter gegenüber, kennen wir inzwischen zur Genüge: sie entspricht eben voll und ganz der von uns so genannten 'idealistischen' Einstellung zur Altersfrage. Unumstritten war sie freilich keineswegs, wie die Auseinandersetzung um die kirchlichen Mindestalter zeigt, und auch Benedikts Ansicht darf nicht einfach als selbstverständlich hingenommen werden. Der Verfasser eines *sermo asceticus*, der unter Basilius' Namen läuft, verlangt vom Leiter einer klösterlichen Gemeinschaft, er solle sich sowohl durch das

---

[19]) Treffend bemerkt von Baccetti 476/77. Allerdings ist zuzugeben, daß Benedikt in diesem Fall das *minus intelligere* anscheinend doch bei der Jugend in allgemeinerer Weise voraussetzt. Er anerkannte auch sehr wohl die besondere sittliche Gefährdung der Jugend: 22,7; 36,8.

[20]) Diese Konsequenz ist offenkundig. Vgl. z.B. Hegglin 35: „Belanglos ist es, wenn der Bruder, der diese Eigenschaften aufweist, auch der letzte im Kloster ist. Es gilt also für Benedikt keine Altersgrenze, weder nach oben noch nach unten." Siehe auch Delatte 485f. und Martène: PL 66,884 A. Beide bringen Beispiele junger Äbte aus der Geschichte des benediktinischen Mönchtums.

[21]) Genauer gesagt: „die Weisheit der Lehre" (vgl. Steidle 199[2]), d. h. „die Befähigung, andere in Weisheit zu lehren" (Hegglin 35).

geistige als auch durch das körperliche Greisenalter auszeichnen: *αἰδεσιμώτερον γάρ πως ἐν τῇ φύσει τῶν ἀνθρώπων τὸ γεραρώτερον*[22]). Zu dieser Konzession, die Ps.Basilius an das natürliche Alter und seinen Vorrang macht, war Benedikt aber eben nicht bereit, weder in bezug auf den Abt noch auf die übrigen Klostervorsteher. Das Kapitel über den Prior (65: *De praeposito monasterii*) liefert einen rein negativen Befund: Anhaltspunkte für ein etwa erforderliches Alter gibt es nicht. Über die Dekane sagt Benedikt: *et non eligantur per ordinem, sed secundum vitae meritum et sapientiae doctrinam* (21,4). Das ist fast bis aufs Wort die gleiche Vorschrift wie die für die Abtswahl! Wieder werden *vitae meritum* und *sapientiae doctrina* dem *ordo* und damit erst recht dem Lebensalter[23]) eindeutig übergeordnet. So geht es weiter: Vom Kellermeister wird u.a. verlangt, er solle *maturus moribus*(!) sein (31,1), also nicht unbedingt *maturus aetate*. Über die Werkzeuge und Kleider sollen solche Brüder die Aufsicht führen (32,1), *de quorum vita et moribus securus sit* (sc. *abbas*). Vorsteher der *cella hospitum* soll ein Bruder sein, *cuius animam timor Dei possidet* (53,21). Nur als Novizenmeister soll ein *senior* fungieren. Beachtenswert ist aber der genaue Wortlaut dieser Anordnung: *et senior eis* (sc. *noviciis*) *talis deputetur, qui abtus sit ad lucrandas animas* . . . eqs. (58,6). Benedikt gibt also auch hier deutlich zu erkennen, daß er höheres Alter (bzw. höheren Rang) allein nicht für eine ausreichende Qualifikation erachtet. Daß er es überhaupt verlangt, beruht wohl hauptsächlich auf der klugen Rücksichtnahme gegenüber den Novizen selbst, die oftmals schon bejahrt sein mochten und ihre Stellung, die sie im weltlichen Leben innehatten, schwerlich auf Anhieb so weit vergessen konnten, daß es ratsam schien, sie unmittelbar einem noch jungen Mönch zu unterstellen[24]).

---

[22]) Ps.Basil. serm. ascet. 3 (PG 31,876A/B). Beide *sermones ascetici* bei MIGNE: PG 31,869/881 und 881/888 sind wahrscheinlich unecht; vgl. AMAND p. XXVI Nr. 3. Beim echten Basilius entspricht solcher Wertung des Alters in etwa die Vorschrift über die Mitglieder des klösterlichen 'Kontrollrats' (reg. fus. 27: PG 31,988B): es sollten Männer sein *προέχοντες τήν τε ἡλικίαν καὶ τὴν σύνεσιν*.

[23]) Denn schon die Rangfolge der Brüder richtet sich ja nicht nach dem tatsächlichen Lebensalter. Wenn auch sie außer Kraft gesetzt wird, bedeutet das, daß überhaupt kein irgendwie geartetes 'chronologisches' Prinzip mehr gilt!

[24]) Diese Erklärung gibt, wenn auch nicht in ganz klarer Form, BACCETTI 470. Sie verdient vor anderen den Vorzug. MARTÈNE (813B/C) glaubt, der Novizenmeister müsse deswegen „aetate et moribus senex" sein, weil nur ein langbewährter Asket andere recht anleiten könne. So plausibel sich das anhören mag: warum hat Benedikt, wenn das wahr sein soll, nicht auch vom Abt, der doch für alle die Verantwortung trägt, ein höheres Alter verlangt?

Besondere Aufmerksamkeit beansprucht Benedikts Anordnung über den Pförtner. Das 66. Kapitel beginnt mit dem Satz: *Ad portam monasterii ponatur senes sapiens, qui sciat accipere responsum et reddere et cuius maturitas eum non sinat vagari* (v.l. *vacari*). Diese Worte sind so oft mißdeutet und verunklärt worden, daß wir uns mit ihnen eingehender befassen müssen. Es sei gestattet, der besseren Übersicht halber die folgenden Bemerkungen in einzelne Punkte zu gliedern:

1. Wenn Benedikt fordert, der Pförtner solle *senex* sein, so meint er tatsächlich einen alten Mann. Diese Feststellung sollte selbstverständlich sein, sie ist es aber nicht. Die früheren Erklärer haben in die Angabe gerne einen geistigen Sinn hineingelesen, und noch bei DELATTE u.a. wirkt dieser Irrtum nach[25]). Daß Benedikt wirklich einen Greis an der Pforte haben will, geht unmißverständlich aus 66,5 hervor: wenn der Pförtner Hilfe braucht, soll ihm ein jüngerer Bruder beigegeben werden (*iuniorem fratrem accipiat*, sc. *portarius*).

2. Es steht also fest, daß Benedikt für den Pförtner ein hohes Alter vorschreibt. Er gebraucht im übrigen hier nicht mehr das Wort *senior*, sondern spricht geradezu von einem *senex*. Warum aber, so muß man fragen, stellt er diese Bedingung gerade für das Pförtneramt? Man antworte nicht: weil er nur einem weisen Mann die damit verbundenen Aufgaben anvertrauen wollte! Diese Antwort wird immer wieder erteilt, aber sie ist gänzlich unbefriedigend. Gewiß sollte der Pförtner weise sein, aber warum auch alt? Beide Werte sind doch offenbar für Benedikt sonst durchaus nicht gleichbedeutend. Vom Abt und von den Dekanen fordert er Weisheit, aber kein bestimmtes Lebensalter, ja auch den Gesichtspunkt des *ordo* weist er in beiden Fällen ausdrücklich zurück. Wenn er vorschreibt, der Novizenmeister solle *senior* sein, so

---

[25]) DELATTE 530 stellt die alte Frage gänzlich überflüssigerweise abermals zur Diskussion und endet mit der Erklärung: „On peut se contenter néanmoins de la maturité de l'âge et de celle que donne la prudence.“ So verunklärt er den Tatbestand. HERWEGEN 390 meint sogar, es komme beim Pförtner mehr auf das geistige denn aufs körperliche Greisenalter an. Daß die Erklärer, die sonst nur allzu geneigt sind, Benedikts Geringschätzung des Alterswerts nach Möglichkeit abzuschwächen (s. unten S. 201f.), hier den entgegengesetzten Weg einschlagen und eine positive Altersvorschrift spiritualisieren, ist seltsam und bezeichnend zugleich: die bewußte oder unbewußte Adaptation der Regel an die Verhältnisse der eigenen Zeit verführt bald auf diese, bald auf jene Weise zu ungenauen Interpretationen. Dagegen ist es eine berechtigte Frage, wie die Bezeichnung *πρεσβύτερος*, bzw. *senior*, die der Klosterpförtner in der Historia monachorum (17 [113 FESTUGIÈRE; vgl. Rufin: PL 21,439C]) und bei Cassian inst. IV 7 (CSEL 17,52) erhält, zu deuten sei. Vgl. dazu A. J. FESTUGIÈRE, Les Moines d'Orient 4/1 (Paris 1964) 102⁵.

dürfte er dafür, wie wir sahen, einen besonderen Grund haben. Erst recht müssen wir einen solchen Grund bei der auffälligen Verfügung über den *portarius senex* voraussetzen. Darüber aber kann nur der Relativsatz in 66,1 Aufschluß geben, insbesondere sein zweiter Teil: *et cuius . . . vagari.*

3. Hier geraten wir an ein textkritisches Problem. Die Handschriften schwanken zwischen *vagari* und *vacari*[26]). Liest man *vagari*, dann ist der Sinn: der Pförtner soll nicht „umherschweifen", er soll sich, wie es sofort danach heißt (66,2), stets bereithalten, Neuankömmlingen Auskunft zu erteilen. Mit diesem Sinn gab man sich mehr als ein Jahrtausend zufrieden, auch die kritischen Ausgaben von BUTLER (1935³) und LINDERBAUER (1922 und 1928) haben noch *vagari* im Text. Erst Suso BRECHTER verschaffte der Lesart *vacari* Geltung, die dann auch in den Text der Ausgaben von PENCO (1958¹) und HANSLIK (1960) Aufnahme fand. BRECHTER versteht *vacari* als spätlateinisches Deponens im Sinne von *vacare* 'müßig sein'[27]). Welches sind nun seine Argumente? Er sucht zunächst durch eine umfangreiche Sichtung der handschriftlichen Tradition die Lesart *vacari* als besser überliefert und authentisch zu erweisen. Ein Urteil in dieser Sache maße ich mir nicht an. Aber zweierlei gebe ich zu bedenken: die paläographische Divergenz zwischen *vagari* und *vacari* ist so gering, daß man der — ohnehin schwankenden — Überlieferung in diesem Punkte von vorneherein nicht allzu viel Gewicht wird beilegen dürfen. Überdies wäre es sehr wohl möglich, selbst ein authentisches *vacari* nur als orthographische Besonderheit zu deuten, wie das LINDERBAUER (393) tat[28]). BRECHTER seinerseits anerkennt diese Möglichkeit, und so bleibt schließlich doch alles bei den „inneren Kriterien" (493). Was er dazu beibringt, enthält nichts Zwingendes[29]). Daß die Notwendigkeit steter Präsenz des

---

[26]) Daneben begegnen noch die selteneren Lesarten *vagare* und *vacare*: vgl. den Apparat bei HANSLIK.

[27]) BRECHTER 479. Vgl. HANSLIK im Index grammaticus (367): „inusitata forma passiva: *vacari* = desidiosum fieri". Zu der sprachlichen Erscheinung im allgemeinen s. LEUMANN-HOFMANN-SZANTYR, Lat. Grammatik 2,292f. (Deponens zu früherem Aktiv).

[28]) Schon PLENKERS 36 verteidigte *vacari* als die ursprüngliche Lesart des Codex 914 von St. Gallen (einer getreuen Abschrift des Aachener Normaltextes), doch offenbar sah er darin eben nur ein Beispiel für die Vertauschung von Media und Tenuis (vgl. ebd. 31). Jedenfalls zog er keinerlei Rückschlüsse auf die Wortbedeutung und die Interpretation.

[29]) Breit wird ausgeführt, daß Müßiggang (eben das *vacari*) für einen Mönch ein Übel und für einen Pförtner eine besondere Gefahr sei. Aber folgt daraus wirklich, daß *vagari* einen schlechteren Sinn ergeben müsse? BRECHTER meint

Pförtners schon im anschließenden Satz (66,2) so stark betont wird, spricht ganz und gar nicht für eine wie immer geartete Beseitigung des *vagari*. Auch von benediktinischer Seite ist übrigens gegen BRECHTERS Vorschlag längst Einspruch erhoben worden[30]; PENCO und HANSLIK hätten gut daran getan, diesen Einwänden Gehör zu schenken.

4. Einen Angelpunkt des rechten Verständnisses bildet das Wort *maturitas*. Gemeinhin wird in das Wort viel moralisches Gewicht hineingelegt: BRECHTER (504) übersetzt „gereiftes Wesen", andere schreiben „gesetzte Tugend", „Tugendreife" u.ä.[31]. *Maturitas* kann aber auch das Alter schlechthin ohne jeden moralisch wertenden Nebensinn bezeichnen. Für die Bedeutung *maturitas* = *senectus* vgl. etwa Ambrosius: *quattuor quoque aetates sunt hominis: pueritia, adulescentia, iuventus, maturitas;* Tertullian: *maturitate progressa* (im vorgerückten Alter); Cicero: *vitam adulescentibus vis aufert, senibus maturitas*[32]. Faßt man das Wort so, dann ergibt sich ein verbüffend nüchterner, aber durchaus einleuchtender Sinn, der zugleich für die Frage, ob *vagari* oder *vacari* (*vacare*) vorzuziehen sei, eine Entscheidung impliziert: Greis soll der Pförtner sein, nicht weil er den Jüngeren durch sein Alter an Tugendhaftigkeit, Reife o. dgl. etwas voraushätte, sondern weil ihn einfach das hohe Alter als solches am Umherschweifen hindert. Ist es doch auch im bürgerlichen Leben so, daß die Jugend draußen umherläuft, während sich das Alter seßhaft im Hause hält. Die Natur

---

(499), der umherschweifende Pförtner sei „eine starke Vergröberung des ursprünglichen monastischen Ideals aus der Zeit des frühen Mittelalters"; damals sei die Gefahr des Umherschweifens größer gewesen als die des Müßigseins. Aber widerspricht dem nicht schon die Vorschrift, die Benedikt selbst noch im gleichen Kapitel (66,6f.) über die — möglichst zu vermeidende — *necessitas vagandi foris* macht? Wenn BRECHTER in 66,7 den äußeren Anlaß zu der „Verwechslung" in 66,1 sieht, so zeigt das nur einmal mehr, wie verschieden in textkritischer Argumentation dieselben Tatbestände ausgelegt werden können. Der Vorschlag, in 66,7 *vacandi* (statt *vagandi*) in den Text zu nehmen, den BRECHTER ebenfalls erwägt (501), dann aber doch fallen läßt, verrät eine gewisse spielerische Freude an neuen Lösungen.

[30]) Vgl. STEIDLE 340. Er lehnt gleichzeitig — zweifellos mit ebensolchem Recht — die Interpretation *vagari* = „Umschweife machen" (beim Reden) ab, die A. WIMMER in Auseinandersetzung mit BRECHTER vorgebracht hatte (Der „müßige" Pförtner: SM 63 [1951] 8/16). Lohnend ist WIMMERS Aufsatz durch die Kritik an BRECHTER, die sich zum Teil mit der unsrigen deckt.

[31]) Vgl. C. KÖSSLER, St. Benedicti Regula Monachorum (Graz 1931) 377; STEIDLE 320.

[32]) Ambros. Abr. II 9,65 (CSEL 32/1,620); Tert. virg. vel. 12,1 (CCL 2,1222); Cic. Cato 71. Bei Cicero wird der Sinn des Worts durch einen Fruchtvergleich gestützt. Weitere Belege bringt der ThLL 8,493,70/81.

selbst hat eben den Alten das *vagari* (*discurrere, circumire*) verwehrt[33]). Daher soll auch der Pförtner alt sein: seine Betagtheit bietet gewissermaßen eine zusätzliche Gewähr für seine ständige Anwesenheit am Tore. Diese Interpretation birgt einen großen Vorteil, denn nur sie vermag zu erklären, weshalb gerade vom Pförtner das Greisenalter verlangt wird. Deutlicher noch, wenn auch vielleicht ein wenig überspitzt, könnte man den Sachverhalt so umschreiben: es ist kein geistiger oder moralischer Vorzug des Alters, der den Türhüter für seine Aufgabe qualifiziert, sondern eher ein äußerer Nachteil, ein körperlicher Defekt. Diese Maßnahme zeugt somit weniger von hochgespannten Erwartungen und Ansprüchen als vielmehr von gesundem Menschenverstand des Klostergründers. Die Begriffe *sapiens* und *senex* sagen nicht dasselbe, sondern nennen zwei verschiedene Voraussetzungen[34]), wie es denn ja auch in der Tat erstaunlich wäre, wenn Benedikt ausgerechnet hier die Weisheit vom Alter abhängig gemacht hätte. Der Sinn der Stelle läßt sich kaum treffender wiedergeben, als dies Joseph Viktor v. SCHEFFEL getan hat, und zwar im zweiten Kapitel seines „Ekkehard": „... und wiewohl in der Ordensregel geschrieben stund: zum Pförtner soll ein weiser Greis erwählt werden, dem gesetztes Alter das Irrlichtelieren unmöglich macht, damit die Ankommenden mit gutem Bescheid empfangen seien ..." usw.

Wir haben bei dieser Stelle länger verweilt, weil sie uns eine zwar nicht unbedingt notwendige, aber doch willkommene Bestätigung dafür liefert, daß Benedikt Alter und Tugend durchaus nicht einfach gleichsetzt; denn selbst hier, wo einmal ausdrücklich hohes Alter vom Inhaber eines wichtigen Postens verlangt wird, geschieht das nicht, um dem Hochbetagten schlechthin ein Plus an Wert und Weisheit zuzuerkennen. Der Grund ist vielmehr, wie wir sahen, ein anderer

[33]) Obgleich es gewiß überflüssig ist, solche Tatsachen des Lebens durch literarische 'Parallelen' zu verdeutlichen, sei hier dennoch eine besonders einprägsame Äußerung des Hieronymus zitiert: *vidistis ante decim annos adulescentulum: nihil illo pulchrius, huc illucque currebat. si eum nunc aspexeris, videtur in senectute quasi mortuus* (tract. de ps. 89: CCL 78,121). Vgl. auch die oben S. 111[61] ausgeschriebene Ambrosiusstelle (*foris positi multi circumeunt*, sc. *iuniores*: opp. *seniores*). Es hapert eben mit der Beweglichkeit im Alter, und Verlust der vollen Gehfähigkeit gehört zu den am häufigsten genannten Altersmolesten (s. etwa Hier. in eccl. 12,3: CCL 72,352f.; in Amos. II prol.: PL 25, 1023 A).

[34]) MARTÈNE (901 C) sah richtig, daß der erste Teil des Relativsatzes den Begriff *sapiens*, der zweite den Begriff *senex* erläutert: „In eo quod dicit: scias accipere responsum et dare, attinet ad sapientiam; in eo quod dicit: cuius maturitas, attinet ad aetatem."

und besonderer. Rückblickend dürfen wir feststellen: Benedikt vertritt mit großer Entschiedenheit die Ansicht von der moralischen und geistigen Gleichwertigkeit der Altersstufen. Er steht damit in einer langen Tradition, welche nahezu die gesamte altchristliche Geistesgeschichte durchzieht. Dadurch aber, daß er dieser Anschauung in seiner Regel recht weitgehende Geltung verschafft, erweist er sich als besonders markanter Vertreter des 'idealistischen' Prinzips, ja die Regula Benedicti bringt gewissermaßen eine Institutionalisierung des Grundsatzes.

Um Mißverständnissen vorzubeugen, sei eigens hinzugefügt, daß Benedikt, getreu seinem Leitgedanken: *nihil asperum, nihil grave* (prol. 46), dem Alter sehr wohl mitfühlend und einsichtsvoll gegenübergetreten ist. Den schönsten Beweis dafür bietet das 37. Kapitel mit seiner Aufforderung zur liebevollen Rücksichtnahme gegenüber Kindern und Greisen. Aber derlei schafft kein Präjudiz in der Frage, ob das Alter an und für sich als Tauglichkeitsbeweis oder -gewähr anzusehen sei, es liegt sozusagen auf einer anderen Ebene, nämlich auf der Ebene der *pietas* („Barmherzigkeit")[35]. Man hat diese Dinge nicht immer klar unterschieden, was großenteils auch dadurch bedingt sein mag, daß Benedikts mitunter scharf prononcierter Verzicht auf jedwede altersmäßige Wertung den modernen Erklärer recht fremdartig anmutet. So läßt die schon mehrfach zitierte Arbeit von Baccetti erkennen, wie sich der Verfasser auf Schritt und Tritt bemüht, die durchaus eindeutigen Anweisungen Benedikts, etwa die über den Abt oder die Dekane, irgendwie abzuschwächen und so doch noch durch eine allgemeine Bemerkung der „*veneranda senectus*" zu ihrem Recht zu verhelfen[36]. Es scheint fast, als schrecke der moderne Benediktiner vor der mit diesen Vorschriften verbundenen Konsequenz zurück. Anschließend an seine völlig einleuchtende Interpretation zu 64,1, aus der die richtige und ja auch unleugbare Erkenntnis gewonnen wird, daß man nach Benedikts Ansicht bei der Bestimmung des Abts auf das Alter nicht zu achten habe, fügt Baccetti den versöhnlichen

[35]) Vgl. 37,3 *pia consideratio* und Linderbauer 97. — Dagegen soll die Vorschrift: *iuniores igitur priores suos honorent, priores minores suos diligant* (63,10; vgl. 4,70) nicht nur, ja nicht einmal primär das Verhältnis der Generationen regeln, sondern das der *ordines* (vgl. 63,5/8 und oben S. 193[15]). Treffend äußert sich dazu wieder Martène (876C).

[36]) Vgl. Baccetti 460 unten; 463 oben; 468 Mitte u. ö. Aufschlußreich ist vor allem sein Resumé (471 oben), das gerade dort harmonisiert, wo es hätte historisch-kritisch unterscheiden sollen: „il criterio di S. Benedetto" und die kirchenrechtlichen Altersbestimmungen sind eben nicht so ohne weiteres in eins zu setzen.

Satz hinzu: „ciò non toglie che si debba tener conto della maturità degli anni e dell' esperienza" (463). Bezeichnenderweise erinnert er gerade in diesem Zusammenhang an das Kanonische Recht, das vorschreibt, der Abt müsse das dreißigste Lebensjahr erfüllt haben, Priester und seit mindestens zehn Jahren Professe der betreffenden Ordensgemeinschaft sein. Ähnlich waren lange vor BACCETTI andere Erklärer verfahren, vor allem die beiden französischen Benediktiner MARTÈNE (884B/D) und CALMET. Letzterer bemerkt zu 64,2 (*ultimus ... in ordine congregationis*): „Ceci doit s'entendre avec beaucoup de précaution; il est presqu' impossible[!], que celui qui n'a pas bien appris à obéïr, puisse jamais bien commander ..." etc. (2,397), und weist u.a. auf päpstliche Erlasse und Konzilsbeschlüsse hin, so daß man beinahe meinen möchte, der gelehrte Abt würde sich leichter gefühlt haben, wenn Benedikt in diesem Punkte zurückhaltender geurteilt hätte. Aber eine historische Betrachtungsweise muß frühes und späteres Stadium einer Entwicklung unterscheiden können und den eigentümlichen Aussagegehalt eines Dokuments rein zu erhalten streben[37]). HEGGLIN hat das in seinem neuen Buch über den benediktinischen Abt getan, ohne freilich in der Altersfrage ein angemessenes Verständnis für das Frühstadium, d.h. die Regel selbst, aufzubringen. Er schreibt dazu (126): „Bei der Behandlung der Regel Benedikts haben wir gesehen, daß zum Abt des Klosters erwählt werden kann, wen immer ein würdiger Lebenswandel und die Befähigung, andere in Weisheit zu lehren, geeignet erscheinen lassen, wäre er auch der Letzte in der Rangordnung der Brüder. Der heilige Benedikt scheint sich da wirklich wenig um landläufige natürliche psychologische Überlegungen zu kümmern. Natürlicherweise könnte man sich wohl nur schwer damit abfinden, daß der Letzte der Brüder, der eben auch der Jüngste an Lebensjahren sein kann, an die Spitze der Klostergemeinde gestellt würde." Wenn dieser Vorwurf trifft, dann trifft er gleichermaßen eine Grundanschauung des alten Christentums überhaupt, er trifft z.B. Ambrosius kaum minder als Benedikt. Der Überzeugung, daß es möglich sei, das natürliche Alter zu transzendieren, daß ein junger Mensch, so er nur wolle, ebenso vollkommen sein könne wie ein reifer, daß mithin das Lebensalter prinzipiell belanglos sei, dieser Überzeugung eignet nun einmal etwas Rigoroses: sie neigt dazu, praktische Erwägungen und psychologische Rücksichtnahme hintanzusetzen.

---

[37]) Über das Problem von Veränderung und Bewahrung, wie es sich aus der geschichtlichen Entwicklung des benediktinischen Mönchtums ergibt, handelt BUTLER 22f. Vgl. auch STEIDLE 331/333: „Zur wörtlichen Beobachtung der Heiligen Regel".

E. RÜCKBLICK

Die Vereinigung der typischen Vorzüge verschiedener Lebensalter, insbesondere die Vorwegnahme der Alterstugenden durch den jungen Menschen haben nicht ausschließlich nur einer späten Epoche antiker Geistesgeschichte als erstrebenswert gegolten. CURTIUS' These hält der Kritik nicht stand. Andrerseits ist es eine unleugbare Tatsache, daß sich das Ideal des altersreifen Knaben in der von CURTIUS so genannten 'Spätantike', d.h. in den Jahrhunderten nach der Zeitenwende, immer stärker ausbreitet. Man wird diese Tatsache weder mit CURTIUS schlechthin als „Projektion des Unterbewußten" deuten noch aus vollem Herzen seinen Kritikern beistimmen wollen, die sich vorwiegend auf die Darstellung der literarischen Topik beschränkten, ohne die geistesgeschichtliche Herkunft solcher Topik genügend auszuleuchten.

Den Grund für die spätere Verbreitung des Ideals legte die hellenistische Philosophie, vor allem die Stoa. Man hat sich wohl bislang allzu sehr vom äußeren Gewande des Transzendenzgedankens ablenken lassen. Das Paradoxe eines *puer senex* oder einer *puella anilis* reizte die Aufmerksamkeit und trug dazu bei, daß man der sachlichen Basis, auf der solcherlei Aussagen ruhen, nämlich der Anschauung von der Belanglosigkeit der Zeit, weniger Beachtung schenkte. Und doch ist es eben dieser Grundgedanke, der eine geistesgeschichtliche Einordnung der Transzendenz-Thematik überhaupt erst möglich macht. Die spiritualisierten Altersbezeichnungen, mit Hilfe derer gerne das Überschreiten des natürlichen Lebensalters ausgedrückt wird, mögen für sich genommen wie bloße Bildworte wirken, wie Metaphern zur Bezeichnung bestimmter geistiger Qualitäten. Das Besondere solcher Metaphorik liegt jedoch eben darin, daß ihre Anwendung in den allermeisten Fällen eine fühlbare Spannung zwischen metaphorischer und wörtlicher Bedeutung, zwischen geistigem und natürlichem Alter erzeugt. Denn der Einzelmensch als Träger des geistigen 'Lebensalters' ist immer auch Angehöriger einer bestimmten natürlichen Altersklasse. Diese Zugehörigkeit wird aber im vollen Sinne nur für seine äußere, körperliche Existenz anerkannt, für die geistige sollen gewisse typische Qualitäten einer anderen Altersgruppe gelten. So werden Kinder als 'Greise', Halbwüchsige als 'Männer' bezeichnet[1]). Man sieht: hinter der

---

[1]) Das beschriebene Spannungsverhältnis zwischen äußerem Alter und innerer Qualifikation ist natürlich auch dann gegeben, wenn keine regelrechte Metapher vorliegt, sondern der geistige Bezug zu einer zeitlich fernliegenden

Relation der Begriffe steht als sachlicher Kern des ganzen Vorstellungskomplexes das Problem der Zeit, genauer gesagt: das Problem des Verhältnisses von Lebenszeit und Vollkommenheit. Es waren Stoa und Kepos, die mit Nachdruck für die Unabhängigkeit der Eudaimonie von der Zeit eintraten, und aus solcher Abwertung der Zeit heraus ließ sich auch die frühe Vollendung eines jungen Menschen begründen. Der Prozeß der Popularisierung philosophischen, besonders stoischen Lehrguts erfaßte auch den Satz von der Irrelevanz des Lebensalters, und hierdurch erklärt sich zu einem wesentlichen Teil, daß wir in den späteren Jahrhunderten so viel von frühreifen Knaben und altersklugen Jünglingen hören[2]). Der Gedanke setzte sich vorzugsweise in bestimmten Bereichen fest, im inschriftlichen und literarischen Totenpreis etwa oder in der Herrscherpanegyrik, wirkte aber auch allgemein als Lobschema. Zweifellos wird man die Zähigkeit literarischer Konvention bei der Weitergabe des Gedankens nicht unterschätzen dürfen.

Alles bisher Gesagte betrifft aber zunächst nur den paganen Teil. Die Ausbreitung der Transzendenzidee in der christlichen Geisteswelt läuft zwar der geschilderten Gesamtentwicklung in etwa parallel, wird aber von Anfang an durch stärkere Impulse bewegt. Nicht nur ein oder zwei Bibelstellen sind es, wie CURTIUS wähnte, die das Leitbild des *puer senex* im Christentum stützten, sondern die gesamte allegorische Schriftauslegung wirkte zugunsten der Vorstellung geistiger Lebensalter und der Ansicht von der Bedeutungslosigkeit äußeren Alters. Philon war für die Christen auch hierin der Archeget. Denn er hatte die wichtigsten Fäden geknüpft: Angeregt durch die stoische Ethik lehrte er die Unabhängigkeit der Tugend von der Zeit und die Möglichkeit früher Vollendung, verband aber diese Lehre mit jüdischer Frömmigkeit, der eine Vollkommenheit ohne Gottesgnade undenkbar erscheinen mußte. Durch das Mittel der Allegorese wies er den Vorzug geistigen und die Belanglosigkeit körperlichen Alters immer wieder in der Schrift nach und erhob somit diese Anschauung zum Range eines göttlichen Gesetzes. Es fehlt in seinem Werk auch nicht an regelrechten Vorbildern des greisenhaften Knaben, desgleichen tritt schon bei ihm das asketische Moment des Strebens nach

---

Altersstufe auf andere Weise, z.B. durch einen Vergleich oder eine adjektivische Bestimmung (Typ: *senilis in iuvene prudentia*) ausgedrückt wird.

[2]) Selbstverständlich bildet die Zeitenwende keine feste Grenze, schon CURTIUS ging ja mit seinen Belegen höher hinauf. Im übrigen haben wir stets die Lückenhaftigkeit des erhaltenen Materials in Rechnung zu stellen: vgl. z.B. GRIESSMAIR 51 über das Vorkommen des *puer senex*-Gedankens in den Grabinschriften.

Alterstranszendenz recht deutlich hervor. All das beeinflußte nachhaltig die christlichen Exegeten und über sie hinaus das christliche Denken im weitesten Umfang. Ja man könnte vielleicht sogar von einer zweiten Welle der Popularisierung sprechen, insofern nämlich das Wissen der gelehrten Exegeten um den Wert inneren 'Greisenalters', geistigen 'Grauhaars' usw. durch die mündliche Bibelauslegung in den Predigten, aber auch durch Schriften volkstümlichen Inhalts, z.B. durch Heiligenviten, zum Allgemeinbesitz der Gläubigen wurde. Daher wäre es verfehlt, das Transzendenzideal nur als rein literarische Ausdrucksform zu begreifen. Der im Zusammenhang mit der Bibelexegese entwickelte Gebrauch vergeistigter Altersnamen und die darin fast immer enthaltene Abwertung der Zeit hätten sich freilich kaum so leicht durchsetzen können, wäre nicht solche Sicht der Dinge durch eine elementare Voraussetzung des Christentums selbst begünstigt worden: die Gleichheit aller Menschen vor Gott ließ die Altersunterschiede ebenso bedeutungslos erscheinen wie etwa die Unterschiede in Stand und Geschlecht, und so konnte man sich den stoisch-philonischen Lehrsatz, die äußere Lebenszeit sei ein Adiaphoron, voll zu eigen machen. Allerdings lag diese Ansicht in stetem Widerstreit mit der im christlichen Denken gleichfalls tief verwurzelten Wertschätzung des Greisenalters und der Hochachtung vor einem langen, vielfach bewährten Christenleben. Besonders deutlich tritt der Gegensatz der Standpunkte in der asketischen Literatur zutage; neben den vielen ehrwürdigen Gestalten uralter Mönche und Eremiten stehen hier die jugendlichen Heiligen, die durch ihre Vorwegnahme greisenhafter Vollkommenheit das Unbedeutende bloß körperlicher Betagtheit sinnfällig kundtun. Zu einer fugenlosen Einheit sind die beiden divergierenden Anschauungen über den Wert der Zeit niemals gelangt, und das Bedürfnis danach mag auch nicht eben groß gewesen sein. Denn Vorstellungen solcher Art liegen trotz allem eigentlich unterhalb der Grenze strenger Dogmatik, sie gehören einem Bereich an, in dem gegensätzliche Wertungen nebeneinander bestehen können, weil sie zwar verschiedene, aber doch jeweils berechtigte Aspekte einer allgemeinen Tatsache des Lebens — wie hier der Zeit — eröffnen. Das Transzendenzideal wird zum bevorzugten Ausdruck des Strebens nach geistiger Überwindung der Natur, seine Beliebtheit schwillt daher gleichmäßig mit der asketischen und monastischen Bewegung an, die seit dem dritten und vierten Jahrhundert die Christenheit erfaßt. Auch aus der christlichen Jenseitserwartung mochte das Ideal Nahrung ziehen; denn die Überzeugung, die verschiedenen Lebensalter seien von Gott nicht gewollt und würden einst bei der Auferstehung wieder schwinden, schien die Forderung nach einer Transzendenz der Altersgrenzen im geistigen und moralischen Bereich zu rechtfertigen. Kein Wunder also, daß Zeitverachtung und Transzendenzideal auch die Einstellung der Kirchenväter zu Fragen des praktischen Lebens beeinflußten! Spuren solchen Einflusses zeigen sich einmal in der christlichen Pädagogik, die ganz darauf ausgerichtet war, den jungen Menschen möglichst früh an den moralischen Vorzügen des Alters teilhaben zu lassen, sie offenbaren sich aber noch deutlicher innerhalb der Auseinandersetzung um die klerikalen Mindestalter. Dem Bestreben, eine feste altersmäßige Ordnung der kirchlichen Ämterfolge zu schaffen, wirkte die Ansicht von der prinzipiellen Gleichheit der Altersstufen, der Belanglosigkeit der Zeit und der Möglichkeit der Alterstranszendenz entgegen, eine Ansicht, die immer Autorität beanspruchen konnte, weil sie durch die Schrift als vielfach sanktioniert galt. In der Regula Benedicti, die den Gesichtspunkt des Lebensalters in mehrfacher Hinsicht, so auch bei der Besetzung der Klosterämter, unterdrückt, fand diese Überzeugung nochmals praktischen und bis zu einem gewissen Grade auch dauerhaften Ausdruck.

Wir haben in der Einleitung drei wichtige Fragen, die sich an unser Thema knüpfen, besonders herausgestellt, und zwar die folgenden: 1. Inwiefern dürfen wir das Ideal innerer Kindlichkeit oder Jugend und das Ideal geistigen Alters als Elemente einer übergeordneten Vorstellung ansehen? 2. Sind wir berechtigt, das Transzendenzideal 'christlich' zu nennen? 3. Wie ist das Verhältnis von literarischer Topik und lebendigem Ideal in unserem Fall zu bestimmen? — Durch den eben skizzierten Gang unserer Untersuchung sind zumindest die ersten beiden Fragen eigentlich schon beantwortet worden. Trotzdem wollen wir zu allen drei genannten Hauptpunkten noch einmal abschließend Stellung nehmen.

1. Für Philon hatte das geistige Kindsein stets einen negativen Klang, die positive Bedeutung ist eine Zutat der christlichen Exegeten, die sich an den berühmten Herrenworten über die Kinder orientierten. Daß geistige Kindheit (bzw. Jugend) und geistiges Greisenalter (bzw. Erwachsensein) als komplementäre Begriffe, mithin also als zusammengehörig empfunden wurden, beweisen etliche Äußerungen der Kirchenväter, die im Verlauf der vorausgehenden Untersuchung zitiert wurden. Allen voranzustellen ist das Pauluswort im ersten Korintherbrief (14, 20). Die Belege ließen sich mühelos vermehren. Eine besonders einprägsame Synthese des *puer senex*- und *senex puer*-Ideals vollzieht Maximus, der Bischof von Turin, in einem seiner Sermones. Ausgehend von der Bedeutung des hebräischen Worts *pascha* (= *transitus vel*

profectus) schreibt er[3]): *bonus igitur transitus est transire ... ad infantiam de senectute. infantiam autem dixerim non aetatis, sed simplicitatis; habent enim et merita aetates suas ... nam et senectus morum invenitur in pueris et innocentia infantum repperitur in senibus* (es folgt Zitat von sap. Sal. 4,8f. und Mt. 18,3). Die Vereinigung typischer Vorzüge von Kindheit und Greisenalter, von Unschuld (Einfalt) und sittlicher Reife, bildet also das erstrebenswerte Ziel, wobei die Transzendenz jeweils in Richtung auf die dem tatsächlichen Alter antipodisch entgegengesetzte Altersstufe zu leisten ist[4]). Der Gebrauch des Worts *transire* zur Bezeichnung des 'rückläufigen Schreitens' vom Greisenalter zur Kindheit beweist einmal ausdrücklich, daß wir den Terminus 'Transzendenz' zu Recht auch in bezug auf das Postulat innerer Kindlichkeit angewandt haben. Im übrigen sind ja die verschiedenen Formen des Transzendenzideals bisweilen überhaupt nur äußerlich komplementär, der Sache nach dagegen sogar identisch. Denn wie wir oben (S. 139) sahen, können geistige Kindheit und geistiges Greisenalter inhaltlich geradezu dasselbe meinen. Ein schönes Beispiel für die ergänzende Zusammenstellung inneren Greisentums und innerer Jugendlichkeit — und damit zugleich für die sonst seltenere Forderung nach Alterstranszendenz in Richtung auf die Jugend (nicht Kindheit!) — bietet ein Text im Werk des Gregor v. Nyssa, dessen Authentizität allerdings umstritten ist[5]). Darin wird vom Leiter der klösterlichen Gemeinschaft verlangt, er solle sich durch einen idealen Ausgleich typischer Eigenarten beider Altersstufen auszeichnen und so allen ein Vorbild geben[6]). Die Art, wie Ps.Gregor dieses Postulat formuliert,

---

[3]) Maxim. Taur. serm. 54,1/2 (CCL 23,218f.).

[4]) Lehrreich auch die pointierte Formulierung Augustins (in ps. 112,2: CCL 40,1631): *sit senectus vestra puerilis et pueritia senilis, id est, ut nec sapientia vestra sit cum superbia nec humilitas sine sapientia* ... eqs.

[5]) Es handelt sich um die längere der beiden Fassungen, die zu virg. 23,6 überliefert sind. J. P. Cavarnos (Gregorii Nyss. opera edenda cur. W. Jaeger 8/1 [Leiden 1952] 234/40) glaubt an authentische Doppelfassungen, aber Aubineau (229/235. 240) hat ihm mit Recht widersprochen: die erweiterte Fassung ging seines Erachtens (546[5]) aus denselben monastischen Kreisen hervor wie der eine der beiden unter Basilius' Namen überlieferten *sermones ascetici*, der eine deutliche Parallele gerade zu diesem Stück aufweist (PG 31,876B). Sicher erscheint mir so viel, daß die längere Fassung nicht von der Hand Gregors stammt. Nähere Ausführungen dazu muß ich mir ersparen.

[6]) Vgl. Ps.Gregor a.O.: *μίμησαι τούτου καὶ πολιὰν καὶ νεότητα, μᾶλλον δὲ μίμησαι αὐτοῦ τὸ ἐν μειρακίῳ γῆρας καὶ τὴν ἐν τῷ γήρᾳ νεότητα.* Die sachliche Begründung des Ausgleichs mutet gekünstelt an: der Verfasser sieht ihn gegeben durch die Tatkraft des Alters (im Guten!) und die mangelnde Energie der Jugend (im Bösen!).

verdient besonders hervorgehoben zu werden, denn sie kennzeichnet aufs passendste die gesamte Transzendenz-Thematik. Der Altersausgleich gilt ihm als *μίξις θαυμαστὴ τῶν ἐναντίων ἐν ἑκατέρᾳ τῇ ἡλικίᾳ, μᾶλλον δὲ ὑπαλλαγὴ τῶν ἰδιωμάτων.* „Wunderbare Mischung der Gegensätze" und „Austausch der Eigenarten": das sind in der Tat Wendungen, die das Wesen der Sache treffen.

Es kann nicht unsere Absicht sein, hier alle möglichen Variationen solcherlei Aussagen vorzuführen. Die beiden genannten Beispiele sollten nur nochmals verdeutlichen, daß auch die Kirchenväter selbst die polaren Werte eines vergeistigten 'Greisenalters' und einer positiv verstandenen 'Kindlichkeit' oder 'Jugend' durchaus zueinander in Beziehung setzten, mögen sie auch meist nur diese oder jene einzelne Form des Transzendenzgedankens gebraucht haben. Die tiefere Gemeinsamkeit liegt auch hier wieder in der schon mehrfach umschriebenen Anschauung, jedem natürlichen Entwicklungsstadium des Menschen eigneten gewisse typische geistige oder moralische Qualitäten und es komme darauf an, die typischen Vorzüge der wechselnden Altersstufen während des ganzen Lebens ständig zu besitzen, sei es durch Vorwegnahme 'späterer', sei es durch Bewahrung 'früherer' Eigenschaften. In beiden Fällen schien ein Außerkraftsetzen der normalen alters- und zeitbedingten Entwicklung notwendig. Der Glaube an die Unabhängigkeit des Menschen gegenüber der Zeit bildet zusammen mit dem ständig wiederkehrenden Aufruf, diese Unabhängigkeit durch sittliches Streben in die Tat umzusetzen, das innerste Band der ganzen Vorstellung.

2. Kann man ein Ideal als 'christlich' bezeichnen, das in einer seiner beliebtesten Ausdrucksformen auch der nichtchristlichen Antike, und zwar der zeitgenössischen, vertraut war? Wer nur die früheren Darstellungen des sog. *puer senex*-Topos kennt, Curtius' Essay etwa oder Hartkes Buch über die römischen Kinderkaiser, wird geneigt sein, diese Frage rundweg zu verneinen. Zu unserer Aufgabe gehörte es, das Gegenteil zu erweisen. Freilich wäre es ganz falsch, wollte man in unserem Fall das 'Christliche' als scharfe Antithese zum 'Paganen' oder 'Nichtchristlichen' fassen. 'Christlich' kann hier wie so oft nicht bedeuten, daß es sich um Vorstellungen handelt, die der außerchristlichen Geisteswelt völlig fehlen, wohl aber, daß wir es mit Gedanken zu tun haben, die das Christentum in besonderer Weise sich angeeignet und weiterentwickelt hat. Das Transzendenzideal ist christlich nicht im Sinne der Originalität, sondern im Sinne der Intensität in Aufnahme und Weitergabe.

Gewiß ging auch dem Inhalt nach genuin Christliches in die Transzendenz-Thematik ein. Vom Ideal geistiger Kindlichkeit war schon die Rede. Erst durch die neue Wertung des Kindseins rundete sich die Vorstellung zu einem geschlossenen Ganzen, weil nun dem rein auf Antizipation bedachten, gewissermaßen linear nach oben ausgerichteten Streben eine gegenläufige geistige Bewegung entsprach. Erst so wurde die Alterstranszendenz zu einer gültigen Formel für die nimmer endende sittliche Aufgabe des ganzen Christenlebens. Auch ist nicht zu verkennen, daß die vergeistigten Alterswerte selbst großenteils durch spezifisch christliche Gehalte bestimmt werden, so etwa, wenn der Glaube als konstitutiv für die *senectus spiritalis* gepriesen wird. Aber das alles gibt nicht den Ausschlag. Entscheidend sind die feste Verankerung der Transzendenz-Vorstellung als solcher im christlichen Denken und — was damit zusammenhängt — das erstaunliche Ausmaß ihrer Verbreitung: entwickelt aus der Schriftexegese, also aus der Bibel selbst, und schon von daher göttlich beglaubigt, begründet durch eine fundamentale Tatsache des Evangeliums, die Gleichheit aller Menschen vor Gott, wird das Leitbild einer geistigen Überwindung der Altersunterschiede zum beliebten Ideal asketischer Lebenshaltung, dem der christliche Asket — und welcher ernsthaft gesinnte Christ wollte und sollte im vierten Jahrhundert nicht Asket sein? — tagtäglich entgegenstrebte und dessen restlose Verwirklichung er vom zukünftigen Leben erhoffte. So darf man das Transzendenzideal 'christlich' nennen, ohne damit zugleich die Verbindung zum Geistesleben der gesamten Epoche oder zur religiös indifferenten literarischen Tradition im Einzelfall abzuschneiden.

3. Im Gebrauch des Begriffs 'Topos' nimmt sich jedermann eine gewisse Freiheit. Namentlich wenn die Sprache darauf kommt, wie sich Topik und Wirklichkeit, Klischee und Erlebnis zueinander verhalten, stößt man auf die verschiedensten Urteile. Eine allgemeingültige Lösung, die das Verhältnis ein für alle Mal festlegte, läßt sich wohl auch gar nicht denken: es gibt eben zu viele und zu verschiedenartige 'Topoi' und zu viele Persönlichkeiten, die sie aufnehmen und abwandeln. Auf unser Thema angewandt heißt das: vieles von dem, was etwa die Grabinschriften über die wunderbare Weisheit Jungverstorbener berichten, mag klischeehaft anmuten; wenn aber ein Augustinus in den Selbstbekenntnissen offenbar aus tiefer Empfindung heraus den reifen Verstand seines frühverstorbenen Sohnes als Wunderwerk Gottes preist[7]), ist das dann auch nur 'topisch'? Dieselbe Frage stellt sich abermals auf einer höheren Ebene, dort nämlich, wo es nicht

[7]) Vgl. dazu oben S. 144 mit Anm. 40.

mehr um die Beurteilung einzelner Fälle, sondern um die gesamte Erscheinung als solche geht. Aber auch da schwankt das Urteil, wie gerade die bisherigen Darstellungen des *puer senex*-Topos zu erkennen geben. Während CURTIUS durchaus gewillt war, seinen 'Topos' als literarischen Niederschlag einer tieferreichenden geistigen Haltung zu bewerten, fanden sich andere Forscher wie etwa FESTUGIÈRE dazu weniger bereit. Im Grunde wird sich wohl auf dem Gebiet der Toposforschung immer eine vorwiegend geistesgeschichtliche und eine mehr formgeschichtliche Betrachtungsweise unterscheiden lassen, so wenig auch diese beiden Richtungen an und für sich Gegensätze markieren mögen[8].

Wir haben es im allgemeinen vermieden, die Begriffe 'Topos' und 'Motiv' ohne einschränkende Kennzeichnung zu gebrauchen, und haben stattdessen meist vom 'Ideal' der Alterstranszendenz, des *puer senex* usw. gesprochen. Schon dadurch sollte ausgedrückt sein, daß wir es bei Behandlung unseres Gegenstands mit lebendigen Faktoren der altchristlichen Geistesgeschichte zu tun haben. Nun wäre es aber sicherlich falsch, wollte man den Eindruck erwecken, als gäbe es im Bereich der christlichen Transzendenz-Vorstellung keine 'Topik' im engeren Sinn: auch hier zeugen, wie gesagt, viele einschlägige Stellen von der breiten Wirkung einer stereotypen, gemeinplätzigen Ausdrucksweise, und wenn irgendwo von einem altersreifen Jüngling die Rede ist, wird man sich gewiß nicht stets über alle jene Voraussetzungen des Leitbilds, die wir im Verlauf unserer Untersuchung herausgearbeitet haben, im klaren gewesen sein. Desgleichen ist zuzugeben, daß eine andere Aufteilung des Materials als die von uns gewählte die Kontinuität zwischen Antike und Christentum im Formalen noch stärker hätte hervortreten lassen: eine nach den verschiedenen Anwendungsbereichen des '*puer senex*-Topos' geordnete Darstellung wäre geeignet gewesen, auch dem flüchtigen Leser deutlich zu machen, in welchem Maße sich Christen und Nichtchristen zum Zweck des Totenlobs etwa oder der Herrscherpanegyrik desselben Ausdrucks-

---

[8]) Besonders K. THRAEDE hat sich in den letzten zehn Jahren um eine „Geistesgeschichte der Topoi“ (JbAC 4 [1961] 125), von formgeschichtlichen Untersuchungen ausgehend, bemüht. Aber seine Art der Toposforschung leidet an einem merkwürdigen Widerspruch zwischen Programm und Resultat: sie ist auf weite Strecken hin gerade das, was sie selbst am allerwenigsten sein möchte, nämlich eine rein äußerliche Verfahrensweise, ein Zerlegen und Mikroskopieren konventioneller Stilelemente, vor dem sich die innere Spannung zwischen Antike und Christentum ebenso in Nichts aufzulösen droht wie das persönliche Genie eines Dichters: vgl. etwa die knappe, aber treffende Rezension seines Prudentiusbuchs durch J. FONTAINE: REL 44 (1966) 571/74.

mittels bedienten[9]). Aber dieser Gesichtspunkt durfte um so eher ein wenig hintangesetzt werden, als er schon durch die gemischten Parallelensammlungen, wie sie bisher vorliegen, ausreichend zur Geltung gelangte. Ein erneuter Nachweis dieses Sachverhalts hätte gegenüber den früheren Arbeiten kaum etwas wesentlich Neues erbracht. Uns kam es darauf an, den inneren Zusammenhalt der ganzen Vorstellung sowie die tieferen Beweggründe ihrer erstaunlichen Ausbreitung gerade im Christentum aufzudecken, und dieses Ziel ließ eine Gliederung des Stoffs nach äußeren Gegebenheiten wenig sinnvoll erscheinen: am Ende hätte man doch wieder nur einzelne Teile in der Hand gehalten. Überdies besteht die Gefahr, daß bei einer von vorneherein auf das Kontinuierliche der literarischen Tradition ausgerichteten Betrachtungsweise ein bedeutender Sektor der christlichen Literatur ausgespart bleibt: wenn man den Lobpreis greisenhafter Einsicht beim jungen Menschen als 'Topos' versteht, dann muß man dieses Etikett auch für die kirchliche Schriftauslegung verwenden, denn — immer wieder sei's gesagt — auch sie, nicht etwa nur die antike Rhetorik produziert solche Topik! Das Idealbild des *puer senex* ist nicht nur ein rhetorischer oder popularphilosophischer, sondern auch ein exegetischer Gemeinplatz, ein Bibeltopos sozusagen. Durch diese Erkenntnis wird einmal der Anwendungsbereich des Begriffs 'Topos' erheblich erweitert, zum anderen aber führt sie wie von selbst auf die tiefergehenden Fragen, die sich mit dem so auffallend häufigen Vorkommen des 'Motivs' in den exegetischen Werken der Kirchenväter verbinden. Kurzum: Als Ergebnis unserer Untersuchung glauben wir festhalten zu dürfen, daß das Transzendenzideal, wie immer man die einzelnen Aussagen entsprechend ihren jeweiligen Funktionen im literarischen Kontext klassifizieren mag, als Ganzes genommen eine lebendige Größe der altchristlichen Geistesgeschichte darstellt[10]). Mag man also getrost von 'Topoi' sprechen, solange man

---

[9]) Das Sachregister am Schluß der Untersuchung soll auch in dieser Hinsicht einen gewissen Ausgleich schaffen.

[10]) Mit Absicht beschränke ich diese Feststellung — ganz im Gegensatz zu Curtius — auf den Bereich der christlichen Geistesgeschichte. Ich bin nicht sicher, ob die zahlreichen *puer senex*-Aussagen in der Literatur der paganen Spätantike gleiches Recht beanspruchen dürfen. Zwar liegen auch ihnen letztlich dieselben allgemeinen Anschauungen zugrunde wie den entsprechenden Äußerungen der Kirchenväter — die Irrelevanz des Lebensalters, die Möglichkeit früher Vollendung —, ob aber diese Anschauungen in der außerchristlichen Geisteswelt eine so lebendige, schöpferische Kraft besitzen, daß man auch hier die Topoi als sichtbare Exponenten einer tatsächlichen Welt- und Lebensauffassung deuten darf, erscheint mir zweifelhaft: in anderem Zusammenhang

sich nur bewußt bleibt, daß sie ihrerseits Ausdruck einer umfassenderen Anschauung sind, gewissermaßen die nach außen hin sichtbaren, erstarrten Ausläufer einer tieferliegenden, beweglichen Masse. Daß dieser Vorbehalt nicht unangebracht ist, mögen die folgenden Beispiele beweisen.

A. J. FESTUGIÈRE hat in einem Aufsatz zur altchristlichen Hagiographie, auf den wir schon mehrfach Bezug nahmen, auch den *puer senex*-Topos behandelt. Er gibt CURTIUS' Spätzeit-Hypothese auf, sieht sich aber dadurch gleichzeitig außerstand gesetzt, die Verbreitung des Gemeinplatzes — der Aufsatz trägt den Terminus „lieux communs" schon im Titel — anders zu erklären als allein durch die Wirksamkeit der rhetorischen Konvention. So wird das Parallelengut aus christlichen und paganen Autoren nebeneinandergestellt und alles in einem aus der antiken Rhetorik hergeleitet. Dabei ergibt sich eine Schwierigkeit. Denn da FESTUGIÈRE teilweise recht entlegene Belege, zum Beispiel aus dem Hagiographen Kyrill v. Skythopolis, anführt, steht er vor der Frage, wie solche Männer, denen er eine Vertrautheit mit den rhetorischen Klischees der Antike nun doch nicht zubilligen möchte, vom *puer senex*-Topos Kenntnis erhielten. Er löst das Problem folgendermaßen: „(L'expression) était sans doute devenue proverbiale . . . et c'est probablement comme telle que nous la retrouvons chez des auteurs aussi étrangers à la culture profane que Pallade et Cyrille de Skythopolis."[11]) Welche Verkennung der Lage! Um jene Kluft zu überbrücken, die durch den eigenen Ansatz entstand, wird ein künstliches Zwischenglied eingefügt: das 'Sprichwort' vom *puer senex*. Nach alledem, was im Vorausgehenden zur Sprache kam, muß uns diese Betrachtungsweise seltsam äußerlich anmuten. Daß sie selbst bei einem so hervorragenden Kenner der Spätantike möglich war, beweist, wie wenig man bisher das Vorkommen des 'Motivs' bei den Kirchenvätern in seiner ganzen Breite erfaßte, aber wohl auch, wie gering die Bereitschaft ist, von der Häufigkeit dieses auffallenden 'Topos' auf seine tiefere geistesgeschichtliche Bedeutung zu schließen und so auch nach dieser Richtung hin CURTIUS' Toposforschung angemessen fortzusetzen. Palladius und die anderen Hagiographen bedurften ganz gewiß nicht der Anregung durch eine sprichwörtliche Redensart, um von einem Gemeinplatz Notiz zu nehmen, der doch nicht nur bei paganen Rhetoren wie Libanios anzutreffen ist, sondern sich auch bei kirchlichen Autoren wie Johannes Chrysostomus ebenso

---

ist auch THRAEDE: JbAC 6 (1963) 102 auf das problematische Verhältnis von Topos und Wirklichkeit zu sprechen gekommen.

[11]) FESTUGIÈRE, Lieux communs 139 (unten). Die Sperrung ist von mir.

großer, ja sogar noch größerer Beliebtheit erfreute und der überhaupt die gesamte exegetische und homiletische Literatur durchzieht. Wenn die Christen das geistige Greisentum priesen und die Namen der biblischen Knabengreise im Munde führten, so nicht darum, weil sie sich an ein zu sprichwörtlichem Gebrauch verallgemeinertes Motiv der paganen Rhetorik gewöhnt hatten, sondern weil ihnen dieses Ideal immer und immer wieder als Ziel sittlichen Strebens verkündet wurde. Daß sich übrigens die Unterschätzung der Fülle gerade des christlichen Materials und die einseitige Herleitung des Topos aus der Rhetorik auch für die Entscheidung in konkreten philologischen Fragen negativ auswirken kann, beweist das Verfahren, das Bernhard Wyss eingeschlagen hat, um ein Echtheitsproblem bei Gregor v. Nyssa zu lösen: das zweimalige Vorkommen des „rhetorischen" *puer senex*-Motivs bei Gregor v. Nyssa, einmal in der Schrift über die Jungfräulichkeit und ein andermal in der Grabrede auf Basilius[12]), soll die Authentizität des entsprechenden Stücks in *De virginitate* stützen helfen[13])! Doch die weite Verbreitung des Ideals in allen Genera christlichen Schrifttums läßt es als Echtheitskriterium denkbar ungeeignet erscheinen.

Eine kaum minder einseitige Betonung des Rhetorischen macht sich in Hartkes Darstellung bemerkbar. Hartke erörtert an der betreffenden Stelle seines Buchs (220/24) den Gedanken der „Veraltung" in der spätantiken Herrscherpanegyrik. Das rhetorische Rezept dazu findet sich, wenn auch nicht dem Wort, so doch der Sache nach bei Menander *περὶ ἐπιδεικτικῶν*. Für das Kapitel 'Lebensführung' gibt der Rhetor folgende Regel an die Hand[14]): *τὰ ἐπιτηδεύματα ἤθους ἔμφασιν περιέχει, οἷον ὅτι δίκαιος ἐγένετο ἢ σώφρων ἐν τῇ νεότητι.* Von hier aus war der Schritt zu einer „Majorennisierung" und „Verdrängung der Jugendlichkeit", wie Hartke sagt, nicht mehr groß, und er nennt gleich etliche einschlägige Stellen aus den Panegyrikern. So weit, so gut! Aber im folgenden wendet er sich dem Kirchenvater Ambrosius zu, und seine diesbezüglichen Bemerkungen sind es, die ein Wort der Kritik erfordern. Bezeichnend ist schon die Art des Übergangs. Er

---

12) Greg. Nyss. virg.: 339, Z. 13ff. Cavarnos (vgl. SC 119,546); or. in Bas.: PG 46,789B.

13) B. Wyss: GGA 208 (1954) 61. Sein Verfahren zeugt überdies von einer gewissen Arglosigkeit gegenüber den diaskeuastischen Methoden. Auf den umstrittenen Text selbst sind wir schon oben S. 209f. mit Anm. 5 kurz eingegangen.

14) Rhet. Graec. 3,372, Z. 4ff. Spengel. Vgl. dazu auch J. Straub, Vom Herrscherideal in der Spätantike (Stuttgart 1939 [Nachdr.: Darmstadt 1964]) 155.

schreibt (die Sperrungen stammen wieder von mir): „Zwei deutlichere Beispiele finden wir an einer Stelle, wo man sie vielleicht wenig gesucht hätte, nämlich bei dem Christen und Bischof Ambrosius. Er war, wie wir wissen, ein gewaltiger Redner ... Bei ihm kann man die umfassende Kenntnis der rhetorischen Vorschriften sowie die Fähigkeit sie anzuwenden, voraussetzen" (222). Hier offenbart sich sofort die unvorteilhafte Enge des Blickwinkels. Auch HARTKE vermag sich nicht vorzustellen, daß den Kirchenvätern der *puer senex*-Gedanke auch aus anderen Bereichen als dem der schulmäßigen Rhetorik vertraut gewesen sein könne und daß eine Verwendung des Ideals für panegyrische Zwecke bei einem Christen gar nichts Auffälliges an sich hat[15]), ja vielleicht noch nicht einmal Rückschlüsse auf seine unmittelbare Kenntnis der rhetorischen Vorschriften zuläßt. HARTKE beschäftigt sich zunächst mit der Grabrede auf Valentinian II., die Ambrosius an einem Juli- oder Augustsonntag des Jahres 392 hielt. Dem toten Kaiser, der als Zwanzigjähriger von Mörderhand fiel, wird darin mehrfach nachgerühmt, er habe sich durch greisenhafte Reife, Klugheit und Milde hervorgetan[16]). Aber damit nicht genug! Seine Urteilskraft gibt Anlaß zu einem biblischen Vergleich: *audire in consistorio negotia et Danihelis spiritu, in quibus dubitarent senes vel personae alicuius contuitu ducerentur, congruam vero adulescentem videres senilem ferre sententiam*[17]). Wie einst der Knabe Daniel im Ältestenrat, so übertraf der junge Valentinian im Kabinett die erfahrenen Greise. Soll man glauben, der Kirchenvater habe hier, wie HARTKE meint, bloß die rhetorischen „Schulregeln" angewandt? Er mag sie gekannt haben, aber für ihn besaßen derlei Aussagen noch einen tieferen Sinn; denn längst hatte sich ja das Ideal der geistigen Altersreife im christlichen Denken einen festen Platz

---

[15]) Aus dem christlichen Herrscherlob nenne ich noch einen Beleg, der bei HARTKE fehlt: Ps.Chrys. in pentecost. serm. 1 fin. (PG 52,808) *ὁ παρὼν βασιλεὺς . . . ἐν ἀώρῳ ἡλικίᾳ πεπολιωμένην δὲ σοφίαν ἐνδεικνύμενος*. Gemeint ist vielleicht Arcadius. Vgl. die näheren Angaben bei ALDAMA 133 Nr. 363.

[16]) Ambros. obit. Valent. 3 (CSEL 73,330): *amisimus . . . imperatorem, in quo duo pariter acerbant dolorem, annorum inmaturitas et consiliorum senectus*; ebd. 15 (338): *lenitatem senectutis in alienis annis deferendam*, sc. *putavit Val.;* 46 (351): *esto tamen, dolendum sit, quod primaeva obierit aetate, gratulandum tamen, quod virtutum stipendiis veteranus decesserit.* Unerwähnt gelassen hat HARTKE den Kondolenzbrief des Ambrosius an Theodosius, in dem es von Valentinian heißt: *quas ego domino deferebam gratias, . . . quod ita emendatus* (sc. *esset*), *quasi senioris cuiusdam aetatis mores induisset* (epist. 25 [= 53 MAUR.], 3: CSEL 82,177). Die Formulierung des Gedankens wirkt in dem Brief zurückhaltender, weniger hyperbolisch als in der *laudatio funebris*.

[17]) Obit. Valent. 16 (CSEL 73,338).

erobert, namentlich durch die Wirkung der Bibelexegese, auf die auch hier wieder der Typos Daniel hindeutet. Gewiß mögen Ambrosius und andere christliche Autoren auch Repräsentanten der antiken Rhetorik sein, wenn sie Kaiser und Heilige als *pueri seniles* feiern. Zugleich geben sie aber damit einem echt christlichen Gedanken Ausdruck. Hier nur von den Schulregeln der Rhetorik sprechen, heißt den Sachverhalt höchst einseitig darstellen.

Dieser Mangel wird bei HARTKE auch in der Beurteilung anderer Ambrosiusstellen fühlbar. In einem Schreiben, das die Sache des Victoria-Altars betrifft, macht der Bischof dem jungen Kaiser Valentinian klar, er dürfe im Falle einer falschen Entscheidung nicht seine Jugend als Entschuldigungsgrund anführen, denn vor Gott seien alle Altersstufen gleich[18]). Nach HARTKE (223[3]) begibt sich Ambrosius mit diesen und ähnlichen Hinweisen „auf die rhetorische Ebene". Aber das bedeutet wiederum eine ungute Verkürzung der Perspektive: gerade der Satz von der Irrelevanz der Altersunterschiede gründete ja tief in der christlichen Glaubenswelt! Die Lehre, die man aus solchen Fällen zu ziehen hat, kann nur folgendermaßen lauten: nicht immer weist eine Übernahme oder Adaptation rhetorischer Klischees durch die Kirchenväter auch schon auf eine Abhängigkeit in der Sache hin. Ambrosius wäre sicher erstaunt gewesen, wenn er sich hätte sagen lassen müssen, er habe von der Gleichwertigkeit der Lebensalter oder dem Ideal greisenhafter Jugend durch die rhetorischen Handbücher Kenntnis erhalten. Der gelehrte Exeget wäre vermutlich solcher Unterstellung mit einer Fülle biblischer Beispiele und Zitate entgegengetreten, um jeden Zweifel daran zu benehmen, daß diese Leitgedanken in der Schrift selbst vorgeformt seien und nur ein schwacher Abglanz davon auch die heidnischen Rhetoren erleuchtet haben könne.

Wir haben soeben das Thema des antiken Herrscherlobs berührt, und so sei abschließend noch ein weiterer Beleg aus diesem Bereich genannt, der sowohl bei HARTKE als auch in den anderen Stellensammlungen zum *puer senex*-Topos fehlt. Er darf insofern besonderes Interesse beanspruchen, als er beweist, wie früh das Lobschema in

---

[18]) Ambros. epist. 17,15 (PL 16,965A). Wir haben auf diese Stelle schon oben S. 119 hingewiesen, sie lautet vollständig: *omnis aetas perfecta Christo est, omnis Deo plena. pueritia fidei non probatur: parvuli etiam Christum intrepido adversus persecutores ore confessi sunt.* Das christliche Element tritt gerade in diesen Sätzen so stark in den Vordergrund, daß man an eine bloß äußerliche Christianisierung eines rhetorischen Topos nicht recht glauben mag.

den Dienst der Kaiserpanegyrik gestellt wurde[19]): In dem Sendschreiben an Caligula wendet sich Philon gegen die innere Widersprüchlichkeit des Kaiserkults. Wenn Caligula göttlich verehrt wird, warum, fragt er, gab man dann dem Tiberius nicht die gleiche Ehre? Denn Tiberius erfüllte — so stellt es Philon dar — die Anforderungen an den idealen Herrscher. In diesem Zusammenhang heißt es: *ἔτι νέος ὢν ὁ πρεσβύτης ἐλέγετο δι' αἰδῶ τὴν περὶ τὴν ἀγχίνοιαν* (Gai. 142). Das ist das *puer senex*-Ideal in seiner reinsten Gestalt! Wer freilich meint, diese auffällige Stelle hätte schon längst dazu beitragen müssen, daß man auch auf Philons weitere Bedeutung für die Entwicklung des Transzendenzgedankens aufmerksam wurde, sieht sich enttäuscht. Der Übersetzer F. W. KOHNKE bemerkt dazu in der deutschen Philonausgabe[20]): „Das Ideal des *νέος πρεσβύτης* (*puer senex*) sonst nur im römischen Bereich nachweisbar ...“; er führt einige Zeugnisse aus der lateinischen Literatur an und verweist im übrigen auf BÜCHNERS Abhandlung. Wir dürfen es uns ersparen, dieses Urteil richtigzustellen. An ihm offenbart sich noch einmal so manche Unzulänglichkeit der bisherigen Betrachtungsweise: die zeitlich zu enge Begrenzung nach oben hin, der CURTIUS' These entsprang, die beschränkte Blickrichtung auf das Römische, die BÜCHNER neu hinzubrachte, und die damit verbundene Nichtachtung oder Unterschätzung des Materials aus der christlichen, gerade auch der griechischen christlichen Literatur[21]). Es mag sein, daß KOHNKE sich deswegen dazu bestimmen ließ, BÜCHNERS Ansicht vom nationalrömischen Ursprung des Ideals Folge zu leisten, weil an der betreffenden Stelle des Philontextes von Tiberius, also einem römischen Kaiser, die Rede ist. Aber andrerseits hätte es gerade für einen Bearbeiter Philons nahe gelegen, über Cicero hinaus in den Hellenismus vorzustoßen oder wenigstens auf die parallelen Vorstellungen im eigenen Werk des Alexandriners aufmerksam zu machen. Denn man vermag schwer zu glauben, daß das Vorkommen des *puer senex*-'Motivs' in der polemischen Schrift ohne allen Bezug zu dem Leitgedanken geistigen Greisentums dasteht, den derselbe Mann in seinen exegetischen und philosophischen Traktaten immer wieder heraus-

---

[19]) HARTKES frühester Beleg stammt aus dem Panegyricus des Plinius auf Trajan, wo aber der Gedanke weniger scharf ausgedrückt wird; vgl. HARTKE 221.

[20]) Bd. 7 (1964) 211[3].

[21]) Wie verloren wirkt angesichts der Masse einschlägiger Belege aus dem christlichen Bereich KOHNKES ergänzende Notiz: „Nachzutragen Ennod. ep. 7,13 über Boethius.“

arbeitet[22]). Das Problem des Verhältnisses von Rhetorik und Bibelexegese, genauer gesagt: der verschiedenen Anwendungsarten desselben Gedankens hier zu exegetischem, dort zu epideiktischem Zweck, stellt sich somit bis zu einem gewissen Grade schon für Philon, nicht erst für die Christen.

---

[22]) Bezeichnenderweise bringt Philon den Gedanken auch in der Legatio ad Gaium in der Form: *νέος πρεσβύτης* (nicht etwa *νέος γέρων*). Die positive Bedeutung des vergeistigten Begriffs *πρεσβύτης* (*πρεσβύτερος*) im Gegensatz zu *γέρων* (*πολιός*) tritt ja in den exegetischen Partien seines Werkes klar hervor.

F. EXKURSE

I. VORBILDER DES *PUER SENEX*

Im Laufe unserer Untersuchung sind wir immer wieder auf die biblischen Vorbilder (*τύποι*, *exempla*, *παραδείγματα*) des *puer senex*-Ideals zu sprechen gekommen. Um den Gang unserer Überlegungen nicht auf Nebenwege zu führen, mußten wir freilich darauf verzichten, die stattliche Reihe dieser Typen geschlossen vorzuführen. Und doch sind sie gerade in ihrer Vielzahl für wichtige Ziele unserer Untersuchung höchst aufschlußreich: sie beweisen einmal, wie sehr die Möglichkeit einer Alterstranszendenz in Richtung auf das reifere und hohe Lebensalter der biblischen Beglaubigung bedurfte — was sich, wie oben (S. 124 f.) dargelegt wurde, aus der im Christentum besonders stark ausgeprägten Achtung vor dem natürlichen Greisenalter erklärt —, zum anderen werfen sie ein bezeichnendes Licht auf den Zusammenhang zwischen Transzendenzideal und Bibelexegese; denn mit ihrer Hilfe wurden ja die Exempla aus der Schrift gewonnen. Auch für die erzieherische Funktion des christlichen Leitbilds vermögen sie Aufschluß zu erteilen (vgl. S. 166) und ebenso für seine Rolle in der Auseinandersetzung mit dem Problem der kirchlichen Mindestalter (S. 182ff.). Schließlich läßt sich an der Vielfalt der Typen auch die weite Verbreitung des Ideals im allgemeinen ablesen: eine solche Verbreitung wäre im alten Christentum, das sich ganz und gar in der Welt der Schrift bewegte, gewiß nicht möglich gewesen, ohne daß eben die Bibel dieses Ideal mit ihrer Autorität stützte, bzw. ohne daß man sich in der Schrift nach Unterstützung umgesehen hätte.

Mit welchem Erfolg man das tat, zeigt sich am eindrucksvollsten dort, wo die Kirchenväter mehrere biblische ‘Musterknaben’ zu einer Beispielkette zusammenstellen. Eine solche achtgliedrige Kette haben wir schon oben (S. 35) kennengelernt; sie entstammt dem Isaiaskommentar des Chrysostomus und enthält — um das hier zu wiederholen — folgende Namen: Timotheos, Salomon, David, Jeremias, Daniel, Josias, Joseph, die drei Jünglinge im Feuerofen[1]). Einen weiteren Katalog tugendhafter Knaben und Jünglinge bringt Chrysostomus in seiner Schrift über die Kindererziehung. Dort werden sechs Exempla genannt: Daniel, Joseph, Jakob, Jeremias, Salomon und Samuel[2]). Der einleitende Satz: *πολλὰ τοιαῦτα παραδείγματα ἐν τοῖς παλαιοῖς ὁρῶμεν* beweist, wie sehr man bestrebt war, die Wirkung der tatsächlich genannten Vorbilder dadurch zu verstärken, daß man

---

[1]) Chrys. in Is. 3,4 (PG 56,42/44). [2]) Chrys. lib. educ. 80 (81f. EXARCHOS).

noch eine Vielzahl weiterer, ungenannter Beispiele in Aussicht stellte: man legte Wert auf eine imponierende Massierung der Paradigmen, wollte aber nicht langweilen[3]). Zwei sechsfache Reihen bietet auch Ps. Ignatius, der etwa um 380 schrieb[4]). Seine Reihen stimmen mit Ausnahme des jeweils letzten Glieds überein; er nennt: Daniel, Samuel, Jeremias, Salomon, Josias, Timotheos (bzw. David)[5]). Auch Ps. Ignatius läßt ausdrücklich offen, daß es noch viel mehr Beispiele gebe[6]). Sechserreihen stehen ferner bei Ambrosius (Jeremias, Daniel, David, Josua, Kaleb, Jakob) und bei dem Mönchsvater Horsiesi, dessen Werk uns in der Übersetzung des Hieronymus erhalten ist (Jesus, Josua, David, Timotheos, Daniel, Joseph)[7]). Hieronymus selbst hat eine viergliedrige Beispielkette (Salomon, Timotheos, Daniel, Jeremias)[8]), desgleichen Asterius v. Amasea (Samuel, David, Elisaeus, Daniel)[9]). Dreiergruppen schließlich begegnen in der Didaskalie und den Apostolischen Konstitutionen (Salomon, Josias, Joas) sowie bei Ps. Chrysostomus (David, die drei Jünglinge im Feuerofen, Daniel)[10]).

Zu diesen Reihen wäre folgendes zu bemerken. Einmal fällt auf, daß mit wenigen Ausnahmen immer wieder dieselben Namen genannt werden. Obgleich die Autoren bisweilen andeuten, die Beispiele könnten durchaus noch vermehrt werden, hatten sich die Exegeten offensichtlich doch schon auf einen gewissen Personenkreis geeinigt, aus dem sich die Vorbilder hauptsächlich rekrutierten. Dieser Eindruck wird bestätigt, wofern man das Vorkommen der Exempla auch außerhalb solcher Reihen in Betracht zieht: gelegentlich begegnen Außenseiter, viel öfter jedoch jene Knabengestalten, aus denen auch

---

[3]) Hieronymus entschuldigt sich ausdrücklich dafür, daß er durch eine überlange Aufzählung frommer Frauen die *consuetudo exemplorum* überschritten habe: adv. Iov. I 47 (PL 23, 288 D). Vgl. LUMPE 1245.

[4]) Vgl. ALTANER-STUIBER 48. 256; SPEYER 266f. Er ist wohl identisch mit dem Verfasser der Apostolischen Konstitutionen.

[5]) Ps.Ign. ad Magn. 3 (2, 115f. FUNK-DIEKAMP); epist. Mariae ad Ign. 2/4 (ebd. 85/87).

[6]) Epist. Mariae 5 (87 FUNK-DIEKAMP): *καὶ ἐπιλείψει με ὁ χρόνος, εἰ πάντας ἀνιχνεύειν βουλοίμην τοὺς ἐν νεότητι εὐαρεστήσαντας . . . κτλ.*

[7]) Ambros. in ps. 118, 2, 17/19 (CSEL 62, 29/31); Orsies. inst. monach. 52 (PG 40, 893 A/B) = Pachomiana latina, ed. A. BOON (Louvain 1932), p. 145.

[8]) Hier. in Is. II 3, 4 (CCL 73, 48).

[9]) Aster. Amas. hom. 6, 1, 3f. (59 DATEMA). Im weiteren Verlauf der Predigt tritt noch Joseph hinzu, und auch Susanna müßte eigentlich als Exempel für die weibliche Jugend mitgerechnet werden: s. unten S. 227[21] und S. 238[61].

[10]) Didascal. 4 (29/31 CONNOLLY) = Const. apost. II 1, 3/5 (1, 33 FUNK); Ps. Chrys. hom. in ps. 50 (PG 55, 567f.): hinzu kommt hier noch Stephanus, wofern der Text richtig hergestellt ist (vgl. ebd. 567 Anm. d).

die Beispielketten größtenteils gebildet werden. Beachtung verdient ferner, daß nahezu alle Reihen, auch die des Ps. Chrysostomus[11]), in der zweiten Hälfte des vierten Jahrhunderts entstanden sind; lediglich die Didaskalie gehört einer früheren Zeit an. Offenbar ist man also gerade damals dazu übergegangen, die Muster jugendlicher Tugendhaftigkeit in längeren Beispielketten zusammenzufassen[12]). Das entspricht der steigenden Beliebtheit dieser Art biblischer Exempla bei den Vätern des vierten Jahrhunderts, und diese wiederum kennzeichnet ihrerseits das immer stärkere Vordringen des *puer senex*-Gedankens, das zu dieser Zeit allenthalben zu beobachten ist und, wie wir sahen, mit der Ausbreitung des asketischen Ideals zusammenhängen dürfte. Schließlich gilt es hier noch eine weitere klärende Feststellung zu treffen: Nicht alle der eben genannten Reihen werden so ausdrücklich unter das Thema der *senectus spiritalis* gestellt, wie das tatsächlich etwa bei Ambrosius, Hieronymus und Ps. Chrysostomus an den angegebenen Stellen der Fall ist. Beispielsweise hat Chrysostomus in der Schrift über die Kindererziehung das Prädikat geistigen Alters gar nicht verwandt, sondern die aufgezählten Knaben und Jünglinge nur als tugendhaft und vorbildlich im Gebet charakterisiert[13]). Das heißt: nicht immer sind die Idealgestalten expressis verbis als Träger greisenhafter Geistigkeit bezeichnet und somit die formalen Bedingungen der Alterstranszendenz erfüllt. Aber im vorliegenden Zusammenhang, in dem es uns darum geht, den Kreis jener biblischen Vorbilder möglichst vollständig zu erfassen, wäre es gewiß falsch, den formalen Gesichtspunkt, so wichtig er für die Transzendenz-Thematik an sich ist, allzu schwer in die Waagschale fallen zu lassen und das offenkundig Zusammengehörige zu trennen. Entscheidend ist, daß die bevorzugten Musterknaben oft genug auch ausdrücklich als *pueri seniles* gekennzeichnet werden.

Um einen tieferen Einblick in die Verbreitung der verschiedenen Exempla und ihren jeweiligen biblischen Hintergrund zu gewinnen, erscheint es zweckmäßig, sie einzeln nacheinander vorüberziehen zu lassen. Der nachteilige Eindruck des Schematischen, der dadurch vielleicht erweckt werden mag, dürfte durch den Vorteil der leichte-

[11]) Die betreffende Homilie — s. die vorige Anmerkung — lief schon zur Zeit Augustins unter dem Namen des Chrysostomus: vgl. ALDAMA 109 Nr. 294.

[12]) An sich hat ja die Beispielreihung in Antike, Judentum und Christentum eine lange Tradition, vgl. LUMPE 1229/57. Er bringt eine reiche Stellensammlung auch aus den Kirchenvätern, ohne jedoch die Knabenkataloge zu berühren.

[13]) Und doch drängt sich auch hier am Schluß der Reihe wieder die Vorstellung geistiger Lebensalter hervor: *ὥστε μὴ ἀπογνῶμεν· ἐὰν γάρ τις τὴν ψυχὴν νεώτερος ᾖ, ταῦτα οὐ δέχεται, οὐχὶ ἐάν τις τὴν ἡλικίαν.*

ren Übersicht wieder ausgeglichen werden. Wir beginnen mit den Gestalten des Alten Testaments in zeitlicher Reihenfolge und schließen dann die neutestamentlichen an.

1. Von Abel ist schon oben S. 90 die Rede gewesen. Er scheint nicht zu den beliebten Paradigmen zu gehören; jedenfalls ist mir außer der erwähnten Passage bei Ambrosius (und ihrer philonischen Vorlage) kein weiterer Beleg begegnet. Zu den weniger ausgeprägten Vorbildern gehören auch Loth und Isaak. Über ersteren sagt Chrysostomus: *ὁ τρόπος τοῦ νέου οὐ πολὺ ἀπέδει τοῦ δικαίου*[14]) — ein schwacher Anklang an das Ideal frühreifer Jugend. Letzterer zählt bei Philon zu den *puer senex*-Typen (s. oben S. 81f.), aber auch Chrysostomus erwähnt die Vorbildhaftigkeit seiner keuschen Jugend[15]).

2. Einen festen Platz im Kreise der biblischen Exempla darf Jakob beanspruchen. Er verdankt das vor allem der Darstellung des Ambrosius. In seiner Schrift Über Jakob bemerkt der Kirchenvater, Jakob habe deswegen das Gewand seines älteren Bruders Esau erhalten (gen. 27,15), *quia senili praestabat sapientia*, und wohl mit Bezug darauf heißt es später vom greisen Jakob: *senuit autem Iacob et ante iam senuerat moribus* ...![16]) Die letztere Feststellung macht Ambrosius zum Ausgangspunkt einer breit angelegten Erörterung über das Verhältnis von Jugend und Alter. Der Patriarch erscheint dabei als Vertreter jenes idealen Menschenbildes, das die positiven Züge beider Altersstufen vereinigt: im hohen Alter besaß Jakob die *impigra vivacitas iuventutis*, in der Jugend nahm er die Vorzüge des Alters vorweg. — Sowohl von Ambrosius als auch von Chrysostomus wird Jakob in jeweils eine Beispielreihe eingegliedert.

3. Besondere Aufmerksamkeit verdient die Gestalt des Jakobsohnes Joseph, und zwar deswegen, weil sich in seiner Beurteilung ein bemerkenswerter Kontrast zwischen Philon einerseits und den Christen andrerseits offenbart. Der jüdische Allegoriker sieht in dem 'jüngeren' Joseph fast überall den Repräsentanten geistiger Unreife, den Prototyp eines Menschen, der seine törichte, jünglingshafte Gesinnung bis ins hohe Alter bewahrt (s. oben S. 79). Anders die Kirchenväter! Zeno v. Verona stellt fest, Joseph sei zwar jünger gewesen als seine Brüder, aber *spiritu maior*[17]). Nach Chrysostomus wird gen. 37,2 das Alter Josephs (nämlich siebzehn Jahre) deswegen

---

[14]) Chrys. in gen. hom. 31,5 (PG 53,289), zu gen. 12,4.

[15]) Chrys. in Mt. hom. 59,7 (PG 58,583), im Anschluß an gen. 25,20.

[16]) Ambros. Iacob II 9 bzw. 35 (CSEL 32/2,36 bzw. 52).

[17]) Zeno tract. I 1,15 (CCL 22,12).

angegeben, ἵνα μάθῃς ὡς οὐδὲν ἡ νεότης κώλυμα γίνεται πρὸς ἀρετήν. Ein andermal drückt er denselben Gedanken genau umgekehrt aus: man solle nicht die siebzehn Jahre Josephs anführen, sondern vielmehr darauf achten, wieso er den Vater mehr für sich einnahm als seine älteren Brüder (gen. 37,3)[18]. Chrysostomus legt überhaupt für die Person Josephs eine besondere Vorliebe an den Tag. Er sah in ihm das Urbild des jugendlichen Asketen: Joseph gehört in die Reihe vorbildhafter Knaben der Schrift, weil er den Kampf gegen sich selbst gewann und unversehrt aus dem Glutofen der Leidenschaften hervorging νέος ὢν καὶ σφόδρα νέος[19]; er verkörpert das Ideal frühzeitiger Vorwegnahme des 'Greisenalters' — verstanden als Inbegriff asketischer Sittenreinheit[20]. Die weitere Ausbreitung des asketischen Ideals im vierten Jahrhundert mag es den Kirchenvätern erleichtert haben, die Gestalt Josephs gegenüber Philon ins hellere Licht zu rücken, insofern unter diesem Gesichtspunkt seine in der Potiphargeschichte bewährte Keuschheit stärker in den Vordergrund treten mußte[21]. Vielleicht haben die kirchlichen Exegeten aber auch nur Bedenken getragen, die verehrte Patriarchengestalt so stark abzuwerten, wie dies der Alexandriner tat. Ambrosius deutet in seiner Schrift über Joseph die Bezeichnung *adulescentior* (sc. *frater*: gen. 43,29) zwar ebenso wie Philon als Ausdruck jugendlicher Unreife, sieht darin jedoch auffälligerweise nicht einen Tadel des Patriarchen — hier Benjamins, sondern einen Hinweis auf den noch nicht bekehrten Apostel Paulus[22]! Schließlich gilt es auch zu beachten, daß die weitere Propagierung des *puer senex*-Gedankens gewissermaßen von selbst zu einer Vermehrung der positiven Typen führen mußte.

---

[18]) Chrys. in gen. hom. 61,1 (PG 54,525); lib. educ. 80 innerhalb der Reihe.

[19]) An dieses Bild schließt sich passenderweise die Erwähnung der Drei im Feuerofen an: Chrys. in Is. 3,4 (s. oben S. 223[1]).

[20]) Chrys. in Mt. hom. 49,6 fin. (PG 58,504).

[21]) Auch Zenos eben erwähnter Traktat, in dem Joseph (neben Susanna) als Exemplum fungiert, handelt *de pudicitia*! Dasselbe Beispielpaar begegnet in der Predigt des Asterius v. Amasea (s. oben S. 224[9]): τίθημι τούτους παιδαγωγοὺς σωφροσύνης· τὴν μὲν τῆς γυναικείας, τὸν δὲ τῆς τῶν ἀνδρῶν νεότητος (hom. 6,4, 2: 61 Datema). Allerdings ist diese Seite der Josephsgestalt durchaus auch schon früher ins helle Licht gerückt worden: das 'Vermächtnis' des Joseph in den 'Testamenten der zwölf Patriarchen', die auf eine Grundschrift wohl des 1. Jh. v. Chr. zurückreichen und auf die Kirchenväter nicht ohne Einfluß geblieben sind (vgl. Schürer 3,348f. 353; Speyer 232), geht in diesem Sinne περὶ σωφροσύνης: test. XII patriarch. 11 (67/79 De Jonge).

[22]) Ambros. Joseph 58 (CSEL 32/2,110). Joseph, der *filius senectutis* (gen. 37,3), praefiguriert auch Christus, der im Greisenalter der Welt auftrat: Ambros. patriarch. 48 (CSEL 32/2,151).

4. Wenn wir auch den jungen Moses in die Reihe dieser Typen eingliedern, so rechtfertigt sich das ausnahmsweise einmal nicht durch entsprechende Aussagen kirchlicher Texte, sondern vielmehr durch ein hervorragendes Denkmal altchristlicher Kunst. Eines der berühmten Mosaiken im Langhaus von S. Maria Maggiore, die wohl ebenso wie der Mosaikschmuck am Triumphbogen der Basilika der Zeit Sixtus' III. (432—440) angehören[23]), zeigt eine Szene, in der das Thema unserer Untersuchung gewissermaßen zu sinnfälligem Ausdruck gelangt: 'Moses unter den ägyptischen Weisen'. Eine Abbildung steht dieser Untersuchung voran[24]).

Dargestellt ist der noch sehr junge Moses[25]), angetan mit Tunica und Chlamys; die Rechte hat er zum Redegestus erhoben, in der Linken hält er eine Schriftrolle. Um ihn her sitzen auf halbkreisförmig ansteigenden Bankreihen sechs Männer — von einem siebten ist noch die ausgestreckte Hand am linken Bildrand erhalten; zwei weitere stehen im Vordergrund zu beiden Seiten des Mosesknaben. Sie alle sind durch den Bart, einige durch die Tragweise des Palliums und einer auch durch den Stock als Philosophen ausgewiesen. Es handelt sich also um eine philosophische Disputation. Sie findet öffentlich statt; denn in der rechten oberen Ecke sind noch Köpfe einer Zuhörergruppe erkennbar, die ursprünglich auch in der linken Ecke ihre Entsprechung hatte[26]). In scharfem Kontrast zur Jugendlichkeit des Moses steht das Alter seiner Gesprächspartner: vier der acht vollständig erhaltenen Gestalten werden durch das weiße Haupt-

---

[23]) Früher wurden die Langhaus-Mosaiken sogar schon dem vierten Jahrhundert zugewiesen. Vgl. zu diesem vielbehandelten Problem die Einleitung bei C. Cecchelli, I Mosaici della Basilica di S. Maria Maggiore (Torino 1966) bes. 73/82. 89; ebd. ist auch ältere Literatur mitverarbeitet.

[24]) Foto: Wolfgang Schiele - München. Für das Überlassen der Vorlage danke ich H. Karpp. Sein Bildband bietet reiches Bildmaterial, der dazugehörige Textteil befindet sich noch in Vorbereitung.

[25]) Man beachte hierzu, daß der Betrachter dieser Szene immer auch den oberen Streifen des Mosaiks mit im Auge hatte: Moses ist dort um gut zwei Kopf kleiner dargestellt als die Hofdamen; dieses Größenverhältnis macht seine Knabenhaftigkeit noch deutlicher.

[26]) Die einzelnen Elemente dieser Szene entstammen der römischen Kunst: so finden sich die im Halbkreis sitzenden Weisen ähnlich auf römischen Darstellungen philosophischer Disputationen, einem Mosaik in Rom (Villa Albani) und einem anderen in Neapel (Museo Nazionale), beide abgebildet bei Gisela M. A. Richter, The Portraits of the Greeks 1 (London 1965) fig. 316. 319; die Zuschauer in der linken und rechten oberen Ecke begegnen in Szenen aus Amphitheater oder Zirkus, vgl. etwa das Konsulardiptychon bei Volbach Nr. 21.

und Barthaar als Greise gekennzeichnet, die übrigen sind jedenfalls gereifte Männer. Aber Moses erscheint dennoch nicht etwa bloß in der Rolle des Schülers[27])! Die Haltung des Knaben, verglichen mit der seiner 'Lehrer', verrät deutlich den geistigen Rang des jugendlichen Heros. Die Alten wenden sich allesamt lebhaft gestikulierend dem in ihrer Mitte stehenden Moses zu — sei es nun, daß sie ihm Beifall zollen, sei es, daß sie Widerspruch anmelden; jedenfalls scheinen sie alle zusammen gleichsam auf ihn einzureden. Moses dagegen, gerade aufgerichtet, den Blick dem Beschauer zugewandt, die Rechte wie zur Belehrung oder Abwehr erhoben, tritt ganz offenbar dem Kreis der Weisen mit innerer Überlegenheit gegenüber.

Die beschriebene Szene bildet den unteren Streifen eines der Langhaus-Mosaiken. Auf dem oberen Streifen ist die Rückgabe des jungen Moses an die Tochter des Pharao dargestellt (nach exod. 2,9f.). Im Unterschied zu der oberen Szene besitzt die Disputation keinen Anhaltspunkt im Text des Alten Testaments. Sie gehört in den Bereich der Legende. Daß Moses am Hof der ägyptischen Prinzessin eine königliche Erziehung genoß, erwähnt der hellenistische Jude Ezechiel in seinem Drama *'Εξαγωγή*, und Ähnliches wissen Philon und Josephus zu berichten[28]). Dem Christen war dieser Zug der Moseslegende durch die Rede des Stephanus in der Apostelgeschichte vertraut[29]). Clemens v. Alexandrien versäumt denn auch nicht, das neutestamentliche Zeugnis neben die Auszüge aus jüdischen Schriftstellern zu setzen[30]). Es darf wohl als sicher gelten, daß die Stelle

[27]) Auf diesen wesentlichen Zug haben die Erklärer nicht immer genügenden Wert gelegt. Verhältnismäßig deutlich tritt er bei WILPERT, Mosaiken 1, 448f. hervor.

[28]) Ezech. exagog. 32/38 (5f. WIENEKE); Philon Mos. I 20f.; Joseph. ant. II 236f. Alle drei fußen vielleicht auf einer gemeinsamen Vorlage: vgl. GINZBERG 5, 403.

[29]) Act. 7,22: *καὶ ἐπαιδεύθη Μωϋσῆς πάσῃ σοφίᾳ Αἰγυπτίων, ἦν δὲ δυνατὸς ἐν λόγοις καὶ ἔργοις αὐτοῦ.* Nach G. BERTRAM: VT 7 (1957) 229f. wäre diese Stelle als Zeugnis eines hellenistischen Mosesbilds zu deuten — Moses in aller Weisheit der Ägypter (!) erzogen —, während Philon, der seinen Moses um die Bildungsgüter des eigenen Volkes bemüht sein lasse (Mos. I 32) und Gott selbst zum Erzieher des Moses mache (ebd. 80), ebenso wie Josephus eine streng jüdische Version vertrete. Vgl. ferner BETZ 108 und H. CONZELMANN, Die Apostelgeschichte = HNT 7 (1963) 47, wo auch jeweils Belege für die Hochschätzung der sprichwörtlichen ägyptischen Weisheit geboten sind.

[30]) Clem. Alex. strom. I 153,2/155,7 (GCS 52, 95/98). Von der sorgfältigen Erziehung des Moses bei Hofe lesen wir bei den Kirchenvätern natürlich auch sonst (etwa bei Ambros. hex. I 6: CSEL 32/1,5; weitere Angaben bei J. DANIÉLOU und A. LUNEAU in dem Sammelband: Moses in Schrift und Überlieferung [deutsche Ausgabe: Düsseldorf 1963] 293f., bzw. 308[6]), doch ohne daß sich

in der Apostelgeschichte auch die Aufnahme des Themas in die christliche Kunst gefördert hat. Aber als alleinige 'Quelle' der Darstellung in S. Maria Maggiore reicht die Stephanusrede kaum aus: gerade ein wesentlicher Aussagewert des Bildes, nämlich die Überlegenheit des Jungen über die Alten, des Schülers über die Lehrer, bleibt dort unausgesprochen. Anders steht es mit den analogen Erzählungen bei Philon und Josephus. Dieser betont die ungewöhnlich frühe Klugheit und Reife des Moseskindes[31]), und was jener in der Mosesvita über die Jugend seines Helden zu sagen hat, mutet beinahe wie eine Erläuterung zu unserem Mosaik an: die Lehrer des jungen Moses seien aus den benachbarten Ländern und aus Ägypten selbst herbeigeeilt, ja sogar aus Hellas für hohen Lohn angeworben worden: *ὧν ἐν οὐ μακρῷ χρόνῳ τὰς δυνάμεις ὑπερέβαλεν·* dank seiner natürlichen Fassungsgabe sei er ihren Belehrungen zuvorgekommen und habe darüber hinaus schwierige Probleme selbst hinzuersonnen (Mos. I 21). Fraglos überträgt hier Philon einen typischen Zug des *θεῖος ἀνήρ* auf seinen Moses[32]), wozu ihn neben der hellenistischen Biographie wohl auch die rabbinische Überlieferung angeregt haben mag[33]).

Allerdings wäre es sicherlich verkehrt, wollte man daraus folgern, Philons Mosesvita müsse auf die künstlerische Gestaltung der Szene unmittelbaren Einfluß ausgeübt haben. Sie liefert nur eine — freilich eine besonders enge — literarische 'Parallele' und bestätigt somit ebenso wie die Passage bei Josephus und vergleichbare rabbinische Texte, daß der junge Moses zumindest in der Legende zu den Mustern

irgendwo — soweit ich sehe — ein direkter Bezug zu unserem Thema ergäbe: auch Gregor v. Nyssa läßt ihn sich in seiner Mosesvita (7f. MUSURILLO) entgehen. Immerhin vergleicht er in der Grabrede auf Basilius (PG 46, 789 B) seinen Bruder, der sich als *puer senex* erwiesen habe, mit dem in aller Weisheit der Ägypter erzogenen Moses.

[31]) Jos. ant. II 230: *σύνεσις δὲ οὐ κατὰ τὴν ἡλικίαν ἐφύετ' αὐτῷ τοῦ δὲ ταύτης μέτρου πολὺ κρείττων, καὶ πρεσβυτέραν διεδείκνυεν ταύτης τὴν περιουσίαν ἐν ταῖς παιδιαῖς . . . κτλ.* Vgl. dazu auch GINZBERG 2, 271f. mit der dazugehörigen Anmerkung: 5, 401[64], wo rabbinische Parallelen angegeben sind.

[32]) Vgl. BIELER 2, 34/36, BETZ 106/108 und oben S. 145f. BIELER macht jedoch zu Recht darauf aufmerksam, daß Philons Moses nicht bloß den üblichen *θεῖος* des Hellenismus repräsentiere: in seinem Bilde sind die Züge des jüdischen Propheten und des griechischen Philosophen zu einem neuen Persönlichkeitstypus verwoben.

[33]) Wie freilich die von GINZBERG herangezogenen Texte lehren, wurde die Kindheit des Moses in den jüdischen Quellen gerne mit ausgesprochen märchenhaften Zügen ausgestattet: noch nicht einen Tag alt sei er gewesen, heißt es, als er zu laufen und zu sprechen begann wie ein Erwachsener (GINZBERG 2, 264; vgl. 3, 468f.). S. auch R. BLOCH in dem oben Anm. 30 genannten Sammelband „Moses" 117f.

altersreifer Knaben gezählt wurde. Aber wenn er auch in die Exempla-Reihen der großen Kirchenväter keine Aufnahme fand: beweist nicht das Mosaik in S. Maria Maggiore, daß er dennoch den christlichen Paradigmen des *puer senex* zuzuordnen ist? Werden nicht derlei Darstellungen die Gemüter der Gläubigen ebensosehr bewegt haben wie die Predigten und mündlichen Auslegungen der Schrift? Und ist nicht das Vorhandensein eines solchen Bildes in der römischen Basilika seinerseits wiederum beredter Ausdruck für die Beliebtheit dieses Ideals christlichen Lebens? Gar mancher Betrachter der Mosaiken wird sich — einst wie jetzt — angesichts des Mosesknaben unter den Weisen an den Bericht des Evangelisten über den zwölfjährigen Jesus erinnert gefühlt haben, mag nun der Schöpfer der Mosaiken selbst hier einen derartigen 'typologischen' Bezug vorausgesetzt haben oder nicht[34]).

Fragen, wie sie den Archäologen und Kunsthistoriker in diesem Zusammenhang beschäftigen, vor allem die nach der Art der künstlerischen Vorlage, können wir hier nicht anschneiden. Erwähnt sei immerhin, daß WEITZMANN für die Mosaiken in S. Maria Maggiore mit dem Einwirken jüdischer Legendenillustration rechnet und diesen Tatbestand gerade anhand einer Szene aus dem Moseszyklus glaubt nachweisen zu können[35]). Als sicher nimmt er übrigens die Existenz

---

[34]) Besonders nachdrücklich ist K. SCHEFOLD: RivAC 16 (1939) 298/316 für den „allegorischen" Sinn der Langhausmosaiken in S. Maria Maggiore eingetreten; den Bezug des jungen Moses auf Jesus hält er für gesichert (308). Gerade wenn dem so ist, mag man sich mit H. LECLERCQ, Art. Moise: DACL 11/2 (1934) 1651 wundern, daß die Darstellung keinen nachweisbaren Einfluß auf die frühchristliche Kunst ausgeübt hat: die lukanische Tempelszene gehörte offenbar nicht zu ihren gängigen Themen (vgl. E. BALDWIN SMITH, Early Christian Iconography [Princeton 1918] 68/71; die entsprechende Darstellung auf dem fünfteiligen Diptychon des Mailänder Domschatzes [Nr. 119 bei VOLBACH] folgt übrigens einer apokryphen Kindheitserzählung). Aber das Weiterwirken des einzigartigen Bildzyklus in S. Maria Maggiore gibt insgesamt ebenso wie seine Entstehung mancherlei Rätsel auf. Fast überflüssig zu sagen, daß auch innerhalb der Moses-Ikonographie selbst die Disputationsszene für uns ohne Parallele ist: der Index of Christian Art verzeichnet sie als einzigen Beleg unter dem Lemma „Moses: Child at Court of Pharaoh, debating". Dagegen sind dort für den einfacheren Typus: „Moses: Child at Court of Pharaoh" immerhin fünfzehn, wenn auch zum Teil zweifelhafte, Beispiele zusammengestellt. Ich verdanke diese Angaben der freundlichen Auskunft der Direktorin des 'Index', Mrs. Rosalie B. GREEN — Princeton.

[35]) WEITZMANN 412. Es handelt sich um die Darstellung der Steinigung des Moses, Josua und Kaleb (Abb.Nr. 118 bei KARPP, Mosaiken). WEITZMANN folgt hier einer Erklärung von C. O. NORDSTRÖM. Dagegen hat er für eine andere Szene aus dem Moseszyklus (Moses als Hirte: Abb.Nr. 90 bei KARPP)

eines illustrierten Josephus an, der sich großer Beliebtheit erfreut habe[36]).

5. Den Zug zur Vermehrung der positiven Typen bezeugen auch die Gestalten des Josua und Kaleb, jener beiden Kundschafter, die als einzige dafür eintraten, ins Gelobte Land zu ziehen und die Einheimischen nicht zu fürchten (num. 14). Durch die bereichert Ambrosius seine vielgliedrige Beispielkette und zeigt damit, wie sehr die christlichen Exegeten bemüht waren, den alten Grundsatz, daß Jugend ebenso vollkommen oder sogar noch besser sein könne als das Alter, durch möglichst viele Exempla zu untermauern: *denique ipse Moyses Iesum Nave et Caleph iuvenes prae ceteris adprobat, quorum consilium in terrae electione magis quam multorum seniorum et ipse secutus est et deus praetulit*[37]). Josua tritt auch in der Reihe des Horsiesi auf, dort in seiner Eigenschaft als Moses' Diener, der von Jugend an im Zelte Gottes weilte (exod. 33,11). Nicht eigentlich hierher gehört dagegen die spiritualisierende Deutung der auf Josua bezüglichen Altersangabe Jos. 13,1 durch Origenes (in Jos. hom. 16,1), die in den oben S. 88f. behandelten allgemeineren Zusammenhang einzuordnen ist.

6. Samuel ist ebenso wie Daniel durch die Regula Benedicti den folgenden Jahrhunderten als Beispiel des jugendlichen Richters eingeprägt worden, worauf wir schon auf S. 193 zu sprechen kamen. Parallelen bieten Chrysostomus, Ps. Ignatius und Asterius[38]). Mit der argumentierenden Frage: *ὁ δὲ Σαμουὴλ οὐχὶ τὸν διδάσκαλον νέος ὢν ἐπαίδευσεν;* reiht der erste Samuel in einen seiner Knabenkataloge ein. Als 'Lehrer' wird hier der greise Heli bezeichnet, bei dem der junge Samuel im Tempel diente (1reg. 3). Ps. Ignatius hat die Gegenüberstellung des jungen Samuel und des alten Heli in beiden Reihen genauer ausgeführt. Auf die gleiche biblische Situation spielt Chrysostomus noch einmal in anderem Kontext an; Samuel, führt er aus, habe erreicht, daß Gott wieder Prophezeiungen gab: *καὶ ταῦτα ἴσχυσεν οὐκ ἐφ' ἡλικίας γενόμενος, ἀλλ' ἔτι παιδίον ὢν μικρόν*[39]). Natürlich wird man Benedikt nicht direkt von den griechischen Vorgängern abhängig machen dürfen. Die Zwischenstationen mögen noch irgendwo

---

eine Illustration zu einem antiken Autor, nämlich zu Vergils Eclogen, als Vorlage erschlossen: Ancient Book Illumination (Cambridge/Mass. 1959) 92f.

[36]) Weitzmann passim, z.B. 406. 410f. 415. Vgl. dens., Illustrations in Roll and Codex (Princeton 1970²) 134.

[37]) Ambros. in ps. 118,2,18 fin. (CSEL 62,31).

[38]) An den oben S. 223². 224⁵. 224⁹ angegebenen Stellen; vgl. auch unten S. 234⁴⁶.

[39]) Chrys. adv. opp. vitae monast. III 20 (PG 47,383).

im mare magnum der Väterliteratur verborgen liegen oder gar verschollen sein. Vielleicht darf man bei solchen Erscheinungen, die im Grunde genommen jenseits der Grenze des rein Literarischen liegen, auch gar nicht nach bestimmten Vorlagen fragen. Wie wenig jedenfalls hier selbst die Kenner weiterzuhelfen imstande sind, beweist die Bemerkung des Kommentators Paul DELATTE, der es für möglich hält, daß Benedikt sich an eine Stelle in den Briefen des Hieronymus erinnert habe: dort aber wird gerade Samuel gar nicht genannt[40])! Angesichts der weiten Verbreitung des *puer senex*-Ideals und seiner biblischen Vorbilder wirkt das Rechnen mit literarischen Reminiszenzen, wofern nicht tatsächlich handfeste Anhaltspunkte gegeben sind, ohnehin immer äußerst mißlich. Wenn durch die hier gebotene Aufstellung nicht mehr als eben dies bewiesen würde, so wäre schon viel gewonnen.

7. David, der in jungen Jahren von Gott erfüllt war, wilde Tiere angriff und den bösen Geist aus Saul vertrieb, gilt schon Eusebius als Idealbild tugendhafter Jugend: wie er so könne jeder sein — was wiederum durch das Beispiel des Timotheos demonstriert wird[41]). David erscheint auch in jeweils einer der beiden Exemplareihen des Chrysostomus und Ps. Ignatius sowie in den Knabenkatalogen des Horsiesi, Asterius und Ps. Chrysostomus. Dem echten Chrysostomus kommt es besonders auf den Nachweis an, daß David seine schwere Sünde nicht etwa als *παῖς* oder *μειράκιον* beging, sondern später; als *παιδίον μικρόν* besiegte er den 'Barbaren', zeigte er seine *φιλοσοφία*: *καὶ οὐδὲν ἡ νεότης αὐτῷ πρὸς τὰ κατορθώματα ταῦτα κώλυμα γέγονε.* Denselben Nachweis führt er ebenda auch für die Könige Salomon und Josias (s. die Nummern 8 und 10). Die Tatsache, daß drei der vorbildhaften Knaben im vorgerückten Alter versagten, bot dem Kirchenvater die willkommene Gelegenheit, anhand ein und derselben Personen deutlich zu machen, wie wenig das Lebensalter über die Tugendhaftigkeit entscheidet[42]). Zu den *pueri seniles* zählt David (neben Jeremias) auch

---

[40]) DELATTE 494[1]. Er hat Hier. epist. 37,4,2 im Auge, wo Daniel und Amos erwähnt werden — wir haben die Stelle oben S. 123[30] angeführt. Noch weiter geht BUTLER 159. Er glaubt sogar an ein direktes Zitat aus Hieronymus („die ganz unerwartete Verweisung auf Brief 37,4") und wertet es als Beleg für Benedikts Kenntnis der Hieronymus-Briefe: ein bedenkliches Verfahren! Auch im Index Scriptorum seiner Regelausgabe (Freiburg i. Br. 1935[3]) gibt er durch Fettdruck zu erkennen, daß Hier. epist. 37,4 seines Erachtens zu denjenigen Stellen gehöre, „quos S. Benedictus aperte citat"!

[41]) Euseb. in ps. 70, 6 f. (PG 23, 776 C); David als Guter Hirte: nach 1 reg. 16,11.18?

[42]) Chrys. in Is. 3,4 (s. oben S. 223[1]). Ähnlich wird David an der oben S. 123 wiedergegebenen Stelle von Chrysostomus beurteilt.

für Ambrosius, aber er stellt der vorbildlichen Jugend ein noch besseres Alter Davids gegenüber[43]). Es kommt eben auf den jeweiligen Standpunkt an: Chrysostomus sieht die Sünde an Urias und seiner Frau, Ambrosius — zumindest an der betreffenden Stelle — die Friedfertigkeit des früher kriegerischen Königs.

8. Salomon begegnet in nicht weniger als sechs der oben erwähnten Beispielreihen, gehört also zum festen Repertoire der Kirchenväter. Besonderer Wert wird in allen sechs Fällen darauf gelegt, daß er erst zwölf Jahre alt war, als er den Thron bestieg und seine wunderbare Weisheit vor aller Welt bewies. Diese Altersangabe findet sich in der gewöhnlichen Fassung des Septuagintatextes als Zusatz zu 3reg. 2, 12[44]). Beachtung verdient die Parallele zu den zwölfjährigen Knaben Daniel und Jesus (s. Nr. 12 und 15). Wenn Chrysostomus bemerkt, Salomon habe später im Alter „sehr an Tugend nachgelassen" (s. oben unter Nr. 7), so bezieht er sich zweifelsohne auf 3reg. 11,4. Hieronymus stellt dem weisen Salomon den törichten Sohn und Nachfolger Roboam gegenüber, der den Rat der Alten mißachtete und stattdessen auf seine jugendlichen Altersgenossen hörte (3reg. 12,8): Roboam ist für Hieronymus ebenso wie schon für Origenes[45]) der Typ des *νέος, non quod aetate esset iuvenis, sed sapientia.*

9. In der Beispielreihe des Asterius v. Amasea erscheint auch Elisaeus. Er wird zwar nicht namentlich genannt, aber die Anspielung auf die Berufung des Propheten, den Elias vom Pfluge wegholte (3 reg. 19,19f.), ist deutlich. Asterius hat also hier einmal ein selteneres Beispiel eingefügt, ein Verfahren, das wir schon oben bei Ambrosius beobachten konnten (s. unter Nr. 5). Die vier Paradigmen sollen dartun, daß die Gnade Gottes nicht „nach dem Lebensalter verteilt und zerlegt" werde, sondern auf den Würdigen jeweils in Fülle herabkomme, auch wenn er noch so jung und unbedeutend sei. Die Jugendlichkeit der vorbildhaften Gestalten wird daher stark hervorgehoben[46]).

---

[43]) Ambros. in ps. 36,59 (CSEL 64,117), s. dazu oben S. 129f.

[44]) Zuerst bezeugt ist sie bei dem Historiker Eupolemos (FGrHist 723 F 2b= Euseb. praep. ev. IX 30,8: GCS 43/1,539), der in der Mitte des 2. Jh. v.Chr. schrieb. Ob freilich Eupolemos hier aus der Septuaginta schöpfte, bleibt zweifelhaft; denn die Angabe begegnet auch in der späteren rabbinischen Tradition, die ihrerseits schwerlich von der Septuaginta abhängt: A. Rahlfs, Septuaginta-Studien 3 (Göttingen 1965²) 112f.; E. Nestle: ZAW 2 (1882) 312/14 (vgl. ebd. 3 [1883] 185; 25 [1905] 360). Nach der Rechnung bei Josephus ant. VIII 211 hätte übrigens Salomon mit vierzehn Jahren den Thron bestiegen.

[45]) Orig. in proph. frg. 1 (GCS 6,199); Hier. in Is. II 3,4 (s. oben S. 224[8]).

[46]) So bei Samuel, dem *ἀρτιγαλακτοτροφούμενος* (vgl. 1 reg. 1,24ff.), bei Joseph, der ob seines unreifen Alters von den Brüdern geringgeachtet worden

Im Hauptteil dieser für unser Thema höchst aufschlußreichen Predigt — es handelt sich um eine erbauliche Rede auf Daniel und Susanna! — wird dann der eingangs herausgearbeitete Gesichtspunkt immer wieder zum Lobpreis dieser beiden Hauptpersonen nutzbar gemacht.

10. Auf die Kinderkönige Salomon, Josias und Joas beruft sich der Verfasser der Didaskalie, um die Altersdispens für Bischöfe zu rechtfertigen. BLOKSCHA (40) findet, diese Beispiele seien „weit hergeholt", näher hätte es gelegen, Timotheos anzuführen. Aber zweierlei gilt es hierbei zu bedenken: die genannten Könige des Gottesvolks boten einmal die Gelegenheit, besonders eklatante Geringschätzung des Alters nachzuweisen; denn alle drei waren eben Kinder! Dieser Gesichtspunkt tritt auch im Text selbst durch die genauen Altersangaben klar hervor: *nam et Salomon duodecim annorum constitutus regnavit in Istrahel et Iosias in iustitia octo annorum constitutus regnavit* (4reg. 22,1), *similiter et Ioas, cum esset septem annorum* (4reg. 11,21), *regnavit*. Zum anderen werden alttestamentliche Könige als Beispiele jugendlicher Vollkommenheit eben auch sonst angeführt, Salomon des öfteren, wie wir sahen, Josias in den beiden Beispielreihen bei Ps.Ignatius und in der längeren Reihe des Chrysostomus. Auch Ps.Ignatius hebt übrigens die Kindlichkeit gerade des Josias sehr stark hervor, wenn er übertreibend feststellt, Josias habe den Thron bestiegen *ἄναρθρα σχεδὸν ἔτι φθεγγόμενος*[47]). Auffälligerweise rechnet Chrysostomus den König Josias zu jenen vorbildhaften Knaben, die ihre Tugend in späteren Jahren nicht mehr zu bewahren wußten (s. oben unter Nr. 7). Das trifft nicht für Josias zu, wohl dagegen für Joas[48])! Sollte dem geübten Exegeten hier ein Gedächtnisfehler unterlaufen sein? Es wäre allerdings auch möglich, daß dieser Fehler auf das Konto der Überlieferung geht[49]).

---

sei, und vor allem bei Daniel, der „noch zart und ganz jung" die Alten gerichtet habe (hom. 6,1,3f.: 59 DATEMA). Gerade im Falle des Elisaeus wird freilich dieses Moment nicht ausdrücklich betont, doch stünde er kaum in einer Reihe mit den anderen dreien, wenn nicht auch er als jung vorgestellt würde. Assoziiert werden konnte diese Vorstellung durch den Wunsch des Berufenen, sich von den Eltern durch einen Kuß zu verabschieden (3 reg. 19,20), und durch die Tatsache, daß er Elias' Diener wurde (ebd. 21) — geradeso wie Josua dem Moses diente (exod. 24,13).

[47]) Epist. Mariae 4,1 (86 FUNK-DIEKAMP).

[48]) Von Josias wird ausdrücklich gesagt, er sei vom rechten Wege nicht abgewichen: 4 reg. 22,2; 2 chron. 34,2; im Gegensatz dazu heißt es von Joas, er habe getan, was dem Herrn wohlgefiel, „solange der Priester Jojada ihm Weisungen erteilte"! (4 reg. 12,2).

[49]) *Ioas* ist auch in der lateinischen Fassung der Didaskalie in *Io*[*si*]*as* verschrieben worden: vgl. den Text bei TIDNER: TU 75 (1963) 17, Z. 2.

11. Zu den ganz großen unter den musterhaften Knaben und Jünglingen der Schrift gehört Jeremias: ὁ ἐν νεότητι λάμψας, wie Chrysostomus einmal sagt[50]). Sein Name ist im Verlauf unserer Untersuchung schon des öfteren gefallen. Es versteht sich von selbst, daß er auch in den meisten der anfangs genannten Beispielketten vorkommt. Die Beliebtheit des Jeremias als Typos des *puer senilis* erklärt sich aus dem Bericht über seine Berufung (Jer. 1, 6f.). Mit dem Hinweis auf seine Jugend wollte der Prophet den Ruf des Herrn zurückweisen, aber Gott ermahnte ihn: „Sage nicht: ich bin zu jung!" Die verbreitete Deutung dieses Worts gibt Ambrosius wieder, wenn er erläutert, daß „nach göttlicher Definition" derjenige nicht für jung erachtet werde, der im Besitze altersgrauer Klugheit sei[51]).

12. Selbst Jeremias wird an Beliebtheit aber noch übertroffen durch Daniel, den jugendlichen Richter der Susannaerzählung (Sus. 45ff.). Er rangiert mit Abstand an der Spitze der biblischen 'Knabengreise'. Zum Teil verdankt er das der Popularität der gesamten Susannageschichte, die zwar zu den deuterokanonischen Stücken des Danielbuchs gehört, sich jedoch der alten Kirche namentlich durch die vielbenutzte griechische Übersetzung des Theodotion fest einprägte[52]). Wie tief die Susannaerzählung in der kirchlichen Lehrtradition wurzelte, bewies der erbitterte Widerstand, auf den die gelehrte Textkritik eines Hieronymus stieß. Hieronymus hatte die späteren Zusätze zum Danielbuch in seiner Übersetzung durch kritische Semeiose gekennzeichnet[53]). Sein Gegner Rufin deutete das als Bruch mit der kirchlichen Tradition und legte ihm gehässigerweise die folgenden Worte in den Mund: „Jeder der (bisher) glaubte, daß Susanna Verheirateten und Unverheirateten ein Beispiel an Keuschheit gegeben habe, hat sich geirrt: es stimmt nicht! und jeder der glaubte, der Knabe Daniel habe vom heiligen Geist erfüllt die ehebrecherischen Greise überführt, hat sich geirrt: so war es nicht!" Die Argumentation Rufins läßt bei aller Polemik erkennen, daß man sich die beliebten Gestalten der Susannageschichte gar nicht mehr wegdenken konnte. Hieronymus beeilte sich denn auch zu versichern, er wolle die kirch-

---

[50]) Chrys. hom. de Eleaz. 3 (PG 63, 526 unten).

[51]) Ambros. in ps. 118, 13, 13 (CSEL 62, 289); vgl. Hier. in Jer. 1, 7 (CCL 74, 5). Besonders eindringlich tritt uns das Vorbild des 'greisenhaften' Jünglings und Propheten an der oben S. 97[25] erwähnten Stelle in den Psalmenhomilien des Origenes entgegen. Im übrigen verweise ich auf das Register.

[52]) Vgl. dazu die genaueren Angaben bei O. Eissfeldt, Einleitung in das AT (Tübingen 1964[3]) 959. 972.

[53]) Hier. in Dan. prol.: PL 25, 493 A. Vgl. Speyer 154.

liche Lehrpraxis, die der Übersetzung des Theodotion folge, keineswegs angreifen[54]).

Doch es war nicht nur die allgemeine Beliebtheit der Susannaepisode, die Daniel den ersten Platz unter den Exempeln des *puer senex*-Ideals verschaffte. Besonders stark mußte natürlich der Gegensatz des jugendlichen Richters zu den bösen Alten auf der einen, zu den Mitgliedern des Ältestenrats auf der anderen Seite wirken. In dieser Szene war äußerst eindrucksvoll festgehalten, was den gedanklichen Kern des Transzendenzideals ausmacht: die Belanglosigkeit des bloß äußeren Alters, die potentiell stets vorhandene Überlegenheit eines Jüngeren über Ältere[55]). Hinzu kam noch ein bedeutungsvolles Detail. Sowohl in der Septuaginta als auch bei Theodotion wird hervorgehoben, Daniel sei zur Zeit seines Auftretens als Richter noch recht jung gewesen[56]); die erwähnte Kontrastwirkung war mithin durch beide Versionen sichergestellt. Nur bei Theodotion aber — also gerade in jener Fassung der Susannageschichte, die sich in der christlichen Tradition durchsetzte — stehen die vielsagenden Worte, mit denen die Ältesten den jungen Daniel einladen, in ihrer Mitte Platz zu nehmen: *δεῦρο κάθισον ἐν μέσῳ ἡμῶν . . . ὅτι σοι δέδωκεν ὁ θεὸς τὸ πρεσβεῖον* (*honorem senectutis*, vulg.). Ganz ausdrücklich erhält Daniel hier das Prädikat geistiger Alterswürde zugesprochen[57]), und schon daraus ist klar, daß er notwendig zum bevorzugten Paradigma des Knabengreises avancieren mußte: wie die berühmte Stelle des salomonischen Weisheitsbuchs (4,8f.) die Spiritualisierung des Greisenalters im allgemeinen, so stützte Sus. 50 die beliebte Übertragung greisenhaften Wesens auf einen jungen Menschen, d. h. eben das *puer*

---

[54]) Rufin. apol. c. Hier. II 35 (PL 21,613C); Hier. apol. adv. Ruf. II 33 (PL 23,475f.).

[55]) Erinnert sei an das bekannte Gemälde in der Calixtus-Katakombe (WILPERT, Katakomben 1, 119f. 364; 2, Tafel 86). Der Kontrast zwischen jung und alt, die Überlegenheit des Jungen über die Alten, bildet hier wohl kaum wie beim oben besprochenen Moses-Mosaik eine wesentliche Aussage der Darstellung, mag jedoch sehr wohl zu jenen erzählerischen Elementen gerechnet werden, mit denen gerade dieses 'Rettungsparadigma' gerne ausgeschmückt wurde: vgl. A. STUIBER, Refrigerium interim (Bonn 1957) = Theophaneia 11, 184f.

[56]) Sus. 45: *νεωτέρῳ ὄντι* LXX, *παιδαρίου νεωτέρου* Th.; vgl. auch EISSFELDT a.O. (oben Anm. 52) 798.

[57]) Über den exakten Sinn des Wortes *πρεσβεῖον* — das ist die richtige Lesung, nicht *πρεσβυτέριον*! — vgl. P. KATZ: ZNW 51 (1960) 30: „God did not make Daniel an elder. He endowed him with the gift that by grace alone can be given to a youngster, wisdom and discretion, the privilege of age: *πρεσβεῖον*!"

senex-Ideal. Gerne werden darum auch diese beiden klassischen Belege kombiniert[58]).

Erwähnung verdient, daß die Kirchenväter die allgemeine Altersangabe in Sus. 45 gelegentlich genauer festgelegt und Daniel ein Alter von zwölf Jahren zugeteilt haben[59]). Vielleicht war hierfür der zwölfjährige Jesusknabe im Tempel maßgebend[60]) — aber auch an den zwölfjährigen Salomon sei hier nochmals erinnert (s. oben unter Nr. 8).

Auf Daniel und die beiden bösen Greise sind wir im Hauptteil unserer Untersuchung bereits mehrfach gestoßen, so daß sich eine weitere Stellensammlung erübrigen dürfte — schon die eingangs genannten Exemplaketten, in denen Daniel nur ein einziges Mal fehlt, sprechen eine deutliche Sprache[61]). Aus der Masse des Vorhandenen greife ich hier nur noch einen kuriosen Fall heraus. Maximus, ein afrikanischer Bischof, schickte seinen Neffen namens Daniel mit einer Schar Nonnen zu Theophilos v. Alexandrien, um die frommen Frauen vor den eindringenden Barbaren in Sicherheit zu bringen. Er empfiehlt seinen noch jungen Neffen mit den Worten: *nepotem itaque meum nomine Danihelem, senem non aetate, sed moribus . . . transmisi*[62]). Ein Beweis, wie leicht sich mit dem Namen Daniels die Vorstellung

---

[58]) So z.B. in der Reihe des Ambrosius (in ps. 118,2,17) und bei Ps.Basil. in Is. 104 (PG 30,285/88), wo Sus. 50 wörtlich zitiert wird.

[59]) Chrys. lib. educ. 80 sowie an der oben S. 123 zitierten Stelle — dagegen bemerkt er zu Is. 3,4 lediglich, Daniel sei „viel jünger" gewesen als Jeremias! Ferner: Ps.Ign. ad Magn. 3,2; Ps.Chrys. hom. in ps. 50 (s. oben S. 224 Anm. 5 bzw. 10); Sulp. Sev. chron. II 1,6 (CSEL 1,57). Siehe auch BAUMGARTNER 272f.

[60]) Vgl. BAUMGARTNER 273. Allerdings wird man wohl auch die Bedeutung der Zwölf als einer typischen Summenzahl nicht ganz außer acht lassen dürfen: s. RADERMACHER 238f. FRIDRICHSEN, der den Einfluß der hellenistischen Biographie auf die Kindheitsgeschichte Jesu bei Lukas untersucht (36/38), erinnert (37[1]) an den zwölfjährigen Kyros: Xen. Cyr. I 3,1ff. Vgl. auch oben S. 146[49].

[61]) Namentlich die 6. Homilie des Asterius v. Amasea ist, wie oben bereits angedeutet (S. 234f.), ganz von dem Gegensatz zwischen dem jungen gottbegnadeten Daniel und den bösen Alten sowie den törichten Richtern (!) beherrscht. Der Gedanke verdichtet sich einmal auch zu einer prägnanten Formulierung altbekannter Art: (*τὴν ἀκολασίαν ἐκκόψωμεν*) *στηλιτεύσαντες γῆρας μειρακιῶδες καὶ νεότητα πεπολιωμένην θαυμάσαντες* (ebd. 3,2: 60 DATEMA). Das Geschehen erscheint Asterius als ein gottgewirktes *παράδοξον* (ebd. 7,1: 63 DAT.). Interessant schließlich die Zusammenordnung Daniels und Susannas als jugendlicher Vorbilder für beiderlei Geschlecht: . . . *δύο νεότητας βλέπω εὐδοκιμούσας* . . . (ebd. 3,1: 60 DAT.) — wenig später wird mit Joseph und Susanna nochmals ein ähnliches Paar aufgestellt (s. oben S. 227[21]).

[62]) PL Suppl. 1,1094. Vgl. zu diesem Text P. COURCELLE: RBPh 31 (1953) 24/29. Über Daniel als Muster des Weisen im allgemeinen s. auch J. DANIÉLOU, Art. Daniel: RAC 3 (1957) 579.

der *senectus spiritalis* verbinden konnte! Dieser Daniel erwies sich nun allerdings seines Namens unwürdig; in dem Kloster, das er in Ägypten gründete, kam es zu Skandalen.

13. In dem längeren Katalog des Chrysostomus und bei Ps. Chrysostomus werden die drei Jünglinge im Feuerofen (Dan. 3) aufgeführt. Sie heißen ausdrücklich *παῖδες*, Chrysostomus spricht überdies von ihrem „blühenden Alter". Das Moment des 'Trotzdem' tritt bei solcher Betonung der Jugendlichkeit deutlich hervor — vgl. Cyprian: *tres ... pueros nec annis nec minis fractos* ... eqs.[63]).

14. Die sieben makkabäischen Brüder gehören zwar nicht zum Kreis der bevorzugten Exempla, verdienen jedoch hier deswegen genannt zu werden, weil sie in der Darstellung der Makkabäermartyrien bei Ambrosius deutlich als *pueri seniles* charakterisiert sind. Ambrosius läßt sie folgende Rede an den Tyrannen Antiochus richten: *quid contemnis nos vel circumscribis ut pueros? sed fides cana est, sed valida disciplina. experire certe, subice quibus placet poenis puerilia viscera, non invenies corda puerilia ... quem vicit senectus* (sc. *Eleazar senex*), *superabit aemula senectutis pueritia*[64]). Auch in der Vorlage des Ambrosius, im vierten Makkabäerbuch, fehlt nicht der Hinweis auf das Thema der geistigen Alterstranszendenz (vgl. oben S. 58[8]). Doch ist es für die Beliebtheit des Gedankens bei den Christen höchst bezeichnend, daß der Kirchenvater die recht knappe Angabe der Vorlage breiter ausgestaltete, bezeichnend auch, daß er die geistige Mannesreife, auf die dort nur einer der Brüder Anspruch erhebt, zum geistigen Greisenalter (*fides cana!*) zugespitzt und auf alle Sieben übertragen hat. — Die Beispielhaftigkeit ihrer Jugend hebt in allgemeinerer Weise auch Gregor v. Naz. hervor[65]).

15. Bei Sichtung jener Vorbilder, die aus dem Neuen Testament gewonnen wurden, hat man begreiflicherweise zuerst der Gestalt des zwölfjährigen Jesus im Tempel (Lc. 2, 41 ff.) zu gedenken. Die Lehrergeschichten der neutestamentlichen Apokryphen haben die lukanische Tempelszene stark zugunsten des weisen Jesusknaben fortgebildet; so berichtet die Kindheitserzählung des Thomas, wie der greise Lehrer Zachäus vom fünfjährigen Jesus in die Enge getrieben wird[66]). Aber

[63]) Cypr. epist. 67, 8 (CSEL 3/2, 742). Die anderen Angaben s. oben S. 223[1]. 224[10].

[64]) Ambros. Iacob II 45 (CSEL 32/2, 61).

[65]) Greg. Naz. or. 15, 10. 12 (PG 35, 929 B. 932 D).

[66]) Thomaserzählung 6/8 (1, 294 f. Hennecke-Schneemelcher). Wie Jesus sollen auch Moses und Apollonius v. Tyana ihre Lehrer übertroffen haben: Philon vita Mos. I 21; Philostr. vita Apollon. I 7 (vgl. Euseb. c. Hierocl. 12: PG 22, 817 A/B). Allgemein darüber Bieler 1, 36 f.

auch Origenes hebt in den Lukashomilien stark das Wunderbare der Weisheit Jesu hervor. Er legt zwar auch Wert auf die Tatsache, daß Jesus den Ältesten nur zuhörte und Fragen stellte, was er als Zeichen seiner vorbildhaften kindlichen Demut deutet, betont aber darüber hinaus, Jesus habe die Fragen so gestellt, daß er die vermeintlichen Lehrer belehrte[67]). Ähnlich äußert sich einmal Hieronymus[68]): *duodecim annos salvator inpleverat et in templo senes de quaestionibus legis interrogans magis docet, dum prudenter interrogat.* Auf ihn bezieht daher Augustin das Wort des Psalmisten: *super seniores intellexi* (ps.118, 100), ein Wort, das nach dem Willen des Kirchenvaters freilich auch für uns alle gelten soll[69]). Die Parallele zu Daniel ist früh gesehen worden. Schon Hippolytos bemerkt, Daniel in seiner Rolle als jugendlicher Richter über die Ältesten weise abbildhaft auf den zwölfjährigen Jesus hin[70]). — Der Gegensatz zu den 'Ältesten' wird im übrigen über die Tempelszene hinaus als wesentlich für die gesamte Existenz Jesu und die seiner Nachfolger empfunden: das '*super seniores intellexi*' gilt auch im Hinblick auf jene Ältesten, die Jesus dem Pilatus überlieferten[71]); die Ältesten der Juden verkannten den Ältesten der Schöpfung, Jesus mußte viel von ihnen erleiden, um von den 24 Ältesten im Himmel geehrt zu werden[72]); *πρεσβύτεροι* heißen die jüdischen Lehrer, weil sie zeitlich früher auftraten, als die Apostel — aber sie lehrten das Falsche[73]), ja sie sind gar keine 'Ältesten' im echten Sinne: alle, die bei den Juden so genannt werden, sind *ψευδώνυμοι πρεσβύτεροι*, bzw. geistige *νεανίσκοι*[74]).

An dieser Stelle verdient auch eine traditionelle Exegese zu eccl. 4,13 kurze Erwähnung: der törichte greise König ist der Teufel, der arme weise Knabe ist Christus, dem *senex stultus* tritt der *puer sapiens* gegenüber! Hieronymus hat diese Deutung vorgetragen, wobei er sich auf Origenes und Victorinus v. Pettau als seine Vorgänger beruft; sie findet sich außerdem bei Eusebius und Ambrosius[75]). Die Weisheit Christi stützt Hieronymus übrigens gerade durch den Satz, der den

---

[67]) Hier. Orig. in Lc. hom. 19 (GCS 49,118); zugrunde liegt Lc. 2,46.

[68]) Hier. epist. 53,3,7 (CSEL 54,449).

[69]) Aug. in ps. 118 serm. 22,4 (CCL 40,1738f.).

[70]) Hippol. in Dan. 1 (GCS 1,3).

[71]) Ambros. in ps. 118,13,13f. (CSEL 62,289f.): nach Mc. 14,53; 15,1.

[72]) Orig. in Mt. comm. ser. 76 (GCS 38,177); in Mt. XII 20 (GCS 40,115).

[73]) Ps.Chrys. hom. in ps. 118: PG 55,694.

[74]) Ps.Basil. in Is. 104 (PG 30,288A); Euseb. in Is. 3,3f. (PG 24,109D). Gefolgert wird das in beiden Fällen aus Is. 3,2 (bzw. 4).

[75]) Hier. in eccl. 4,13/16 (CCL 72,290); Euseb. ecl. proph. III 4 (PG 22, 1128A/B); Ambros. epist. 17 [= 81 Maur.], 9/11 (CSEL 82,126).

lukanischen Bericht über den Zwölfjährigen im Tempel beschließt: *proficiebat aetate et sapientia* ... eqs. (Lc. 2,52).

Im Falle der Person Jesu haben die Kirchenväter aber auch großen Wert auf das Natürliche und 'Normale' seiner Kindheit gelegt. So erklärt Chrysostomus die Wunderberichte der legendären Kindheitsgeschichten ausdrücklich für gefälscht[76]). Im Hintergrund solcher Äußerungen stehen christologische Probleme: die Kindheit des Erlösers durfte nicht allzu sehr ins Wunderbare gesteigert werden, da die natürliche Kindheit und überhaupt die natürliche Abfolge der Lebensalter Christi seine wahre Menschheit garantierte[77]). Vielleicht liegt hier einer der Gründe dafür, daß die Väter offensichtlich gezögert haben, den Jesusknaben mit greisenhaften Zügen auszustatten[78]). Denn aufgrund des lukanischen Berichts sollte man eigentlich erwarten, daß Jesus sehr oft zum Vorbild des regelrechten *puer senilis* gemacht wird — zumindest ebenso oft wie etwa Daniel. Das ist jedoch, sehe ich recht, nicht der Fall. Nur einmal, nämlich bei Horsiesi, begegnet Jesus in einer Exemplareihe, wo aber das Moment der Alterstranszendenz gerade nicht ausgesprochen wird[79]).

---

[76]) Chrys. in Joh. hom. 17,3; 21,2 (PG 59,110 unten; 130); vgl. in Mt. hom. 8,3 (PG 57,86). — Euseb betont, Jesus sei Kind gewesen „wie wir", habe aber keinen Lehrer gehabt außer Gott selbst: in ps. 70,17 (PG 23,784B).

[77]) Aus eben diesem Grunde legten Irenaeus, Hippolytos, Justin u.a. auch so großen Wert darauf, daß Jesus jedes einzelne Lebensalter durchlebt habe (vgl. oben S. 115 mit Anm. 2 und Bauer 292f.): sobald die Menschheit des Gottessohnes kontrovers wurde, mußte ein wie immer geartetes 'Verwischen' der Altersgrenzen gefährlich erscheinen. Bezeichnend ist die Äußerung Justins: *ἑκάστῃ αὐξήσει τὸ οἰκεῖον ἀπένειμε* (dial. 88,2: 202 Goodspeed).

[78]) Das Thema der Polymorphie Christi lasse ich hier absichtlich beiseite, desgleichen seine Darstellung als des 'Alten der Tage'; s. dazu oben S. 44f. bzw. S. 128.

[79]) Erwähnt sei auch hier noch einmal, daß der zwölfjährige Jesus im Tempel nicht zu den beliebten Gestalten der frühchristlichen Kunst gehört: s. oben S. 231[34]. Umgekehrt jedoch wäre es eine interessante Frage, ob nicht gewisse andere Darstellungen des jugendlichen Christus die Idee des *iuvenis senex* ausdrücken oder wenigstens als Nebensinn mitführen — vor allem jene Darstellungen, die Christus als jugendlichen Lehrer in auffallenden Kontrast zu seiner Umgebung, etwa zu den Gestalten bärtiger Apostel, bringen: man denke nur an die entsprechende Szene auf dem Sarkophag des Iunius Bassus (Nr. 680 bei Deichmann-Bovini-Brandenburg; signifikant auch ebd. Nr. 51). Darin freilich geradezu ein Bild des zwölfjährigen Jesus zu sehen — so F. Cumont: Syria 10 (1929) 233[5] —, geht nicht an. Es wäre wohl überhaupt eine lohnende Aufgabe zu prüfen, inwieweit der Gedanke der Alterstranszendenz in der Kunst des frühen Christentums seinen Niederschlag gefunden hat, eine Aufgabe, die gewiß durch die vorliegende Untersuchung hinreichend legitimiert wird. Wir konnten dazu nur gelegentlich verstreute Hinweise geben.

16. Nach Weisheit und Charakter ein Greis war Johannes, der jugendliche Lieblingsjünger des Herrn: so will es jedenfalls Ambrosius. Es lohnt sich, daß wir uns der betreffenden Passage — sie steht im Pflichtenwerk des Kirchenvaters — kurz zuwenden. Denn sie gibt uns Gelegenheit, das Transzendenzideal in seiner üblichen, gerade aus Ambrosius wohlbekannten Art von vergleichbaren Vorstellungen Ciceros abzuheben[80]).

Ambrosius legt zunächst dar[81]), wie förderlich es für Jünglinge sei, mit berühmten, weisen Männern zu verkehren; auch das Alter seinerseits könne Freude und Trost aus einem solchen Verkehr gewinnen. Der geübte Exeget hält gleich eine Anzahl Vorbilder für diese schöne *copula seniorum atque adulescentium* bereit: Moses und Josua, Abraham und Loth, Elias und Elisaeus, Barnabas und Marcus, Paulus und Silas, Paulus und Timotheos, Paulus und Titus. Aber die gegenseitigen Beziehungen aller dieser Männer beruhten, wie Ambrosius selbst feststellt, auf einem reinen Lehrer-Schüler-Verhältnis: die Führung fiel ganz eindeutig dem Alter zu. Daneben kennt nun aber Ambrosius auch noch ein anderes Verhältnis von jung und alt. Im Anschluß an die eben erwähnte Aufzählung biblischer Exempla fährt er fort[82]): *sed illis superioribus videmus divisa officia, ut seniores consilio praevalerent, iuniores ministerio. plerumque etiam virtutibus pares, dispares aetatibus, sui delectantur copula, sicut delectabantur Petrus et Ioannes. nam adulescentem legimus in evangelio Ioannem et sua voce, licet meritis et sapientia nulli fuerit seniorum secundus; erat enim in eo senectus venerabilis morum et cana prudentia. vita enim immaculata bonae senectutis stipendium est* (vgl. sap. Sal. 4,8f.). Der Unterschied der Generationen ist hier aufgehoben, Ambrosius hat jetzt gleichwertige Partner vor Augen. Die Frucht eines solchen Verhältnisses, das der Kirchenvater durchaus nicht nur als eine auf das Apostelpaar Petrus und Johannes beschränkte Ausnahme verstanden wissen wollte (vgl. *plerumque*!), ist die gegenseitige *delectatio* derer, die an ihm teilhaben. Erinnert das alles nicht an Cicero, an sein Ideal einer geistigen *aequalitas*? Und doch: jeder wird sogleich auch den bedeutsamen Unterschied fühlen! Er liegt nicht so sehr darin, daß bei dem Kirchenvater von einer Transzendenz des natürlichen Greisenalters, von einer inneren Jugendlichkeit des Älteren an der vorliegenden Stelle keine Rede ist, daß die Gleichrangigkeit hier in erster Linie durch eine

---

[80]) Ich setze dabei das voraus, was oben S. 51ff. (einschließlich der Anmerkungen!) zu Cicero bemerkt wurde.

[81]) Ambros. off. II 97/100 (PL 16,129f.).

[82]) Ebd. 101 (130B/C).

Leistung des Jüngeren verwirklicht wird, insofern er das höhere Alter des Partners geistig vorwegnimmt. Der eigentliche Unterschied beruht vielmehr auf dem von Ambrosius scharf herausgearbeiteten Moment einer totalen Gleichwertigkeit. Dieser Gedanke gehört nicht zur *humanitas Ciceroniana*. Daß ein *adulescens* keinem der Älteren *meritis et sapientia* nachstand, hätte Cicero kaum ohne wesentliche Einschränkungen behauptet — mag er auch, wie wir sahen, vom Jüngling etwas Greisenhaftes fordern. Keiner der jüngeren Gesprächspartner des Cato Maior hätte diesem die führende Rolle im philosophischen oder politischen Gespräch streitig gemacht: in dieser Hinsicht wäre viel eher das Lehrer-Schüler-Verhältnis vergleichbar, wie es Ambrosius etwa für Paulus und Timotheos annimmt. Die Transzendenz der Altersgrenzen vollzieht sich eben bei Cicero auf einer ganz anderen Ebene. Cicero geht es um einen Ausgleich der Altersunterschiede im menschlichen Verhältnis der Generationen, mehr um die Lebensart, ohne daß freilich damit eine bloß äußerliche Haltung gemeint wäre. Ambrosius konstatiert dagegen ein volles Gleichmaß an Weisheit und Leistung. Er kann das um so leichter tun, als er den Begriffen einen vorwiegend ethischen Gehalt unterlegt: die Bewährung des jugendlichen Johannes vollzog sich eben im sittlich-religiösen Bereich, nicht im staatlichen, und seine Weisheit gründete auf dem „reinen Leben", nicht auf menschlicher Erfahrung.

Die vorbildhafte Jugend des Johannes rühmt Ambrosius auch zweimal in den Psalmenwerken[83]). An der ersteren Stelle fällt auf, daß Ambrosius hier neben die vorbildlichen Jünglinge Johannes und Eutychus (act. 20,9/12) auch den jungen Paulus des Stephanusmartyriums (act. 7,58) stellt: *novit scriptura adulescentem Paulum iam proximum conversioni* [!] . . . eqs.[84]).

17. Der reiche Jüngling (Mt. 19,16/22 par.) verkörpert für Clemens v. Alexandrien das Ideal des jugendlichen Asketen und gilt ihm in dieser Eigenschaft als *τὴν γνώμην πολιός*, d. h. eben als *puer senex*[85]). Allerdings konnte die Gestalt des reichen Jünglings leicht auch in ganz anderem Licht erscheinen, wofern man nämlich nicht auf seine getreue Erfüllung der Gebote blickte, sondern auf sein Versagen gegenüber dem Aufruf zur Nachfolge Christi. So ist er denn in Origenes' Augen gerade das Gegenteil eines *puer senex*. Origenes bemerkt, es sei bedeutsam, daß in der Erzählung vom reichen Jüngling

[83]) Ambros. in ps. 36,53 (CSEL 64, 111f.); in ps. 118,2,6/8 (CSEL 62,23f.).

[84]) Ganz anders im oben S. 227 erwähnten Kontext! Vgl. auch Ps. Chrys. a.O. (S. 224 [10]).

[85]) Clem.Alex. quis div. salv. 6,3 (GCS 17,165); s. dazu auch oben S. 138.

nicht ein reifer oder älterer Mann, sondern eben ein *νεανίσκος* auftrete: *τοιοῦτος γὰρ ἦν τὴν ψυχήν*[86]).

18. Anders als die beiden eben Genannten zählt Timotheos zu den beliebtesten Exempla. Denn für ihn gab es wieder ein ausdrückliches Zeugnis in der Schrift: „Niemand verachte dich wegen deiner Jugend", hatte der Apostel gesagt (1 Tim. 4, 12). In die Sprache der Kirchenväter übersetzt heißt das: *Timotheus quantum ad aetatem pertinet, iuvenis erat, quantum ad mores et conversationem, senior et gravis*, oder kürzer: (*Timotheus*) *aetate iuvenis est, maturitate senex est*[87]). Er, der — wie Chrysostomus sagt[88]) — die Gemeinden besser verwaltete als ungezählte Greise, bot den passenden Präzedenzfall, wenn es darum ging, die frühzeitige Weihe eines Klerikers zu rechtfertigen.

II. ERNEUERUNG UND VERJÜNGUNG

Paulus fordert wiederholt dazu auf, den alten Menschen abzulegen und sich geistig zu erneuern, eine Forderung, die nicht nur durch die Wiedergeburt in der Taufe, sondern auch durch das Leben in der Nachfolge Christi erfüllt wird[1]). Die Idee innerer Erneuerung bildet einen wesentlichen Teil der paulinischen Glaubensverkündigung und hat auf die Kirchenväter weitreichenden Einfluß ausgeübt. Es liegt nun im Wesen der Sache, daß die Erneuerung sehr leicht auch als Verjüngung aufgefaßt, also mit Hilfe eines Bildes aus dem 'biologischen' oder besser: 'quasi-biologischen' Bereich ausgedrückt werden konnte. Ein Ansatz dazu findet sich schon bei Paulus selbst. Im Epheserbrief (4, 23 f.) mahnt der Apostel: *ἀνανεοῦσθαι δὲ τῷ πνεύματι τοῦ νοὸς ὑμῶν καὶ ἐνδύσασθαι τὸν καινὸν ἄνθρωπον . . . κτλ.* Anders als sonst, z. B. an der Parallelstelle Col. 3, 10, gebraucht er hier einmal das Wort „verjüngen" (*ἀνανεοῦσθαι*), nicht „erneuern" (*ἀνακαινοῦσθαι*). Der charakteristische Unterschied blieb einem Exegeten wie Johannes

---

[86]) Orig. in Mt. XV 19 (GCS 40, 403). Als 'Jüngling' (*νεανίσκος*) wird der Reiche übrigens nur bei Matthäus bezeichnet.

[87]) Ambros. in 1 Tim. 4, 12 (PL 17, 474 C/D); Hier. in Is. 3, 4 (s. oben S. 224[8]). Bei Ambrosius a.O. wird Timotheos zwar als *exemplum* für jung und alt gepriesen, aber als *mirabilis adulescens* eben doch über das gewöhnliche Maß weit hinausgehoben.

[88]) Chrys. in Is. 3, 4 (s. oben S. 223[1]).

[1]) Ich verweise hier — ein für alle Mal — auf das Buch von LADNER, das eine umfassende Erörterung aller Arten christlicher Erneuerung enthält. Einen kürzeren Überblick bietet sein Artikel 'Erneuerung': RAC 6 (1966) 240/75 (zu Paulus ebd. 252/54). Weiterführende Literatur ist an beiden Orten angegeben.

Chrysostomus nicht verborgen: er nimmt diese Stelle zum Anlaß, um darauf hinzuweisen, daß Christus dem Menschen eine Verjüngung, nicht eine Erneuerung, verstanden im Sinne der Andersartigkeit, bringe[2]). Im Lateinischen geht übrigens die bedeutungsvolle Nuance des Originals verloren, da beide Verben gleichermaßen durch *renovare* wiedergegeben werden. Der Bezug zum Vorstellungsbereich 'Jugend und Alter', der durch *ἀνανεοῦσθαι* sehr nahegelegt wird, ist darin nicht mehr direkt mitgegeben. Aber der Verjüngungsgedanke als Ganzes entwickelte sich ja überhaupt nicht nur aus der einen prägnanten Formulierung des Epheserbriefs. Schon Origenes stützt ihn bedenkenlos auch durch andere Parallelstellen in den paulinischen Briefen, z.B. durch 2Cor. 4,16; Col. 3,9f. und vor allem Eph. 5,27 (die Kirche ohne „Runzel"!)[3]). Auch im Alten Testament spürte man passende Aussagen auf. So wird etwa der Spruch des Psalmisten: *renovabitur ut aquilae iuventus tua* (ps. 102,5) von den kirchlichen Exegeten gerne als Hinweis auf die Verjüngung durch Christus gedeutet[4]).

Machen wir uns also klar: die Erneuerungsidee führte wie von selbst zur Vorstellung der 'Jugend' des gläubigen Christen und damit auch zu deren dunklem Gegenbild, zum Gedanken an die 'Greisenhaftigkeit' des Ungläubigen und Sünders, d. h. eben des 'alten' Menschen. Es konnte kaum ausbleiben, daß die entsprechenden Bilder von Jugend und Alter bei den Kirchenvätern große Beliebtheit erlangten und oftmals breit ausgestaltet wurden. Für uns ergeben sich daraus eine Reihe interessanter Fragen: wie verhalten sich diese vergeistigten Altersbegriffe zu jenen, die wir aus der Transzendenz-Thematik

---

[2]) Chrys. in Eph. hom. 13,2 (PG 62,95f.). Die Stelle ist genannt bei Behm, Art. *ἀνανεόω*: TheolWb 4,904[8].

[3]) Wie zwanglos an allen diesen Stellen die Idee der Erneuerung mit der der Verjüngung assoziiert, bzw. das Alte als das Greisenhafte gedeutet werden konnte, beweist etwa die Passage aus den Ezechielhomilien des Origenes, die wir unten S. 247 [6] ausgeschrieben haben. Bezeichnend ist unter diesem Gesichtspunkt auch seine Exegese zu cant. 1,3 (Ruf. Orig. in Cant. comm. I: GCS 33,101f.). — Lehrreich für den weiteren Zusammenhang die Darstellung Porzigs, der die Nachbarschaft der beiden Sachgebiete 'jung' und 'neu' von der sprachgeschichtlichen Seite her (gerade auch im Griechischen: 345) beleuchtet!

[4]) Siehe etwa die Psalmenerklärungen des Eusebius (PG 23,1265B/C), Athanasius (PG 27,432D) und Augustinus (CCL 40,1459). Letzterer deutet die Verjüngung allerdings eschatologisch (dazu bietet er eine detaillierte Wiedergabe des 'Jägerlateins' über den alternden Adler! Die betreffende Symbolik ist behandelt bei Th. Schneider-E. Stemplinger, Art. Adler: RAC 1 [1950] 92). Vgl. auch Aug. serm. 81,8 (PL 38, 504f.): Verjüngung des Christen innerhalb des *mundus senex*, gestützt wiederum durch ps. 102,5.

kennen? Überschneiden sich die beiden großen Vorstellungskreise oder fallen sie etwa gar zusammen? Dürfen wir auch die Verjüngung des Christen als Alterstranszendenz in dem eingangs definierten Sinne verstehen? Die Beantwortung dieser Fragen hätten wir von der Sache her bereits in dem Kapitel vornehmen können, das der Wesensbestimmung des Transzendenzideals gewidmet war. Aber an so früher Stelle unserer Darstellung hätte der Versuch, das Verjüngungsthema abzugrenzen, notwendigerweise verwirrend wirken müssen[5]; denn die Trennlinie zwischen den beiden Anschauungen läßt sich — um das Ergebnis hier schon anzudeuten — nicht immer scharf erfassen, mag sie auch aufs Ganze gesehen durchaus erkennbar sein. Wir wollen im folgenden die Verjüngungsidee von drei Seiten her betrachten und dabei Unterschiede sowie etwaige Übergänge zum Transzendenzgedanken herauszuarbeiten suchen. Freilich sei sogleich zugestanden, daß von nur einer Verjüngungsidee schlechthin sprechen eigentlich schon die Dinge vereinfachen heißt, ist doch der Erneuerungs- und damit auch der Verjüngungsgedanke von den Vätern nach Ziel und Inhalt recht verschieden verstanden worden. Wir beschränken unsere Aufmerksamkeit hauptsächlich auf den Gebrauch des Lebensalterbildes innerhalb der christlichen Erneuerungsideen und da wiederum auf den Bereich der personalen Erneuerung: unberücksichtigt bleiben mithin Vorstellungen wie die der *renovatio imperii* oder der *renovatio ecclesiae.* Gewiß sind die personalen und die institutionellen Erneuerungsideen kaum unabhängig voneinander zu begreifen, wie ja auch sonst der psychische und der ekklesiologische, der mikrokosmische und der makrokosmische Gesichtspunkt bei den Kirchenvätern in mannigfacher Weise einander durchdringen. Aber eine direkte Berührung mit dem Ideal der Alterstranszendenz kann sich, wenn überhaupt, nur von der personalen Erneuerung, d. h. von der Verjüngung des Einzelmenschen her ergeben.

Einer der Unterschiede zwischen Verjüngung und Transzendenz fällt schon auf den ersten Blick hin auf: innerhalb der Verjüngungsthematik steht die 'Jugend' immer für das Gute, das 'Greisenalter' für das Schlechte, während es sich beim Transzendenzideal eher umgekehrt verhält. Hier wird das Alter fast durchweg positiv bewertet, über die Jugend dagegen, wofern sie nicht geradezu mit der Kindheit im engeren Sinn gleichgesetzt wird, hört man viel seltener etwas

[5]) Nur ganz kurz haben wir dort (S. 43) die sich verjüngenden Frauengestalten der spätantiken Allegorie erwähnt, und dies nur zu dem Zweck, um CURTIUS' Verfahren zu beschreiben, der die Themen 'Verjüngung', 'Polymorphie', 'Alterstranszendenz' mehr oder weniger in eins setzte.

Gutes. Der Grund dafür liegt auf der Hand: der vergeistigende Gebrauch der Altersbegriffe richtet sich im Rahmen der Transzendenz-Vorstellung nach einer recht differenzierten geistig-moralischen Typologie der Lebensalter, und da schneidet eben das Alter besser ab als die Jugend. 'Kind' soll man sein, weil dem Kinde Unschuld, Einfalt oder Leidenschaftslosigkeit eignen, 'Greisenhaftigkeit' bedeutet soviel wie Weisheit, Sittenreinheit o. dgl., 'Jugend' drückt allenfalls, wird sie positiv aufgefaßt, die Energie und Opferbereitschaft zum Guten aus. Kurzum: in jedem Fall erwächst diese Metaphorik aus der Beobachtung innerer Eigenarten der einzelnen Altersstufen. Das Verjüngungsbild beruht dagegen vorwiegend auf der Anschauung des äußeren, körperlichen Ablaufs menschlicher Entwicklung, die sozusagen in ihr Gegenteil verkehrt oder rückgängig gemacht werden soll. Bei solcher Betrachtungsweise kann die Jugend nur das Schöne und Makellose, das Greisenalter nur das Häßliche und Verdorbene bezeichnen. Origenes vergleicht einmal die durch die Sünde entstellte Seele mit einer alternden Frau und ruft dazu auf, mit Christi Hilfe vom häßlichen 'Greisenalter' der Sünde zur 'Jugend' überzugehen. Dabei gelangt er zu der allgemeinen Erkenntnis, daß Körper und Seele eine gegenläufige Entwicklung durchmachen könnten, insofern der Leib von der Jugend zum Alter fortschreite, die Seele jedoch, wenn sie die Vollkommenheit erreicht habe, aus einer greisenhaften in eine jugendliche verwandelt werde[6]). Basilius verdeutlicht die Wirkung der Taufgnade durch den fiktiven Vergleich mit einer medizinischen Verjüngungskur[7]): Wenn ein Arzt verspräche, durch ge-

---

[6]) Es lohnt sich, diese charakteristische Passage in weiterem Umfang auszuschreiben (Ruf. Orig. in Ez. hom. 13,2 [zu Ez. 28,12]: GCS 33,447): *et quomodo in corporibus saepe videmus accidere, ut mulier speciosa et pulchra facie ab aegrotatione decorem suum perdat et per senectutem splendorem vultus amittat, eodem modo et anima, quae pulchra erat, per infirmitatem amittit decorem et per senectutem deformis efficitur. cum enim susceperit 'veterem hominem cum actibus suis'* (Col. 3,9), *senectute eius pristinum perdit decorem. venit Iesus, ut transferat nos a veteri homine et senectutis insignibus; ruga quippe senectutis indicium est, ut apostolus ait: . . .* (Eph. 5,27). *licet igitur a senectute et ruga ad iuventam transcendere et hoc est in hac parte mirabile, quod corpus ab adulescentia pergit ad senium, anima vero si venerit ad perfectum, a senecta in adulescentiam transmutatur. idcirco 'etiamsi exterior homo noster corrumpitur, sed interior renovatur de die in diem'* (2 Cor. 4,16). Vgl. ferner Ruf. Orig. in Rom. V 8 (PG 14,1042 B): der Sünder wird immer häßlicher, der Christ immer schöner. Von der geistigen Jugendschönheit Isaaks spricht auch schon Philon quaest. gen. IV 146.

[7]) Basil. hom. in bapt. 5 (PG 31,432 D/433 A). In ähnlicher Weise benützt Clem. Alex. paed. III 17,2 (GCS 12,246) einen Vergleich mit der Kosmetik: *ἀνανεοῦσθαι δὲ μὴ βαφαῖς καὶ καλλωπίσμασιν, ἀλλὰ . . . κτλ.*

wisse Mittelchen einen Greis zum jungen Mann zu machen, dann würde der betreffende den Tag, an dem er zur Jugendblüte zurückkehren solle, gewiß sehr herbeisehnen; da uns aber durch die Taufe eine Verjüngung der Seele verheißen wird, die infolge der Missetaten Runzeln und Flecken[8]) bekommen hat, wäre es töricht und undankbar, nicht auch dem Tauftag mit gleicher Sehnsucht entgegenzugehen, zumal die Taufe die wahre Jugendblüte (*τὸ ἀληθινὸν ἄνθος τῆς νεότητος*) bringt. Solche Stellen zeigen deutlich, wie sich die Bilder von Jugend und Alter im Bereich der Verjüngungsidee aus der, wenn man so sagen darf, körperlichen Phänomenologie der Lebensalter entwickeln. Dabei konnte die Jugend nicht schön genug, das Greisenalter nicht häßlich genug vorgestellt werden, ging es doch schließlich darum, den Kontrast von Sünde und Gnadenstand möglichst scharf herauszuarbeiten. Daß sich die Kirchenväter keineswegs scheuten, zu diesem Zweck die Grenzen des guten Geschmacks zu überschreiten, mag eine in ihrer Art eindrucksvolle Passage bei Johannes Chrysostomus lehren[9]). Der Kirchenvater beklagt darin zunächst die Schwachheit der Menschen, die schon wenige Tage nach Empfang der Taufe wieder in die alte Sündenhaftigkeit zurückfallen oder, um es mit seinen eigenen Worten zu sagen, „nach der Jugend der Gnade (wieder) das Greisenalter der Sünden herstellen" (*μετὰ τὴν ἀπὸ τῆς χάριτος νεότητα τὸ ἀπὸ τῶν ἁμαρτιῶν κατασκευάζοντες γῆρας*). Darauf fährt er fort: „Es ist ganz unmöglich, einen Leib zu sehen, der infolge der Zeit so zerstört wäre wie eine durch die Wirkung der vielen Sünden verfaulende und verfallende Seele. Denn sie wird zur äußersten Nichtigkeit getrieben: sie redet unverständliches Zeug wie die Greise und Verrückten, ist voll von Rotz, Torheit und Vergeßlichkeit, triefäugig, den Menschen ein Ekel, dem Teufel ein leichtes Opfer. Derart sind die Seelen der Sünder, nicht jedoch die der Gerechten: diese sind jung, stark und stehen immer in des Lebens Blüte." Nach einer kurzen Bemerkung über die unterschiedliche Tauglichkeit der Gerechten und der Sünder zum Kampf gegen das Böse kehrt der Prediger dann wieder zur Schilderung der greisenhaften Sünderseelen zurück: „Sie besitzen weder eine gesunde Sehkraft noch hören sie gut oder sprechen artikuliert,

---

[8]) In der Wendung *ῥυσὴν αὐτὴν* (sc. *τὴν ψυχήν*) *ἐκ τῶν ἀνομιῶν καὶ ἐσπιλωμένην ἀπέδειξας* klingt, wie so oft in der Verjüngungsthematik, Eph. 5,27 an: *ἵνα παραστήσῃ αὐτὸς* (sc. *ὁ Χριστός*) *ἑαυτῷ ἔνδοξον τὴν ἐκκλησίαν, μὴ ἔχουσαν σπίλον ἢ ῥυτίδα ἤ τι τῶν τοιούτων*. Was hier von der Kirche gesagt wird, ließ sich ebenso gut auf die Seele beziehen, wofür hier auch auf die oben Anm. 6 mitgeteilte Origenesstelle verwiesen sei.

[9]) Chrys. in Rom. hom. 10,5 (PG 60,480f.).

vielmehr müssen sie ständig schlucken und tragen reichen Speichelfluß im Munde herum. Und wenn es nur Speichel wäre! Dann wäre nichts Absonderliches daran. In Wirklichkeit aber geben sie Worte von sich, die übler riechen als aller Unrat, und was noch schlimmer ist: sie sind nicht einmal imstande, den Speichel dieser Worte auszuspucken, sondern fangen ihn mit der Hand in höchst ekelerregender Weise auf und kleben ihn wieder an, da er zäh und schwer abzutrennen ist." Hierauf wendet sich der Kirchenvater an sein Publikum: *τάχα ναυτιᾶτε πρὸς τὴν διήγησιν* — und in der Tat, wem würde nicht übel angesichts so scheußlicher Kleinmalerei bresthaften Greisentums? Gerade auf die abstoßende Wirkung hat es aber Chrysostomus abgesehen. Hier offenbart sich das, was v. HARNACK die „Ästhetik des Häßlichen" in der Kirche des dritten und vierten Jahrhunderts genannt hat[10]). Er trifft diese Feststellung im Hinblick auf die grauenerregenden Schilderungen der Sünde als 'Krankheit' der Seele. Das Gleiche gilt aber eben auch von der Darstellung des Sünders als eines häßlichen Greises und anderen Schreckbildern ähnlicher Art[11]).

Halten wir also fest: die Hochschätzung der *νεότης* erwächst im Bereich der Verjüngungsidee nicht aus dem Boden einer positiven Wertung des geistigen Typos dieser Altersstufe, sondern entspringt der Auffassung von der Jugend als dem Schöneren und Stärkeren gegenüber dem Altersschwachen und Häßlichen, d.h. sie geht von einem physiologischen Vergleich aus. Doch trotz alledem bleibt zu bedenken, daß dieser Unterschied, so stark er auch ins Auge fällt, eine durchlässige Grenze bildet, und zwar nicht so sehr deswegen, weil auch innerhalb der Transzendenz-Vorstellung mit gewissen Bildern gearbeitet wird, die aus der Beobachtung der körperlichen Entwicklung gewonnen sind[12]), sondern mehr noch aus einem anderen

---

[10]) HARNACK, Mission 2,143 mit Anm. 2. Er macht darauf aufmerksam, daß sich ein Mann wie Julian durch diesen Zug des Christentums seiner Zeit abgestoßen fühlte.

[11]) Makarius d. Äg. vergleicht die Seele des Sünders mit stinkendem, von Würmern zerfressenem Fleisch oder mit einem riesigen, verödeten Palast, der voller stinkender Leichen ist (hom. 1,5; 15,33: 5f. 146 DÖRRIES). Mag auch Jesus selbst von einer „Ästhetik des Häßlichen" weit entfernt gewesen sein, wie HARNACK a.O. zu Recht betont, so ist andrerseits doch nicht zu verkennen, daß gerade Vorstellungen wie die eben genannten sehr leicht aus Mt. 23,27 (übertünchte Gräber!) entwickelt werden konnten. Ähnliche Beispiele des Häßlichen ließen sich häufen. Vgl. etwa noch das Bild, das Prudentius per. 2,281/88 nach dem Motto: *peccante nil est taetrius* vom Aussehen der Verdammten entwirft.

[12]) Hier ist in erster Linie das Wachstumsschema zu nennen (vgl. oben S. 33[6]). Auch das graue Greisenhaar wird in der Bildersprache, deren sich der Tran-

Grunde. Die Verjüngung ist oft so weit gefaßt oder — wenn man will — so stark zugespitzt worden, daß als ihr Zielpunkt nicht die Jugend, sondern die Kindheit der Gläubigen erscheint: die Taufe ist ja das Sakrament der Wiedergeburt, und die Getauften sind die zu neuem Leben geborenen *infantes*. Augustinus sagt in einer Osterpredigt: *ecce iam ... isti qui appellantur infantes, mundata sunt omnia peccata ipsorum. veteres intraverunt, novi exierunt? senes intraverunt, infantes exierunt. senectus enim veternosa, vetusta vita, infantia autem regenerationis, nova vita*[13]). Von hier aus lag dann aber auch der Gedanke an signifikante innere Vorzüge des Kindesalters nahe, wie man sie den bekannten Herrenworten über die Kindheit entnahm[14]). Kurzum: das Postulat innerer Kindlichkeit, das uns als Bestandteil des Transzendenzideals vertraut ist, und der Gedanke der sakramentalen Verjüngung treffen sich in der Vorstellung der *infantia christiana*. Freilich hat es auch nicht an gelegentlichen Versuchen gefehlt, Verjüngung und Wiedergeburt irgendwie von der Kindheit als einer moralischen Qualität abzusetzen. Dafür seien zwei zeitlich weit auseinanderliegende Beispiele genannt. Paulinus v. Nola erzählt in einem seiner Briefe die Geschichte von der wunderbaren Bekehrung eines alten Matrosen[15]). Er charakterisiert den Helden seiner Erzählung folgendermaßen: *nam ingenita simplicitate tam purus animi semper fuisse perhibetur, ut pec-*

---

szendenzgedanke bedient, einbezogen. Aber gerade anhand dieses Details ließe sich der Unterschied beider Vorstellungen aufzeigen: das Grauhaar gilt im Zusammenhang mit dem Transzendenzideal wenn nicht als äußeres Würdeabzeichen, so doch als positives Sinnbild geistiger Werte, vom Standpunkt der Verjüngungsidee aus muß es natürlich pejorativ als Zeichen der Vergreisung gedeutet werden. Das klingt an im Pastor Hermae vis. III 10,3/5 (GCS 48,17): Verjüngung der Kirche! Vgl. dazu Hieronymus: *unde et in libro Pastoris ... Hermae primum videtur Ecclesia cano capite, deinde adulescentula et sponsa crinibus adornata* (in Os. II 7,8/10: PL 25,878A).

[13]) Aug. in 1Joh. tract. 1,5 (SC 75,124). Ähnliche Äußerungen begegnen natürlich oft. Origenes bemerkt zu 4 reg. 5,14 (der Leib Naamans gesund wie der eines kleinen Kindes): *cuius pueri? qui ʽin lavacro regenerationisʼ* (Tit. 3,5) *ortus fuerit in Christo Iesu!* (Hier. Orig. in Lc. hom. 33: GCS 49,187). Besonders instruktiv für den *peccator senex*-Gedanken: Ruf. Orig. in Ez. hom. 1,7 (GCS 33,332) *suscipe senem conversum ab errore pristino ... parvulus est, hodie nascitur senex, novellus senex repuerascens.* — Gleichzeitig Getaufte sind ʽgleichaltrigʼ: Aug. conf. IX 6,14: *sociavimus eum* (sc. *Adeodatum filium*) *coaevum nobis in gratia tua, educandum in disciplina tua* ... eqs.

[14]) Vgl. Harnack, Terminologie 89/101. Wie sich die Vorstellungen von Wiedergeburt und moralischer Vorzüglichkeit des Kindseins mischen, könnte auch die Passage aus Maximus v. Turin dartun, die wir oben S. 209 in anderem Zusammenhang auszugsweise wiedergegeben haben.

[15]) Paul. Nol. epist. 49,13 (CSEL 29, 401).

care nescierit. iam in extremae aetatis senecta puer corpore et malitia parvulus non solum gratiae, sed et mentis infantiam gerit. nuper enim ... renatus in Christo et domino dedicatus est. Paulinus unterscheidet hier zwei Arten des Kindseins: eine aus angeborener Herzenseinfalt und Unschuld resultierende *infantia mentis* und eine durch die Wiedergeburt in Christus bewirkte *infantia gratiae.* Was Paulinus im Falle des greisen Seemannes auf die gute natürliche Anlage zurückführt, konnte ebenso als Frucht moralischen Strebens ausgelegt werden, und von daher hat einmal Origenes geistige Kindheit und Wiedergeburt zu unterscheiden versucht. Er behandelt an der betreffenden Stelle[16]) die Frage des Nikodemus bei Joh. 3,4: „Wie kann ein Mensch wiedergeboren werden, wenn er schon alt ist? Kann er etwa in den Mutterschoß zurückkehren und nochmals geboren werden?" Nach Origenes enthält diese Frage ein fruchtbares Mißverständnis, denn man könne ihr eine Wahrheit entnehmen, die in den Worten Jesu selbst unausgesprochen bleibe: um wiedergeboren zu werden, braucht man zwar durchaus nicht etwa in den embryonalen Zustand zurückzukehren, aber man muß den alten Menschen ausziehen, sich geistig verjüngen und im Hinblick auf die Leidenschaften zum Kinde werden! Also eine geistige Rückkehr zur Kindheit ist die Bedingung für die Wiedergeburt aus dem Wasser und dem Geiste. Oder anders ausgedrückt: eine asketische Verjüngung (= *ἡ πρὸς τὰ παιδία ὁμοίωσις*)[17]) hat der sakramentalen Wiedergeburt (= *ἡ ἀνανεοῦσα γέννησις*) vorauszugehen.

Tiefer hinein in die Unterschiedlichkeit beider Vorstellungen führt uns eine andere Überlegung. Die Verjüngungsidee braucht keinen Bezug zum tatsächlichen Lebensalter des 'Verjüngten'. Denn es handelt sich ja eben nicht um eine leibliche Verjüngung — von solchen Fällen lesen wir zwar bei den Kirchenvätern auch, aber sie gehören nicht hierher[18]) —, sondern nur um ein Bild, wenn auch um ein höchst bedeutungsvolles. Es ist grundsätzlich gleichgültig, auf welcher natürlichen Altersstufe etwa der Täufling steht: ob alt oder jung, er wird durch das Sakrament vom 'Greisenalter' der Sünde zur 'Jugend' bzw. zur 'Kindheit' der Gnade gebracht. Beide Relationsbegriffe werden

[16]) Orig. in Joh. frg. 35 (GCS 10,510f.).

[17]) Der Ausdruck selbst fällt nicht hier, sondern an der Parallelstelle: Orig. in Mt. XIII 16. Vgl. dazu oben S. 107.

[18]) Der altersschwache Vater Gregors v. Naz. kehrt wunderbar verjüngt von der Bischofsweihe des Basilius zurück: Greg. Naz. or. 43,37 (PG 36,545C/548A); vgl. or. 18,36 (PG 35,1033B). Paulinus v. Pella fühlt sich als kranker Greis von Gott unterstützt und verjüngt: Paul. Pell. euchar. 566/69 (CSEL 16, 313).

also innerhalb der Verjüngungsthematik übertragen gebraucht. Ganz anders verhält es sich mit dem von uns so genannten Transzendenzideal. Der Bezug zum natürlichen Lebensalter gehört als konstitutives Element wesentlich zur Vorstellung dieser Art von Alterstranszendenz: sie lebt ja geradezu aus dem Gegensatz von äußerem und innerem, körperlichem und geistigem Alter. Der Transzendenzgedanke in seinen reinsten Ausdrucksformen, z.B. das *puer senex*-Ideal, setzt eine Relation zwischen einem natürlichen und einem vergeistigten Altersbegriff voraus, und dahinter steht, wie wir oft zu bemerken Anlaß hatten, mehr als bloße Bildlichkeit. Denn aus der Spannung zwischen dem Alter, das man hat, und dem, was man haben sollte, resultiert das Problem der Zeit und die asketische Aufgabe, die Zeit zu überwinden.

Allerdings haben wir auch bei Beobachtung dieses Sachverhalts wieder Gelegenheit, gewisse fließende Übergänge zwischen den beiden Themenkreisen festzustellen. Die Verjüngung kann sich zwar, unabhängig vom Lebensalter des einzelnen, an jedem Christen vollziehen, aber es lag doch sehr nahe, die Gnadenjugend in pointierten Gegensatz zum äußeren Greisenalter zu bringen. Schon Origenes kontrastiert ja an der oben erwähnten Stelle die körperliche Entwicklung, die in das Greisenalter mündet, mit der Verjüngungsidee, und der alte Mann, der durch die Gnade verjüngt wird, gibt auch sonst innerhalb der mannigfaltigen Ausführungen zum Verjüngungsthema einen beliebten 'Spezialfall' ab. So schreibt einmal Augustinus: *sit ergo licet quilibet, quantum ad aetatem pertinet corporis, annosa vetustate decrepitus, iunior erit ad deum percepta gratiae novitate conversus*[19]). Aber derlei Äußerungen schaffen nur so etwas wie eine 'sekundäre' Antithese, sekundär eben deswegen, weil der Gedanke der Gnadenjugend gar nicht unbedingt den Gegensatz zum natürlichen Greisenalter erfordert; den eigentlichen, primären Kontrapunkt bildet *τὸ ἀπὸ τῶν ἁμαρτιῶν γῆρας* (Chrysostomus), *τὸ γῆρας τῆς ἁμαρτίας* (Theodoret)[20]). Immerhin ver-

---

[19]) Aug. in ps. 118 serm. 5,2 (CCL 40,1677). Ähnlich sagt Gregor v. Naz. or. 7,2 über seine Eltern: *ὧν τὰ μὲν σώματα χρόνῳ κέκμηκεν, αἱ ψυχαὶ δὲ θεῷ νεάζουσιν* (PG 35,757B), wobei eben der Zusatz *θεῷ* an die verjüngende Kraft der Gnade Gottes denken läßt. Vielleicht gehört auch die eingangs S. 23f. besprochene Bemerkung Gregors hierher. Allerdings läßt sie sich, wie so manche andere, inhaltlich schwer festlegen.

[20]) Thdt. in ps. 22,2 (PG 80,1025D): *ἀποδύεται μὲν* (sc. *ὁ βαπτιζόμενος*) *τὸ γῆρας τῆς ἁμαρτίας, νέος δὲ ἀντὶ γεγηρακότος ἀποτελεῖται.* Nach Lampe (s.v. *γῆρας*) wäre das hier sowie an den Parallelstellen Thdt. in 2Cor. 5,17 (PG 82, 412A) und in Eph. 5,27 (548B) Metapher von der Schlangenhaut. Aber an der gleichfalls genannten Stelle in ps. 50,12 (PG 80,1248B) ist diese Metapher sicher nicht mehr erkennbar.

dankt auch diese sekundäre Antithese ihre Beliebtheit durchaus nicht etwa nur rhetorischen Absichten. Es ist nun einmal eine Erfahrungstatsache, daß die Sündenschuld gewöhnlich im Laufe eines langen Lebens anwächst, eine Erfahrung, die übrigens auch als Trostmittel beim Tode Jungverstorbener genutzt werden konnte[21]). Die gnadenhafte Verjüngung gerade des alten Menschen barg daher nicht nur für den Prediger oder Schriftsteller den Reiz tiefer Kontraste, sondern mochte auch vom sachlichen Anliegen her besonderes Gewicht erhalten.

Als drittes Kriterium könnte man hier schließlich nochmals den sakramentalen Charakter der Verjüngungsidee, den wir bisher nur unter anderen Gesichtspunkten mitbehandelt haben, gesondert anführen: dem Ideal der Alterstranszendenz fehlt eine direkte Bindung an das Sakramentale, es gehört ins Gebiet der Moral, es ist eben schlechthin ein Leitbild des rechten Lebens. Im Mittelpunkt dieser Vorstellung steht das Ziel gleichbleibender Vollkommenheit, das nur durch andauernden asketischen Widerstand gegen die wechselnden altersbedingten Fehler des Menschen erreicht werden kann. Doch schon manches, was im Vorausgehenden zur Sprache kam, läßt ahnen, daß wir auch nach dieser Richtung hin keine feste Trennlinie werden ausziehen können. Vor allem gilt es, folgendes zu bedenken: Auch im Bereich der Erneuerungs- und Verjüngungsthematik spielt die lebenslange sittliche Bewährung des Christen eine bedeutende Rolle, und zwar insofern, als es mit der einmaligen Verjüngung durch die Taufe nicht getan ist. Sehr klar arbeitet wieder Chrysostomus den Gedanken in einer seiner Homilien heraus[22]). Er erläutert darin den Begriff *νεοφώτιστοι* („Neugetaufte"). So seien nicht diejenigen zu nennen, lehrt er, deren *φώτισμα* erst wenige Tage zurückliegt. „Neugetauft" könne man auch noch nach vielen Jahren sein, denn nicht die Zeit, sondern die Reinheit des Lebens mache den „Neugetauften". Es komme darauf

---

[21]) Vgl. z.B. Hier. epist. 60 (*epitaphium Nepotiani*), 14, 3: *magis senex onustus peccatorum fasce proficiscitur* (CSEL 54, 567). Das ist die christliche Umbildung des alten konsolatorischen Gedankens, ein langes Leben bringe mehr Leid und Übel aller Art.

[22]) Chrys. in princ. act. hom, 1, 5 (PG 51, 75). Auch an der oben S. 248f. besprochenen Stelle aus den Homilien zum Römerbrief (PG 60, 480) betont er stark die Notwendigkeit steter Bewahrung der einmal erworbenen Jugendlichkeit. Um freilich das Problem der 'postbaptismalen' Erneuerung in differenzierter Weise zu erörtern, müßte man die jeweilige Einstellung der einzelnen altchristlichen Theologen prüfen, was hier nicht geschehen kann. Als entschiedener Verfechter der Notwendigkeit fortgesetzter, täglicher Erneuerung erweist sich vor allem Augustinus.

an, die in der Taufe erworbene Jugend zu bewahren. Ein Beispiel für raschen Verlust der Taufgnade habe Simon, der Zauberer, gegeben (act. 8); daß es jedoch möglich sei, die Gnadenjugend bis ans Lebensende zu erhalten, werde durch das Vorbild des Apostels Paulus bewiesen, der — so heißt es dann wörtlich — „im Greisenalter sich noch herrlicher hervortat. Denn diese Jugend (d.h. die der Seele) stammt nicht von der Natur, sondern an uns liegt es, die Wahl zwischen beiden Möglichkeiten zu treffen: *καὶ τὸ γηρᾶσαι καὶ μεῖναι νέους ἐν ἡμῖν ἐστι κείμενον*". In dieser Weise fährt Chrysostomus noch weiter fort, die prinzipielle Unabhängigkeit solcher Jugend vom Gesetz der Natur, d.h. vom natürlichen Prozeß des Alterns, darzustellen. Am Schluß steht ein einprägsamer Vergleich zwischen dem ungetrübten Glanz der Gnadenjugend und dem ewigen Sternenschimmer am Himmel. Aber Wendungen wie *πολλὴν σπουδὴν ἐπιδείκνυσθαι, ἐπισπουδάζειν, τὴν νεότητα διασῶσαι, διατηρεῖν* beweisen zur Genüge, wie sehr der Kirchenvater den Besitz der 'Jugend' und die Überwindung des 'Alters' als Frucht fortwährender moralischer Bemühung versteht, und das alles wiederum muß uns der Sache nach stark an jenen Gedanken einer idealen Zeitüberlegenheit des Christen erinnern, der den Kern des Transzendenzideals ausmacht.

Wir wollen hier innehalten. Zwischen der Verjüngungsidee und dem Leitbild der Alterstranszendenz gibt es mancherlei Übergänge, die wir hinzunehmen haben: eine schematische Trennung der Vorstellungen würde den wahren Verhältnissen nicht gerecht. Andrerseits dürfte deutlich geworden sein, daß der Verjüngungsgedanke gegenüber dem Transzendenzideal viel Eigenartiges und Neues mitbringt und daß wir daher gut daran taten, diesen Komplex aus dem Hauptteil unserer Untersuchung auszuscheiden.

REGISTER

I. BIBELSTELLEN

Kursiv gesetzt wurden die Seitenzahlen immer dann, wenn die betreffenden Bibelstellen nicht ausdrücklich genannt, aber aufgrund des Zusammenhangs (der Erwähnung biblischer Namen usw.) gegenwärtig sind. In der Zitierweise der Psalmen folge ich — wie auch sonst — der Vulgata.

1. Altes Testament

2. Neues Testament

II. NAMEN UND SACHEN

Antike und altkirchliche Autoren wurden nur in besonderen Fällen aufgenommen, moderne gar nicht. Griechische Wörter sind nach dem lateinischen Alphabet eingeordnet.